KB150313

중국 고대 瓦當 연구
周나라에서 漢나라까지

중국 고대 瓦當 연구 - 周나라에서 漢나라까지

2014년 6월 25일 초판 1쇄 인쇄
2014년 6월 30일 초판 1쇄 발행

글쓴이 허선영
펴낸이 권혁재

편집 조혜진 · 권이지
출력 CMYK
인쇄 한일프린테크

펴낸곳 학연문화사
등록 1988년 2월 26일 제2-501호
주소 서울시 금천구 가산동 371-28 우림라이온스밸리 B동 712호
전화 02-2026-0541~4
팩스 02-2026-0547
E-mail hak7891@chol.net

책값은 뒷표지에 있습니다.
잘못된 책은 바꾸어 드립니다.

ISBN 978-89-5508-316-3 93910

이 저서는 2009년 정부(교육부)의 재원으로 한국연구재단의 지원을 받아 수행된 연구임(NRF-2009-812-A00119)

This work was supported by the National Research Foundation of Korea Grant funded by the korean Government(NRF-2009-812-A00119)

중국 고대 瓦當 연구

周나라에서 漢나라까지

허선영 지음

학연문화사

일러두기

1. 본 책에서 인용된 참고서목은 각주에서는 서명만 열거하였으며, 자세한 출판 연월일은 참고문헌을 참고하기 바란다.
2. 본 책에서 인용된 도록은 약칭으로 하였으며, 총칭은 각주에서 처리하였다.
3. 본 책에서 인용된 와당 탁본은 1998년 이후 출간된『秦漢瓦當』,『中國古代瓦當圖典』,『中國瓦當藝術』,『陝西古代磚瓦圖典』의 4서를 위주로 하였다.
4. 본 책에서 인용한 탁본가운데 캡션을 달지 않은 것은 발굴 보고서를 인용한 것이다.
4. 한대 문자와당 중 판독이 어려운 글자는 '□'로 표시하며, 중국어 간체자와 번체자의 혼용에 있어서도 명문상에 나타나는 글자를 그대로 하였다.
5. 본 책에서 인용된 도록은 약칭으로 하였으며, 도록의 자세한 명칭은 부록(인용도록 약칭대조표)를 참고하기 바란다.

추천의 글

『중국 고대 瓦當 연구 - 周나라에서 漢나라까지』는 허선영 교수가 2005년『漢代瓦當硏究』로 박사학위를 취득한 후 내놓은 중국 고대 와당 관련 두 번째 저작이다. 이번 저작은 2009년 한국연구재단 저술지원과제로 선정되어 연구를 진행한 것으로 허 교수는 지난 4년 동안 중국 섬서성 일대를 중심으로 내몽고에서 남경에 이르기까지 현장을 누비면서 와당 조사를 직접 진행하였다. 이 기간 동안 허 교수는 와당을 직접 실견 조사하고 연구하여 저서를 출판하게 된 것이다. 본서에 수록된 수백여 장의 사진 자료는 허 교수가 수년간 중국에서 직접 촬영, 실견, 연구한 결과이며, 그중 중요하다고 판단되는 것만을 선정하여 수록한 것이다.

이 책은 허 교수의 중국 고대 와당에 대한 사랑과 영혼이 담겨 있는 저작이며, 풍부한 사진 자료를 통해 국내외 와당 전공자 뿐 아니라 비전공자들로 하여금 와당 연구에 쉽게 접근할 수 있도록 하는 점이 특징이다.

이 책은 서주시기 와당의 출현 이후 와당의 전성기를 이루는 한대에 이르기까지 중국 고대와당을 전면적으로 구성하고 있다. 와당의 출현 시기인 서주시기의 시원기를 시작으로 春秋戰國시기의 다양한 와당의 형식이 등장하는 확산기, 중국 고대 와당의 핵심인 秦代 정립기, 그리고 와당의 전성기인 漢代에 이르기까지 중국 고대 와당의 중요한 내용을 시기별로 정리하고 연구하였다.

1960년대 와당 발굴이 본격적으로 시작되고, 그에 따라 와당연구도 어느 정도 진척을 보이는 듯하였다. 그러나 발굴성과는 있으나 연구의 부족과 출토 와당 자료의 분산으로 후속 연구에 많은 어려움이 초래되고 있는 실정이다. 특히 문자 와당의 출현 시기에 논란이 있었던 12자 와당의 편년에 관하여 허 교수는 '와당 5대 편년 분류법'으로 문자와당의 편년을 재검토한 결과 秦代가 아닌 漢代 중기의 문자와당임을 증명하고 있다.

또 연화문양의 기원에 관하여 기존 연구는 줄곧 불교와 연관지어 논의하고, 불교 전래 이전의 연화문과 연관된 문헌 및 유물 자료를 통해 연화문의 등장을 방증할 자료를 제공하고 있는데 반해 허 교수는 춘추시기 연학방호 청동기에서 연판문양이 이미 등장하였음을 밝히고 있다. 진나라 와당 문양에서도 연화문이 등장하고 진시황의 통일 이후에도 지속적으로 등장하고 있지만, 한대에 이르러서는 연화문이 중심이 되는 것이 아니라 문양와당에 부수적으로 배치하는 정도의 위상을 차지하고 있음을 밝히고 있다.

이러한 결과는 그동안 국내 학계에서 간과하고 있던 점으로 허 교수의 새로운 견해와 연구 방법론의 제시가 진보적인 연구에 중요한 단서를 제공하게 될 것이라고 생각한다.

허 교수는 2000년 국립대만대학 박사과정에 입학하면서부터 현재까지 부지런히 중국 고대 와당의 자료 수집, 정리, 연구에 전념하였다. 허 교수의 학문 연구에 대한 근면 성실한 자세는 중국 고대 와당 연구의 두 번째 저작으로 나타났으며, 앞으로 와당 연구 분야의 대가로 성장할 것으로 믿어 의심치 않는다.

한국외국어대학교 중국언어문화학부

교수 **박 흥 수**

들어가는 말

하늘과 가장 먼저 만나는 와당

인류는 생존을 위하여 본능적으로 다양한 조형물을 만들었는데, 그 중에 하나로 비나 바람을 피하기 위하여 만들어낸 와당이 있다. 그런데 와당은 단순히 비나 바람을 피하기 위한 용도만은 아니었다. 와당에는 자연스럽고, 인간적인 아름다움이 내재되어 있으며, 고대인의 질박한 삶 속에서도 여유를 가져다주기도 한다. 우리는 고대인들이 만든 와당을 통해서 건축 미학의 아름다움을 발견하게 된다.

와당이 아름답고 성스럽다는 것은 하늘로 높이 치솟아 있는 지붕의 맨 끝에서 자연과의 조화됨에서 찾을 수 있다. 다양한 와당은 주거 환경을 크게 개선시켜주는 역할뿐만 아니라 목조건축물의 단점을 보완하고, 더 견고하게 보존할 수 있도록 해 주었다. 우리는 와당에 새겨진 다양한 문양이나 문자 등을 통하여 인간계와 자연계의 조화를 찾을 수 있고, 하늘의 뜻을 거역하지 못했던 인류의 삶을 새삼 느낄 수도 있다.

지붕 위에 줄지어 있는 와당을 보면 여유로운 자태가 느껴지고, 하늘과 함께 드리워진 와당을 바라보고 있노라면 건물 안에서 담소를 나누고 깊은 잠을 청하는 안락한 휴식이 연상되기도 한다. 그래서 와당은 동아시아 고대건축에서 삶의 애환을 보여주는 문화적 소산이자 미학의 대상이기도 하다.

와당의 미학은 15-20cm 정도의 막새면에 무엇을 표현하고, 그것에 어떤 의미를 부여하고자 했는지에 집중되어 있었다고 할 수 있다. 와당에 표현된 문양! 어떤 상징을 담아 어떤 내용을 전하고 싶었을까? 와당에 새겨진 문자! 어떤 의미를 담아 어떤 말을 속삭이고 싶었을까? 그 상징도 그 의미도 모두 古人들의 삶의 표현이었다. 그래서 와당은 단순한 기능을 넘어 그 안에 삶이 있고, 미가 있는 것이다.

어느 시대, 어느 지역, 어느 민족이든 오래전부터 전해진 토속신앙을 비롯하여 다양한 신앙이 새롭게 나타났다가 사라지기도 했다. 그 속에서도 인간들은 천년만년 살고 싶은 욕망이 있었으며, 아름다운 삶을 꿈꾸었다. 그러나 모든 사람들이 여유롭고 행복한 삶만을 살지는 못했다. 오늘날과는 달리 고대에는 소위 왕실을 비롯한 특수 계층의 선택받은 소수만이 그러한 삶을 누렸다. 와당은 그들만의 전유물로 인식되었다. 그래서 어쩌면 와당은 편협한 고대인들의 삶을 보여주는 것일지도 모른다.

살아가는 동안 가슴속 깊이 감사의 마음을 어찌 말로 다 표현 할 수 있을까? 자식이 원하는 일이라면 희생을 아끼지 않으셨던 든든한 후원자 나의 어머니, 나의 아버지께 사랑한다고 감사드린다고 말씀드리고 싶다. 그리고 학자의 길로 거듭날 수 있게 도와주신 지도교수 쉬탄훼이[許錟輝] 선생님, 예궈량[葉國良] 선생님, 항상 격려와 칭찬을 아끼지 않으신 강계철 교수님, 박홍수 교수님(박사 후 지도교수), 중국 북경사회과학원 리우칭쥬[劉慶柱] 선생님, 항상 나의 일에 조언을 아끼지 않으신 윤동열 교수님, 정연학 선생님께 마음속 깊은 감사를 드린다. 20대 초반의 유학시절부터 지금까지 가족처럼 보살펴주신 공병석 선배님, 조영준 언니, 원종민 선배님, 서재선 선배님, 오제중 선배님, 한지영 선배님, 최세윤 선배님, 한경아 선배님, 김이식 박사께도 늘 고마움이 함께 하였다. 유학시절부터 항상 옆에서 나의 온갖 고민을 다 들어준 친구 같은 김준영 선배와 박동근 선배, 또 몇 해 안되는 인연이지만 마치 오랜 세월 함께 지내온 벗과 같은 서한용 교수님, 이은경 교수님께도 진심으로 마음 속 깊은 감사를 드린다.

자료조사와 저서로 완성되기까지 옆에서 많은 조언과 격려를 해주신 두양문화재단 김대환 선생님께도 진심으로 감사드린다. 중국 서안지역 기와 조사에 적극 협조해 주시고 도와주신 송위빈[宋玉彬](吉林省文物考古研究所所長), 西安秦塼漢瓦博物館 副館長 왕징핑[王京平], 장샤오핑[張小萍] 선생님도 감사드린다.

그리고 마음을 담아 감사드리고 싶은 사람들이 있다. 세인이가 자라나는 동안 자식처럼 보살펴 준 언니 진영과 동생 미영, 승욱, 항상 나의 옆에서 사랑과 배려를 아끼지 않는 영원한 동반자 랑, 내가 살아가는 존재의 이유 사랑하는 딸 세인이에게 너무너무 사랑한다고 꼭 말하고 싶다. 또한 부족한 원고지만 기꺼이 출판해 주시고, 기회를 주신 학연문화사 권혁재 사장님께 무엇보다도 깊은 감사를 드린다. 충분치 않는 시간에 맞추어 책을 만들어 주시느라 애쓰신 편집부 선생님들께 진심으로 고마움을 전한다.

2014.06

안산 연구실에서 **허 선 영**

차 례

추천의 글

들어가는 말

Ⅰ. 서론

1. 瓦當이란 무엇인가? 21

2. '瓦'와 '當'의 용어 정의 24

Ⅱ. 와당의 시원기 : 西周

1. 素面瓦當 : 無紋瓦當 37

2. 花紋瓦當 : 重環紋 42

Ⅲ. 와당의 확산기 : 春秋戰國

1. 春秋時代 : 弦紋의 繩紋瓦當 51

2. 戰國時代 55

1) 齊國瓦當 56

2) 燕國 瓦當 78

3) 秦國 瓦當 88

Ⅳ. 와당의 정립기 : 秦代

1. 圖像紋 : 夔紋大半瓦當 …… 126
2. 圖案紋 …… 127
3. 植物紋 : 蓮花紋 …… 134
4. 中國 瓦當에 등장한 初期 蓮花紋 瓦當 …… 146

Ⅴ. 와당의 전성기 : 漢代

1. 文字瓦當 …… 155
2. 文字兼紋様瓦當 …… 298
3. 음양오행과 신선방술 …… 308
4. 紋様瓦當 …… 316

Ⅵ. 결론 …… 363

참고문헌 …… 369
색인 …… 390

Ⅰ. 서론

중국 고고학계에서는 1963년부터 섬서성을 중심으로 중국고대 도성 발굴을 끊임없이 진행하였는데, 많은 양의 와당이 출토되면서 와당연구에도 점차 관심을 가지게 되었다. 이 시기 연구 성과는 주로 고고발굴의 단계로 도성을 중심으로 진행하였는데, 와당을 통한 편년 연구와 시기별 와당 형태, 와당면에 배치된 문양과 문자 연구는 미흡한 실정이었다.

와당 문자의 본격적인 연구는 비교적 늦은 80년대 후반에 진행되었데, 그 전에 1963년 천즈[陳直]선생은 와당의 편년 연구를 시도하였으나, 그의 후학들도 선생의 연구 범위를 뛰어넘지는 못하였다. 와당 문자에 관한 연구는 그 후로도 끊임없이 이어져 현재까지 진행되고 있다. 그러나 역시 마찬가지로 단면적인 것에 불과하여 와당 연구라 함은 여전히 제작기법과 출토 사례를 통한 고고학 보고서 형식의 연구

성과가 전부인 실정이었다. 전반적인 중국 고대 와당 연구는 연구자들의 노력에도 불구하고 여전히 전반적으로 지지부진하다 할 수 있겠다.[1] 와당을 통해 당대의 사상과 문화를 연구하는 풍토도 개선되어야 하겠지만 무엇보다 시급한 것은 동아시아 기와문화의 모체적 역할을 하였던 秦漢瓦當에 관한 전반적인 연구 부족과 기존 연구의 문제에 관한 인식을 이해하지 못하고 있음이 지적된다. 따라서 본 저서는 중국 고대 와당의 출발점이었던 西周時期에서 시작하여 와당의 전성기를 이루었고, 우리나라 와당 문화에 많은 영향을 주었던 漢代瓦當까지 논의될 것이다.

연구를 진행하는 과정에서 탁본은『秦漢瓦當』[2]의 탁본을 중심으로 하였으며, 와당 사진은 필자가 직접 조사, 촬영한 것을 중심으로 하였다. 또 필요에 따라서 기타 사진 자료나 탁본 자료를 추가로 인용하였다. 명문의 고석에 문제가 있다고 판단되는 부분은 필자가 다시 판독한 것을 제시하였다.

특히 漢代 문자 와당은 명문의 내용, 글자체, 사용처 등 중국 고대 문화사와 글자 연구에 있어 매우 중요한데, 국내는 물론 중국내에서 출간되는 문자 와당의 도록이 분산되어 있어 연구에 많은 불편함을 초래하고 있다. 따라서 분산되어 있는 漢代 문자 와당을 국내외 와당 연구

1) 1947년 이후로 陝西省을 중심으로 漢代瓦當이 집중 발굴이 되었는데, 이중에서 중요 유적지 발굴 보고서는 허선영,『중국 한대 와당의 명문 연구』(민속원, 2007)의 참고 문헌에 수록되어 있다.

2)『秦漢瓦當』은『秦漢』으로 약칭한다.

자들에게 자료 제공의 목적도 가지고 있다.

漢代 와당 명문에는 지금 우리나라 문헌에서도 자주 등장하는 길상어의 용어가 많이 나타나는데 그 기원을 찾기가 쉽지 않다. 한대 문자 와당에 많은 부분을 차지하는 용어는 '千秋萬歲', '萬歲萬歲', '長樂未央', '長生無極' 등이다. 이러한 와당 용어는 한무제 시기 문자와당으로 가장 빠른 시기이다. 현재까지 출토된 바에 의하면 문자 와당은 西漢時期로 한무제 이후부터는 문자 와당의 명문 내용 뿐 아니라 글자의 형태와 와당면의 제작 방법 등에서 다양한 변화가 있었던 것으로 파악되고 있다. 사용된 시기도 중기에서 약간 빠른 후기에 해당된다.

본 연구에서는 1,000여개의 문자와당과 출토지가 비교적 정확한 문양와당을 중심으로 분류, 분석, 정리, 연구하였다. 그리고 秦漢 와당의 흐름이 당시의 유행했던 黃老와 儒敎思想 등과 관련되어 있음을 밝히고, 제나라 시기의 것으로 보는 '天齊'와 한대 12자 문자 와당의 편년을 바로잡고, 秦漢瓦當 탁본 및 사진 자료의 제공을 통하여 국내의 와당 연구자들에게 자료 제공 및 연구 성과의 확산을 기대해 본다.

중국의 와당은 전국시기 처음 변화를 맞이하는데, 제후국의 와당에 나타나는 문양은 당시 각 지역의 다양한 특색과 문화의 반영이었으며, 漢代에 이르러서 와당의 문양은 하나의 통일성과 원칙을 이루게 되는 시기가 된다. 또 이 시기는 문양을 대신한 문자 와당이 출현되는 시기로 漢代 와당의 최고의 전성기로 뽑는 이유가 여기에 있다. 漢代는 상업과 경제, 정치와 사상이 활발했던 시기로, 이 시기에는 왕족과 귀족층들만이 사용한 가옥에서 文字가 새겨진 와당이 등장한다. 따라서 와당면에 배치된 내용을 통하여 漢代의 역사, 문화, 사상을 고찰함에 있어 매우 귀중한 자료가 되고있다.

豆腐村 秦雍城 出土 瓦當

1. 瓦當이란 무엇인가?

와당은 언제부터 사용을 하였을까? 건축물의 부속물인 와당은 건축 양식과 함께 발전 변화해 왔다. 『說文 · 瓦部』의 '瓦'자에 이르면 "……「古史考」曰: 夏時昆吳氏作屋瓦"하여, 夏代에 吳氏가 '瓦'의 지붕을 만들었다고 설명되어 있다. 段玉裁는 어쩌면 夏代의 吳氏가 '瓦'를 사용했던 자료를 보았을지도 모른다. 왜냐하면 청대에는 고증학이 흥성했던 시기로 段玉裁가 『설문』을 보고 해석하기까지는 분명 어떠한 자료를 보았을 것이다.[3] 夏代 지붕의 틀은 나무나 억새풀 등을 사용하였을 것이고, '瓦'의 사용은 아마도 많지 않았을 것이다. 또한 지붕 전체에 '瓦'를 사용하지 않았을 것이고 지붕의 일부에만 사용했을 것으로 추정된다.

商代에 오면 '瓦'를 사용한 흔적을 볼 수 있는데, 鄭州 京城에서 이

3) 중국은 출토 유물의 전통적인 연구 방법은 유물과 문헌을 함께 연구하는 방법을 우선으로 진행하여왔다. 또 문헌연구에 있어서 '小學'을 기본으로 삼았으며, '小學'이란, 자형(문자)과 소리(성운)와 훈고(뜻)에 관한 범위를 포함하고 있고 이에 중점을 두면서 문헌 연구에서도 이 세 가지 방법은 기본으로 삼아 문헌끼리의 연계성을 가지고 연구하여 왔다. 이에 청대 顧炎武는 문헌과 사실을 함께 고증을 해야 하는 '二重證據法'를 주장해 왔다. 전통방식과 서양의 고고학 이론의 융화인 셈이다.

미 '瓦'가 발굴되었으며, 이것은 商代 초기에 '瓦'를 사용했다는 증거이다. 1976년 陝西省 岐山縣 京當公社의 鳳雛村에서 대형의 西周時期 건축군이 발굴되었다. 동시에 扶風縣의 法門社召陳村에서도 西周時期의 대형 건축군이 발굴되었다. 鳳雛村에서는 소량의 '瓦'가 발굴되었으며, 또 扶風縣에서 발굴된 '瓦'는 鳳雛村의 것보다 그 수량도 많았으며, '瓦'의 종류도 더욱 다양하였다. '板瓦'와 '筒瓦'를 비롯하여 '半瓦當'등이 다량으로 출토되었다. 이렇게 여러 종류의 '瓦'가 출토된 것으로 보아 당시 건축물에 사용한 '瓦'는 다양한 형태가 제작되어 건축의 기능과 구성에 맞게 사용했음을 알 수 있다.

西周時期에는 중요한 건축물에는 분명하게 '瓦'와 '瓦當'을 사용하였고, 지붕의 건축 소재 중 아주 중요한 재료였을 것으로 생각된다. 출토유물에 의하면 이런 소재를 사용한 장소는 궁궐과 귀족의 가옥에 한정되었음을 알 수 있다.[4]

'瓦'라는 글자가 문헌상으로 처음 기록이 되어 있는 것은 기원전 715년 노나라 隱公 8년 '盟于瓦屋'이라고 기록되면서이다. 그 내용은 다음과 같다.

『춘추』 은공 8년에 이르기를 :

"宋公과 齊侯와 衛侯는 와옥에서 회의하여 연맹을 맺었다."[5]

---

4) 中國社會科學院考古硏究所, 1984, 『新中國的發現和硏究』, 248-251쪽.

5) 『春秋 · 隱公八年』:「宋公 · 齊侯 · 衛侯盟于瓦屋」.

위의 내용을 통해 알 수 있듯 당시 회의 연맹을 진행했던 곳은 '瓦屋'이었던 것이다.[6]

6) 許進雄, 1995,『中國古代社會』, 339쪽.

2. '瓦'와 '當'의 용어 정의

먼저 '瓦'혹은 '瓦當'에 관한 문헌 기록을 살펴보도록 하겠다. '瓦'에 관한 정확한 용어의 의미를 기록한 시기는 漢代에 이르러서이다. 중국 문헌에 기록된 '瓦'의 의미는 '瓦'와 '當'으로 서로 다른 용도의 건축 재료였다. 일반적으로 '瓦'라 하면 '筒瓦'를 의미하는데 『說文』에 의하면 洞은 通이라고도 하며 籥은 바닥이 없는 걸 뜻하는데[7] 동그란 원형에 밑바닥이 뚫린 상태이며 속은 비어 있는 것을 의미한다. '筒'이란 바닥이 없는 동그란 태평소의 형태와 비슷한 것을 뜻한다. 『說文 · 瓦部』에 '瓦'라고 하는 것은 토기가 이미 불로 다 구워진 상태를 부르는 것이라고 한다.[8] 段玉裁는 "무릇 土器란 불로 굽지 않은 상태를 모두 '坏'이라 하며 이미 불로 구어 진 상태를 '瓦'라고 한다."는 것이다. 이처럼 이미 불로 구워진 상태이기에 그것을 '瓦'라고 칭하였던 것이다.

---

7) 『說文 · 竹部』:"筒,通簫也."段注: '漢章帝記': 吹洞簫. 또 단옥재 설명에 의하면: '所謂洞簫也,廣雅云:大者二十三管無底者也, ……洞者通也,簫之無底者也.'라 했다. 『說文』이란 東漢 許愼이 쓴 중국 최초의 字典. 原名은 『說文解字』이다. 한대 통용된 한자 9,353자가 수록되어 있으며, 540부수로 나누고 있다.

8) 『說文·瓦部』: "瓦、土器已火燒之總名."

'當'자의 해석으로 지금까지 문헌에 기록된 바에 의하면 여러 가지의 의미가 있는데, 『韓非子 · 外儲說右上』에 이르기를[9] "千金의 옥잔에는 밑바닥이 없는데 물을 담을 수가 있겠는가?". 『抱朴子 · 廣譬』 중에 이르기를[10] "밑바닥이 없는 옥그릇을 埏埴으로 하는 편이 좋겠다.". 班固의 『西都賦』에 의하면 "裁金璧以飾擋"그 아래의 注를 보면 "擋, 櫓頭飾也"[11]라고 하여 처마 끝의 장식을 뜻한다는 것이다.[12] 『史記』에는 "裁玉爲璧, 以當榱頭"이라 했다.[13] 즉, 玉을 잘라 璧를[14] 만들고, '當'으로 서까래의 머리를 만든다. 『文選』에서 韓昭의 말을 인용하자면 裁金璧이란 榱頭이라고 말한다. 다시 말해 當이라하는 것은 처마 입구에 튀어나온 머리 부분의 동그란 나무을 뜻하고, 와당의 위치는 처마 앞의 머리 부분을 말하는 것이라 할 수 있다.[15] 서한시기 司馬相如의 『子虛賦』에는 "華榱璧擋, 輦道纚屬"이라 하였으며, 淸代 程敦은 '當'이란 器物의 밑 부분을 의미한다고 하였다. 畢沅의 『秦漢瓦當圖』에 의하면 '當'이라 함은 璧當의 의미로 와당의 형태가 마치 玉璧과 같기 때문이라 하였으며, 또한 陳明達은 '當'자의 원래의 의미는 '막다' 혹은 '가로 막다'

---

9) "堂谿公謂昭侯曰: '今有千金之玉卮而無當,可以盛水乎?'": 王先愼, 1998, 『韓非子集解』, 中華書局.

10) "無當之玉碗,不如全用之埏埴": 楊明照, 1992, 『抱朴子外編校箋』, 中華書局.

11) '當'과 '擋'은 통용하여 쓸 수 있다.

12) 陳直, 1969, 「秦漢瓦當概述」, 『文物』11期.

13) 司馬遷, 1996, 『史記』, 中華書局.

14) '璧'이란 중국고대의 옥기를 말한다. 둥글고 넓으며 중앙에 둥근 구멍이 있는 형태의 玉器를 뜻한다.

15) 陳直, 1963, 「秦漢瓦當概述」, 『文物』11期.

의 뜻 이라고 설명하고 있다.[16)]

이처럼 문헌에 기록된 것으로 보면 '當'이란 그릇이나 술잔 등 밑바닥의 의미라는 것을 알 수 있으며, 班固의 서술에 의하며 漢代에 이미 '當'이란 처마 밑에 장식되어졌다는 것을 알 수 있다. 이로써 풀로 만든 지붕 위에 기와를 덮어씌운 역사적 기록이 있음을 알 수가 있다. 그 위치는 筒瓦의 맨 앞부분이었다. 이러한 용도는 지붕 처마의 앞쪽의 부분을 막아주는 기능을 하였던 것이다. 그리하여 '瓦當'의 명칭은 그 기능과 위치에서 비롯되었음을 알 수 있다.

그런데 漢代 문자와당에는 '瓦'와 '當'이라고 기록한 명문들이 등장하는데, '瓦'와 '當'의 사용은 그다지 엄격하게 구분되지 않았고, 모두 구별 없이 막새를 의미하고 있음을 알 수 있다.

---

16) 陳明達, 1972,『秦漢瓦當圖』 7쪽.
陳直, 1963,「秦漢瓦當概述」,『文物』11期.

【'瓦', '當', '瓦當'이 새겨진 명문 瓦當】

'安樂厠當'

'祠室堂當'

'都司空瓦'

'蘭池宮當'

'長陵東當'

'靑衣瓦當'

Ⅱ. 와당의 시원기 : 西周

商代가 막을 내린 후 건국된 西周는 봉건 사회의 최고 전성기가 된다. 고고 발굴에 의하면 陝西扶風召陳村의 周原 遺蹟은 그 규모가 매우 큰데, 이곳에서 당시의 것으로 추정되는 궁궐 건축군이 발굴되었다. 이 지역에서 周代後期로 추정되는 와당이 발견되어[1] 와당의 사용은 서주 후기로 보고 있으며 이곳에서 板瓦, 筒瓦, 瓦當 등이 출토되었다. 초기 형식의 와당은 半瓦當이었는데, 문양은 素面紋과 弦紋, 重環紋 등이 중심을 이루고 있다. 이 가운데 중환문은 서주 시기의 청동기 문양과 매우 유사하다.

와당은 신분이 높은 자들의 건축물을 자연재해로부터 보호하기 위하여 사용이 되었고, 와당면에 배치된 문양은 당시 통치세력의 정권

1) 陝西周原考古隊, 「扶風召陳西周建築群基址發掘簡報」, 『文物』 1981年 3期.

과 위엄을 반영하는 문양으로 등장하였다. 그래서 권력과 신분을 상징하는 青銅禮器의 문양과 유사한 것은 어쩌면 당연한 것일지도 모른다. 다시 말하면 와당의 제작 초기에 등장하는 문양 형태는 당시 통치세력이 사용한 궁궐 건축인 가옥의 부속품으로만 사용되어, 일반 백성들은 절대 사용할 수 없었던 권력의 상징물이었다. 한대가 멸망하기 이전까지 '와당'은 통치자의 또 다른 권력의 상징물이기도 하였다.

河南 安陽 殷墟는 商代後期의 옛 도성으로 세계에서 가장 빠른 갑골문과 精美한 청동기가 발굴된 곳이다. 安陽小屯은 당시 상대의 궁궐 지역으로 반세기 이상 발굴이 지속되었다. 발굴된 건축 유적을 살펴보면 50m 이상의 유적지가 확인되었고, 매우 상태가 좋은 창, 벽으

板瓦上의 陶紋

로 되어있음이 발견되었다. 그럼에도 불구하고 와당을 사용한 흔적은 현재까지 확인되지 않고 있다. 당시 가옥의 건축 구조를 살펴보면 나무를 이용하여 대들보를 만든 후 벽은 합판과 유사한 형태로 처리하였고, 지붕은 알로에와 진흙, 지푸라기를 이용하여 엮었음이 발견되었다. 1976년 이후에는 서주 초기와 중후기의 궁궐(종묘) 건축 유적이 발굴되었는데, 이곳에서 1.5km 떨어진 곳인 岐山鳳雛村과 扶風召陳村에서 서주시기에 사용된 가장 빠른 와당이 출토되었고,[2] 扶風縣과 岐山縣의 周原 遺蹟으로 동서 5km, 남북 3km 되는 건축군에서 다량의 서주시기 건축과 묘장 유적과 유물들이 발굴되었다. 召陳 遺蹟은 전부 다섯 층으로 확인되었는데, 이중에서 중요한 문화층은 西周時期層이다. 이곳에서 다량의 기와가 출토되었는데, 지층은 초기-중기-후기로, 초기 기와는 뒷면과 사방에 거친 繩紋이 함께 나타난다. 어떤 기와는 뒷면에 '巳'자가 새겨지거나 '丁', '丁二', '三', '四', '五', '六', '七' 등이 새겨졌다.

西周中期의 筒瓦는 상당히 성숙된 단계의 제작 기법을 보유하고 있었던 것으로 확인되고 있다. 대형의 筒瓦 紋樣은 두 가지로 나누어 볼 수 있는데, 와당 뒷면이 '細繩紋'인 것과 繩紋에 '雙線半菱形'의 三角劃紋을 추가한 것이다. 劃紋 안쪽의 繩紋은 비교적 매끄럽게 처리되어 있다.

2) 陳根遠, 朱思紅, 『屋檐上的藝術』, 四川教育出版社, 29쪽.

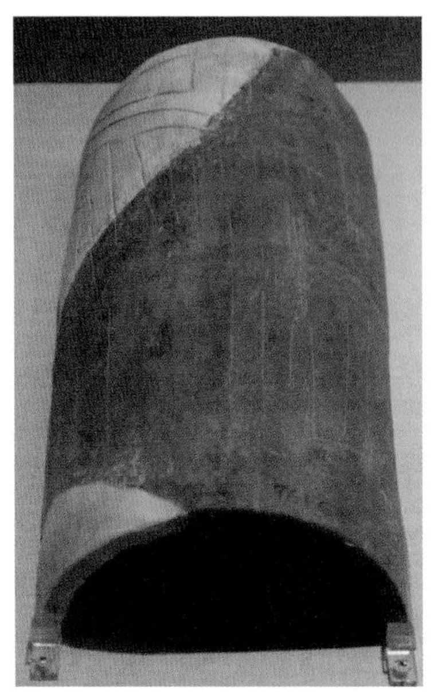

西周時期의 板瓦와 筒瓦
(陝西省博物館 전시)

西周時期 板瓦
(中國杜陵秦塼漢瓦博物館 전시)

西周時期 板瓦
(전시)

西周時期 筒瓦
(中國杜陵秦塼漢瓦博物館 전시)

1. 素面瓦當：無紋瓦當

素面瓦當[3]은 중국 瓦當史에서 가장 먼저 등장한다. 소면와당은 無紋으로 문양 와당의 개념에서 종종 제외시키는 경우가 있다. 장쥔훼이[張俊輝]의 견해로는 素面瓦當은 본래 하나의 문양으로 보아야하며, 인류가 예술문양을 인식할 때 비교적 간단한 방법에서 복잡한 양식으로 치우치는 경향으로 해석하고 있다.[4] 素面瓦當은 와당이 제작된 초기부터 등장한다. 秦漢時代에도 여전히 왕실의 궁궐과 정원의 건축에서 등장하는 것으로 보아 특정한 의미를 지닌 문양으로 출현하였을 것이다.

西周時期에는 板瓦와 筒瓦가 동시에 출현하지만, 그 형태와 사용 범위는 한정적이었다. 이 시기의 와당은 원형이 아닌 반원형으로 이루어졌으며, 크기를 살펴보면 '素面와당'으로 직경이 17.7㎝에서 25㎝ 정도로 비교적 크다. 문양 와당은 직경이 대략 17.6㎝인 '重環紋'이 주된 문양대를 형성하고 있다. 중환문은 西周時期 청동기 문양에서도 흔히 찾

---

3) '素面瓦當'이란 아무런 문양이 새겨지지 않은 와당을 의미한다.

4) 張俊輝, 「論秦咸陽與漢長陵遺址出土的素面瓦當」, 『中國歷史地理論叢』, 2000年 第2輯.

陝西 扶風 召陳 西周建築 유적

아 볼 수 있는데,[5] 와당의 크기도 동 시기의 다른 와당에 비하여 비교적 작은 편에 속한다. 도색은 주로 청회색을 띠고 있는데, 단단하고 견고한 것으로 보아 당시 가마의 온도가 높았다는 것이 쉽게 짐작된다.

5) '重環紋'이란 활모양의 둥근 선이 세 개 혹은 네 개, 어떤 것은 다섯 개도 되는 것이 있다. 이런 '重環紋'은 西周 中後期의 청동기에서 주로 보이는 문양이다. 그 기본적인 특색은 하나의 긴 선이 테두리를 이룬다. 나머지 두개의 선은 반원형을 이루며, 일정한 거리를 두고 반원형의 선이 중복되어 나타난다. 그래서 앞에 '重'이라고 명명을 한 것이다. 이것은 주나라 왕조의 권위와 천자를 권력을 느끼게 하는 문양이었으며, 周 王權의 통치사상의 반영이기도 하다. 이런 '重環紋'의 문양은 '天'을 뜻한다. 王權이 '하늘'이라는 周나라 사람들의 '尊天'사상의 반영인 것이다(黃然偉, 1995,『殷周史料論集』, 203-204쪽).

이처럼 西漢時期 와당은 모두 半瓦當으로 경질이며, 도색은 청회색을 띄고 있다. 와당면도 비교적 두텁고 평평하며 주연부가 없는 것이 가장 큰 특징이라 할 수 있다. 일부의 와당은 朱紅色의 흔적도 있다. 와당은 素面의 無紋과 획을 그어놓은 有紋으로 나눌 수 있다. 素面瓦當의 경우 비교적 작으며 수량도 많지는 않다.[6] 1999년 출간된 『秦漢瓦當』에는 두 점의 와당이 수록되어 있는데, 서주시기의 것과 진나라의 것이다.[7] 서주시기는 圓瓦當으로 평균 직경 14cm이며, 진나라 와당은 직경 15.5cm의 半瓦當이다.

서주 후기에 와당의 사용이 시작되었는데 발굴된 사례는 비교적 적다. 와당의 두께는 비교적 얇으며, 문양도 형태도 繩紋과 두 줄의 활모양[弦紋]으로 나눌 수 있다. 쌍선 혹은 단선의 반릉형거치문으로 되어 있으며, 다른 하나는 비교적 규칙적인 繩紋으로 두 줄의 활모양이 나누어져 있다. 소형 와당은 素面瓦當 한 종류만이 출토되었는데, 이 와당은 서한후기의 지층에서 발굴되었다. 이 시기의 와당들은 문양이 매우 간단하다. 와당의 형식은 반와당이며, 문양은 소면으로 처리되어 있거나 동심원 혹은 거친 網紋 등이 주를 이루고 있다.

6) 陳根遠의 『瓦當留真』 8쪽에는 어떤 와당은 와당면에서 주홍색의 흔적을 찾을 수 있다고 설명하고 있다.

7) 傅嘉儀, 1999, 『秦漢瓦當』, 陝西旅游出版社, 1쪽.

【西周時期 半瓦當】

弦紋(北京古陶博物館 전시)

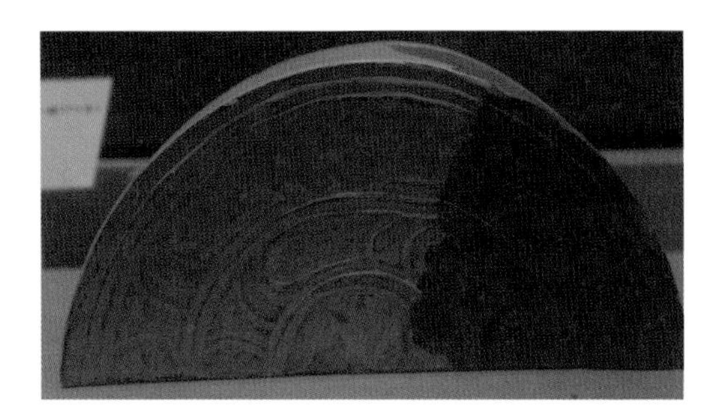

重環紋(陜西省博物館 전시)

素面紋(中國杜陵秦塼漢瓦博物館 전시)

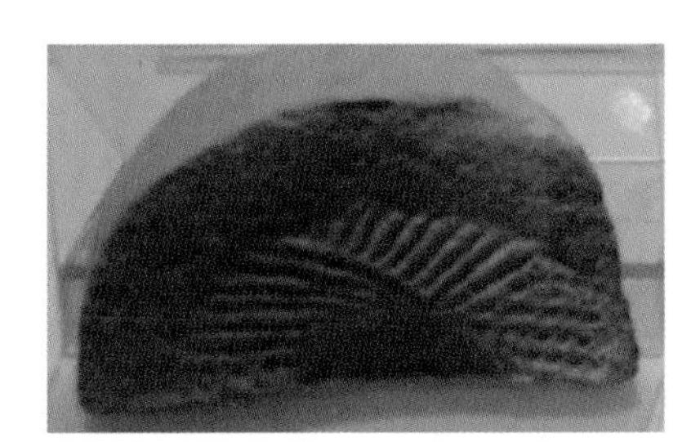
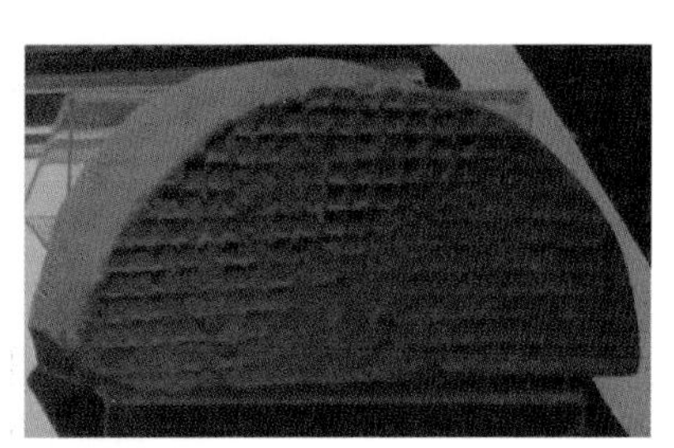

網紋(中國杜陵秦塼漢瓦博物館 전시)

2. 花紋瓦當 : 重環紋

花紋은 素面과는 상반되는 의미로 와당면에 문양이 배치된 것을 의미한다. 이 시기에 사용된 와당은 半瓦當으로, 그 형식은 주연부[邊輪]의 안쪽은 세 개의 활선[弦紋]이 배치되어 있는데, 이것이 중환문이다.

이 시기 와당은 그 크기가 일정치 않으며(17.5~25cm), 와당 형식과 문양, 제작 방법 등이 기본적으로 유사하며, 문양은 重環紋이 중심을 이루고 있으며, 중앙에 활모양[弦紋]이 함께 배치되었다. 西周初期의 青銅器 문양은 기본적으로 商代에서 이어받았으므로 신비한 獸面紋, 龍紋 등이 주가 되고 있다. 와당 문양의 양식도 商代 후기와 비슷하다.[8)]

서주시기 청동기에 표현된 문양이 와당에서 중환문으로 등장하는데, 하늘과 가장 먼저 만나는 와당에 중환문을 배치한 이유는 뭘까? 중환문은 당시 청동기 문양에서도 자주 출현하는 문양으로, 西周中期에 이르러서는 초기의 엄숙하고 神秘한 색채에서 탈피하여 자연스러운

8) 雷鳴, 『中國青銅器銘文紋飾藝術』, 18頁.
張文彬, 『新中國出土瓦當集錄』 齊臨淄卷, 1쪽.

분위기를 뿜어내게 된다.[9]

중환문의 기본적인 특징은 한 줄의 長方形의 環과 한 줄의 짧은 반원형으로 전체적으로 원형의 느낌을 연출한다. 重環紋은 원형의 구조물에 따라 함께 변화를 주기 때문에 環의 一重, 兩重, 三重, 四重의 형식으로 표현하고 있다. 商周時期 청동기에 등장하는 문양을 살펴보면 대략 네 가지 종류로 나누어 볼 수 있다.

重環紋이 와당의 문양으로 먼저 출현한 이유를 살펴보자. 重環紋은 용과 뱀의 몸체에서 비늘을 열거하는 형식으로 鱗紋 혹은 간화된 龍紋이라고도 한다. 중환문의 기원은 殷代後期와 西周初期로 거슬러 갈 수 있는데, 가장 유행된 시점은 바로 西周 후기와 春秋 초기가 된다.[10] 鱗紋은 서주 초기에서 춘추 초기까지 유행하였으며, 서주 중후기에 와서는 크게 유행한다.[11] 重環紋과 龍紋에서 卷龍紋과 鱗形을 비교하면 공통적인 특징을 발견할 수 있는데, 重環紋은 商周 青銅器 문양인 龍紋과 뱀의 비늘에서 시작하여 유행하다가 후에 圖像紋으로 발전하게 된다. 이 문양의 상관 관계를 살펴보면 重環紋은 動物紋이 생략되어 묘사된 것이라고 할 수 있다.[12]

---

9) 雷鳴, 위의 책, 18쪽.

10) 朱鳳瀚, 『古代中國青銅器』, 397쪽.

11) 諸丁郭 外, 1998, 『中國紋樣辭典』, 天津教育出版社, 218쪽.

12) 朱鳳瀚, 『古代中國青銅器』에서 근래 학자들은 重環紋은 鱗紋에 속한다고 표명하였다. 또한 動物紋에서 간소화된 것이라고 보았다. 容庚·張維持, 『殷周青銅器通論』에서는 重環紋을 '方形環'이라고도 명명하였는데, 그 기본의 형태는 一長方의 環이다. 그러나 一端半圓이 일정한 거리를 두고 중복되어 등장하여 環帶

【靑銅器의 重環紋】

鄭義伯盨
(三線의 중환문)

魚匜盤
(직사각원형과 짧은 반원형의 중복)

陳生崔鼎
(직사각형의 긴 원형과 한쪽은 원형, 한쪽은 각형)

鄂侯簋
(중환문이 대칭을 이루는 형태)

【靑銅器의 鱗紋】

芮大子鼎

伯嬰父罐

重環紋은 西周 중후기 청동기와 같은 시기의 와당에서도 등장한다.

를 형성한다고 한하였으며, 그래서 '重環紋'이라는 명칭이 생겨난 것으로 보고 있다.

그런데 이 시기의 重環紋은 추상적인 개념으로 등장한 것은 아닐 것이다. 무라까미 가즈오(村上和夫)는『中國古代瓦當紋樣硏究』에서 重環紋 半瓦當이 西周 중후기의 청동기에 새겨진 문양과 유사한데, 주나라의 왕권 관념과 통치 사상의 반영이라고 표명하였다. 天體의 星象을 의미하는 것으로 먼저 靑銅禮器에서 사용되었으며, 후에 와당에서 사용되었다고 하였다. 즉, 周王의 통치사상을 반영한 것이다. 그리하여 그 문양의 위치가 하늘과 만나고 있는 궁궐 와당에 사용되었고, 그것을 통하여 신하와 백성들에게 왕권의 위대함을 강조한 것이다. 이러한 점은 殷王이 天神의 統治思想을 나타내기 위하여 다양한 神秘怪異과 恐怖圖案 등을 함께 표현한 문화 전통과 비교된다.[13] 重環紋은 마땅히 하늘(天)의 상징으로 그 형상은 여러 층으로 나뉜 원형인 것이다. 즉, 원형이 신석기시대의 채색 도문에서 天象의 符號로 사용된 것과 같다.[14]

상고시기에 사람들은 대자연 속에서 그 힘에 의지하며 살고 있었다. 風雲雷雨의 變幻을 공포의 대상으로 여겨왔고, 또한 인간의 生老病死에 대한 이해도 알지 못하였으며, 이러한 것은 오로지 超人力이 신비한 主宰로 우주의 大小를 조종하고 있다고 믿어왔다. 殷人은 귀신을 敬畏하고, 貞卜을 통해 매 사건을 그 근거로 삼았다. 殷人은 自然 變幻의 신을 上帝라고 믿었으며, 또한 그를 숭배하면 화복을 내린다고 믿

13) 武靑,「瓦當硏究的一部新作 - 介紹『中國古代瓦當紋樣硏究』」,『考古與文物』, 1994年 第6期.

14) 陳根遠·朱思紅,『屋檐上的藝術』, 33쪽.

었다.

『禮記 · 表記』에 따르면 "殷人尊神"이라는 말이 등장한다. 上帝는 殷人의 마음속에 무한한 능력을 가진 인류의 主宰로 여겨왔다. 『論語』에 "周因於殷禮"라 하는데, 주나라 사람들은 殷商의 禮를 따랐으며, 主宰神에게 더 많은 신비한 관념을 가지게 된다. 그리하여 殷人은 '上帝'를 '天'이라고 표명한 것이다. 周代에는 하늘(天)은 소리도 없으며, 쉬지도 않는다[無聲無息]고 믿었다.[15] 이러한 것으로 보아 重環紋의 등장은 아마도 하늘 숭배 사상과 연관이 있을 것으로 추정된다.

서주시기 와당의 수량과 출토 범위는 비교적 한정되어 있다. 보고서에 의하면 가장 먼저 발굴된 서주시기 와당은 周原扶風召陳村遺蹟으로[16] 모두 반원형이며 경질이며, 청회색을 띄고 있다. 와당면은 비교적 평평하며 주연부는 돌출되지 않았다. 漢代이후에 출현하는 와당의 주연부와는 확연한 차이가 있다. 문양은 素面 無紋과 花紋의 두 종류가 발견되었으며, 소면 와당의 경우 그 형태가 17.7cm 정도로 비교적 작다. 가장 빠른 시기에 등장하는 와당은 문양이 배치되지 않은 소면와당을 제외하고 서주시기의 화문와당은 중국 瓦當史에 있어서 매우 중

15) 周人以為周之立國乃受天之大命, 而殷人之覆亡為上帝之主意. 『尚書·大誥』: 「不敢替上帝命.……天命畏,……」「酒誥」:「惟天命肇我民, 惟元祀.」「文侯之命」:「不顯文,武. 克慎明德, 昭升于王,敷聞在下 ; 惟時上帝集厥命于文王.」
周나라 사람들은 나라를 다스리는 것이 上天에서 명한 것으로 여겼다(黃然偉, 『殷周史料論集』, 203-204쪽).

16) 陝西周原考古隊, 「扶風召陳西周建築郡基址發掘簡報」, 『文物』 1981年 第3期. 中國社會科學院考古學研究所, 1984, 『新中國的發見和研究』, 248-251쪽.

요한 역할을 하게 된다.

앞서 기술한 바와 같이 서주시기 문양의 유행성은 청동기에 흔히 찾아 볼 수 있는 문양의 소재들을 발견할 수 있다.『秦漢』에 수록된 세 점의 중환문 와당은[17] 중환문의 가장 큰 특징인 세줄 혹은 네 줄로 이루어진 線의 중첩이 두드러지게 나타나고 있다. 모두 扶風召陳村 서주왕실 유적에서 발굴 되었으며, 직경은 17.7-25cm이다.[18]

청동기가 당시 권력과 위엄의 상징으로 사용이 된 것이라면, 서주시기 와당은 당시 최고의 권력자가 사용한 건축 가옥의 부속품이었다는 점에서 서로 연관성이 있다.

서주시기 와당이 출현되었을 때 왜 半瓦當을 만들려고 하였을까? 半瓦當은 圓瓦當을 만든 후 반으로 나누어 사용한 것인데, 일반적으로 원을 만들어 반으로 다시 나누어 사용하였다. 이처럼 한 번의 수고를 더하였던 이유는 天圓地方 의식의 반영이었을 것이다. 하늘의 둥근 원과 대지의 각진 모습을 표현한 것은 아니었을까? 半瓦當을 만들었다는 것은 분명 어떠한 함축적인 이유가 있을 것이다. 앞으로 많은 관련 자료와 연구가 축적된다면 빈와당이 출현된 이유도 구체적으로 밝혀질 것이다.

---

17) 傅嘉儀, 1999,『秦漢瓦當』, 陝西旅游出版社, 2-3쪽.

18) 陝西周原考古隊,「扶風召陳西周建築群基址發掘簡報」,『文物』1981年 第3期.

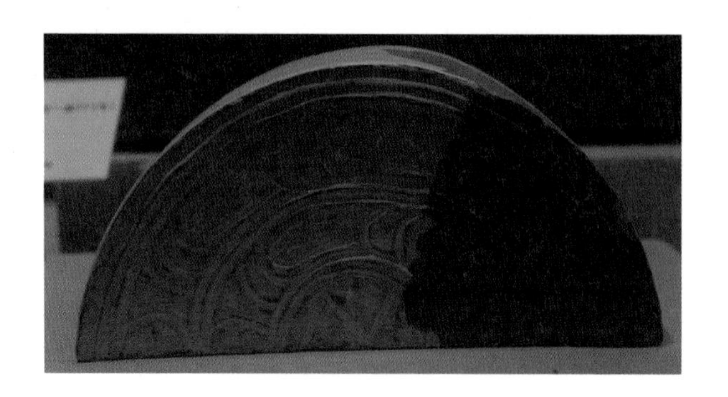

西周時期 重環紋 半瓦當
(陝西省博物館 전시)

西周時期 靑銅器의 重環紋

Ⅲ. 와당의 확산기 : 春秋戰國

1. 春秋時代：弦紋의 繩紋瓦當

춘추전국시대는 중국 역사에서 가장 큰 변화가 있었던 시기로 특히 전국시대는 정치, 경제, 문화 등 각 방면에서 크게 변화되었다. 이 시기 와당은 서주시기 와당의 틀에서 벗어나 첫 번째 변화가 있던 시기로 周天子의 궁궐과 제후들의 가옥에서도 와당 사용의 보편화가 시작되었다.

가장 두드러진 특징은 제후국들의 와당 문양이 서로 다르다는 점인데, 따라서 전성기였던 한대와당의 前身이 이에 해당된다고 할 수 있다. 이 시기는 제후국들 간의 전쟁이 빈번함에 따라 지역 경제를 촉진시키기도 했는데, 이러한 배경 하에 제후국의 발전과 더불어 궁실건축의 축조도 상당한 진전을 이루게 된다. 그 결과 서로 다른 지역의 와당은 당시의 문화적, 심미적 관점에서 발전을 이루게 되며, 와당면의 문양은 제후국들의 문화적 배경과 특징 등을 그대로 반영하게 된다. 특히 제나라, 연나라, 진나라 와당은 지역적인 특색을 잘 보여주는 와당이라 할 수 있다.

발굴 보고서에 의하면 춘추시대 와당의 도색은 주로 청색을 띄며, 여전히 반원형이 주를 이루었고, 와당의 직경은 대략 15-17cm 정도이

【春秋時代 弦紋 瓦當】

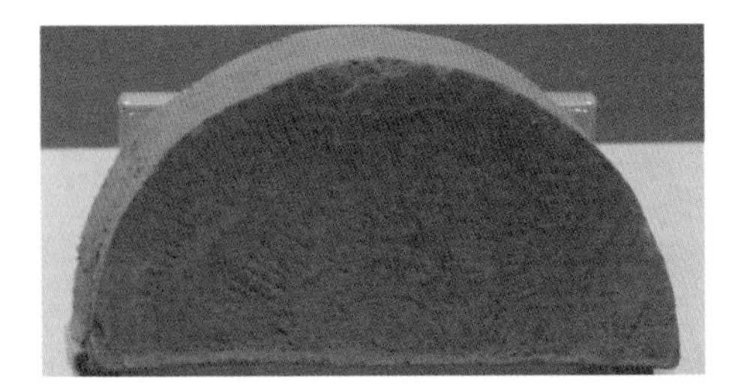

中國杜陵秦塼漢瓦博物館 전시

豆腐村 秦雍城 발굴 현장

中國杜陵秦塼漢瓦博物館 전시

다. 이 시기의 문양은 '활궁모양[弦紋]'이고 그 사이사이에 '가느다란 선[繩紋]'이 배치되었다.

위의 승문와당과 弦紋와당은 춘추시기 와당의 대표적인 특징인데,

弦紋의 사이사이에 승문이 배치되어 있으며, 弦의 간격도 다양하게 나타나고 있다.

【春秋時代 弦紋 瓦當】

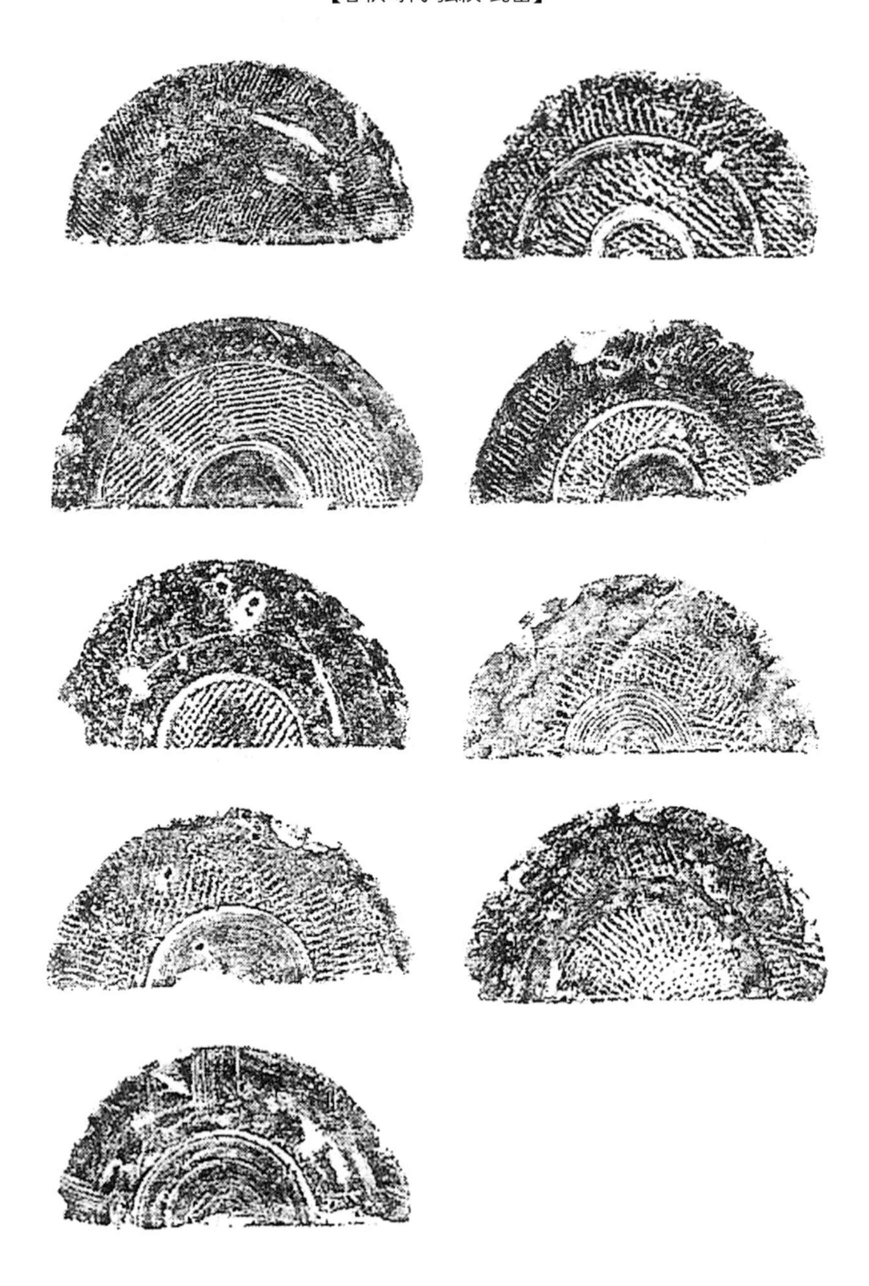

2. 戰國時代

戰國時代는 급속한 경제 성장과 제후국들의 노동력 확보로 대규모 토목공사가 실시되었으며, 성곽이나 궁실의 건축물도 웅장하게 건립되었다. 당시 정치와 경제의 중심지였던 제나라의 臨淄, 연나라의 下都, 조나라의 邯鄲, 위나라의 大梁, 초나라의 郢, 진나라의 雍城과 咸陽 등을 중심으로 대도시의 건축물도 발전하였다. 이에 따라 이 시기 중국 와당도 많은 발전을 이룩하게 되었는데, 와당의 형식은 半瓦當이 여전히 유행하면서 圓瓦當이 출현한다. 진나라를 중심으로 원와당이 등장하면서 반와당은 점점 사라지고, 와당 형식은 圓瓦當이 중심을 이루게 된다. 전국시대 와당 형태와 문양의 제작 기술이 발전하고, 예술적인 美를 추구하고자 한 노력으로 와당도 한층 성숙한 멋을 지니게 되었다.

이 시기에 유행한 주요 문양으로는 圖像紋과 圖案紋이었다. 나라별로 살펴보면, 연나라의 饕餮紋 · 獸紋 · 雲山紋 · 卷雲紋, 齊나라와 魯나라의 樹木紋 · 動物紋, 三晉의 卷雲紋과 三獸紋, 東周王城의 雲紋과 간소화된 饕餮紋 등이 있다. 이 가운데 운문, 도철문, 수문, 수목문, 동물문 등의 문양은 청동기에서 비롯되었다는 의견도 있다.[1] 도철문은 은상시기의 청동기 문양에서 그 흔적을 쉽게 찾을 수 있지만, 와당에서 표현되는 도철문은 더 이상 은상시기의 복잡하고 엄숙하며 공포와 신비로움이 가득한 문양은 아니었다. 그럼에도 전국시기 도철문은 군왕의 권위를 내세우고자 하는 흔적은 여전히 남아있다. 전국시기 와당은 秦나라와 齊나라, 燕나라의 세 나라를 중심으로 발전되었다. 이 나라들의 와당은 예술적 가치로 뿐만 아니라 개성이 강한 문양으로 정착하였다.[2] 전국시기의 제나라, 연나라, 진나라 와당에 대하여 살펴보면 다음과 같은 특징이 있다.

1) 齊國瓦當

서주시기 소면와당의 출현 이후 제나라에서는 樹木紋이 주요 문양으로 와당면에 장식되었다. 제나라 수목문 와당은 반와당을 기본으로 하며 중심선에는 좌우 대칭을 이루고, 기타 다른 문양과 함께 배치되었다. 이러한 좌우대칭 와당의 형태는 漢代까지 문양 대칭 방법에 영향을 주었다.

臨淄는 지금의 山東省 臨博市 臨淄區이다.『史記 · 齊太公世家』에 의

1) 陳直,「秦漢瓦當概述」,『文物』, 1963年 第11期.
2) 張文彬, 1998,『新中國出土瓦當集錄』-齊臨淄卷, 西北大學出版社, 2쪽.
趙叢蒼, 1997,『古代瓦當』, 中國書店, 33쪽.

하면 춘추시기 臨淄는 茂林修竹하고 苑囿池沼하며 風景優美한 것이 마치 한 폭의 그림을 연상시키는 곳이라고 전하고 있다. 제나라 군신들은 술과 음식을 배불리 먹고 나면 이곳에 와서 자주 오락과 유희를 즐겼다. 臨淄의 동쪽은 淄河이며, 성의 서쪽은 泥河 남쪽은 竹林池沼로 당시 제나라 임치의 경치가 아름다운 곳임을 알 수 있다.

제나라 景公 때 池沼城 안에는 宮, 觀, 樓臺가 즐비하였으며, 그 모습은 매우 장엄하고 화려하였다고 한다.[3] 이 시기 臨淄는 매우 번영하여 인구밀도가 집중되어 있었고, 周武王은 姜太公에게 封을 내리고, 營丘(臨淄)를 도읍으로 정하게 된다. 전국시기 臨淄는 姜齊宣公, 姜齊康公 시기부터 시작하여 齊宣王 시기까지 당시 중국에서 가장 번영한 도시였다.[4] 춘추시기부터 五胡十六國에 이르기까지 제나라 궁실의 건축물들은 짓고 부수기를 반복하면서 지붕 위의 와당도 새롭게 제작되었다. 北齊 이후에는 옛 臨淄의 大小城은 더 이상 복원되지 못하였다. 당시 小城의 동쪽과 大城의 남쪽에 새로운 성곽을 건설하여 근대의 臨淄城이 되었던 것이다. 새로 건설된 성의 규모는 매우 작았다.[5]

지금까지 제나라의 와당은 古城이 있었던 山東省의 臨淄에서 집중적으로 출토되고 있다. 이곳은 1958년, 1965년, 1976년에 걸쳐 발굴 조사가 실시되었다. 발굴 조사시 원와당과 반와당이라는 두 종류의 와당

3) 『晏子春秋』: "侈爲宮室,廣爲臺榭.","皆雕文刻镂之观.","文绣被台榭.","繁钟鼓之乐,极宮室之观."

4) 『戰國策 · 齊策一』

5) 群力, 「臨淄齊故城勘探紀要」,『文物』, 1972年 第5期.

이 출토되었는데, 대부분 半瓦當으로 문양와당이었으며, 크기는 비교적 작았다. 제나라 와당은 크게 문양와당, 소면와당, 문자와당으로 분류되고 있다. 그런데 이곳에서 출토된 '齊園' 혹은 '天齊' 등의 문자와당은 기존 연구에서는 문자와당이 전국시기 제나라에서 시작되었다는 유력한 근거 자료로 활용되기도 하였다. '齊'의 명문과 반와당이 유력한 근거로 제시하고 있다. 그리고 대부분의 중국 고와당을 수록하고 있는 자료에서 '齊'의 漢字를 나타내는 '天齊'와당을 제나라 와당으로 분류하고 있다. 그 이유는 제나라 도성에서 출토되었다는 점과 문자에 '齊'라는 명문이 그 근거이다. 그러나 이 글자체는 진시황 통일 이전의 문자 형태가 아니며, 漢代 문자와당 가운데 '齊園宜當'과 '齊一宜當'의 문자와당의 글자체를 중심으로 살펴본다면 이 와당은 전국시기의 제나라 와당이 아니라 漢代에 臨淄에서 사용된 와당으로 분류해야 할 것이다.

'天齊'
(山東省博物館 전시)

'齊園'
(中國杜陵秦塼漢瓦博物館 전시)

'齊園宜當'銘 瓦當 탁본

'齊一宜當'銘 瓦當 탁본

【'天齊'銘 瓦當】

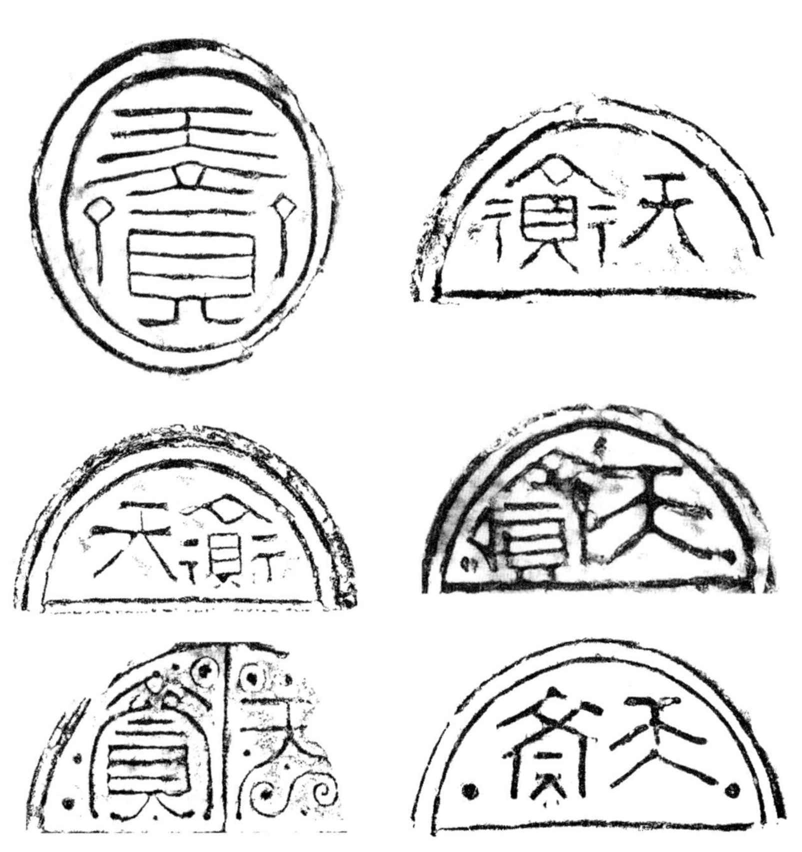

제나라 문양 와당의 소재는 현실 생활에서 자주 볼 수 있는 것, 추상적인 장식과 현실적인 소재와의 결합, 관념의식이 짙은 장식, 비현실적인 소재, 도안화적인 와당 등으로 분류할 수 있다.[6] 제나라 문양와당은 다른 지역의 와당에 비해 현실 생활에서 익숙한 문양을 중심으로 와당 문양이 비교적 규범화가 되어 있다고 할 수 있다. 제나라 와당에서 가장 보편화된 문양은 일상생활에서 자주 볼 수 있는 자연과 동식물의 소재였다. 이 가운데 '樹木'이 핵심이 된다. 수목을 중심으로 말, 소 등의 가축과 사람이 동물과 함께 배치되어 당시의 일반적인 생활상을 엿볼 수 있게 해 준다. 이러한 소재들은 문양의 대칭과 풍부한 장식의 효과가 강하며, 때로는 추상적으로 때로는 구체적으로 묘사되었다.

(1) 현실적 소재의 문양 와당

제나라 문양 와당은 '樹木'중심을 이루며 좌우에 다른 문양들이 함께 배치되는데, 대칭되는 경우가 많다. 제나라 와당은 현실적이며 사실적인 수법의 문양와당이 가장 대표적인데, 특히 자연스러운 '樹木', '人物', '鳥獸' 등이 객관적이고 사실감 있게 묘사되었다. 예를 들어 두 사람이 말을 타고 달리는 장면을 묘사한 와당에서 당시의 競馬의 생활상을 알 수 있으며, 수목이 무성한 곳에서 말을 타며 사냥을 하는 모습도 현실생활을 그대로 반영한 사례이다.

---

6) 宋立華,『齊瓦當藝術』에서는 제나라 와당을 다섯 가지 문양 형태로 분류하고 있다.

雙木雙騎雙獵(齊國歷史博物館 전시)

(2) 장식성이 강한 현실적 소재의 도안

이 도안은 일상의 평범한 소재를 장식적으로 보이도록 하기 위하여 변화와 효과를 가미하거나 다른 도안과 혼합하여 화려한 문양을 표현한 것이다. 제나라 와당 문양은 樹木을 중심으로 雙牛, 雙狗, 競騎者, 雙鳥, 雙象, 雙鶴, 雙馬, 行人, 騎者, 雙鹿, 箭頭, 飛鳥, 雲, 雙目, 雙羊, 雙龍, 太陽, 金烏, 星, 田形格, 花草, 人牽牛, 栖鳥, 牧馬者, 婦人, 騎獸者, 鳳鳥, 目, 人面, 單馬, 單騎, 四鶴, 虎, 網, 鳥 등이 표현되고 있다. 필자가 파악하고 있는 수목을 중심으로 배치한 제나라 와당 35여종 가운데 대부분 鳥獸이지, 추상적이거나 상상속의 동물들은 출현하지 않고 있다. 매우 실질적인 당시의 상황적 묘사에 초점을 둔 것이다. 이와 같이 제나라 와당은 수목이 중심이 되고 부가적인 다른 소재들이 첨부된 와당이 대부분이다.

필자의 조사에 의하면 현재 출토된 제나라 와당은 대략 150점 이상으로 추정된다. 제나라 와당의 소재는 당시의 일상 생활상을 그대로 재현 시켜준 것이라 할 수 있다. 이러한 문양은 제나라 문화 관념 가운데 인간 생명의 근원이 수목이라는 제나라 사람들의 관념에서 비롯된 것으로 생각된다. 수목문의 원시적인 의미는 생명의 나무(즉, 社神)에 대한 존경과 숭배의 대상이었던 것으로 祈生降幅, 保國佑民, 社稷長存 등 여러 다양한 길상적인 의미를 내포하고 있다. 樹木紋이 모체가 된 와당 문양은 복을 내려주고 민생을 보살피며, 社稷의 영원을 기원함으로써 농업경제 사회의 흐름 속에서 평화를 기원하는 제나라 사람들의 이상이 담겨져 있다고 할 수 있다.

제나라 와당문양을 살펴보면 다음과 같다.

【中國 北京古陶博物館 전시 瓦當】

太陽星紋

樹木雙鹿紋

樹木雙馬紋

山雲紋

樹木雙鳥紋

樹木雙鳥雙獸紋

樹木紋

樹木雙騎紋

樹木雙騎雙馬紋

樹木動物紋

樹木動物太陽紋

樹木太陽紋

樹木雲紋

雲紋網(田字形)紋

雲山紋

樹木雲紋

雲雙目紋

樹木雲紋

樹木雲紋

樹木雙獸紋

樹木幾何雲紋

【中國 齊國歷史博物館 전시 瓦當】

樹木雙樹雲紋

樹木雙雲紋

樹木饕餮紋

雙騎馬紋

瓦范

【中國 山東省博物館 전시 瓦當】

樹木雲紋

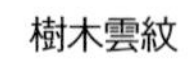

樹木雲紋

樹木雙馬饕餮紋

樹木饕餮雲紋

【제나라 半瓦當 문양】

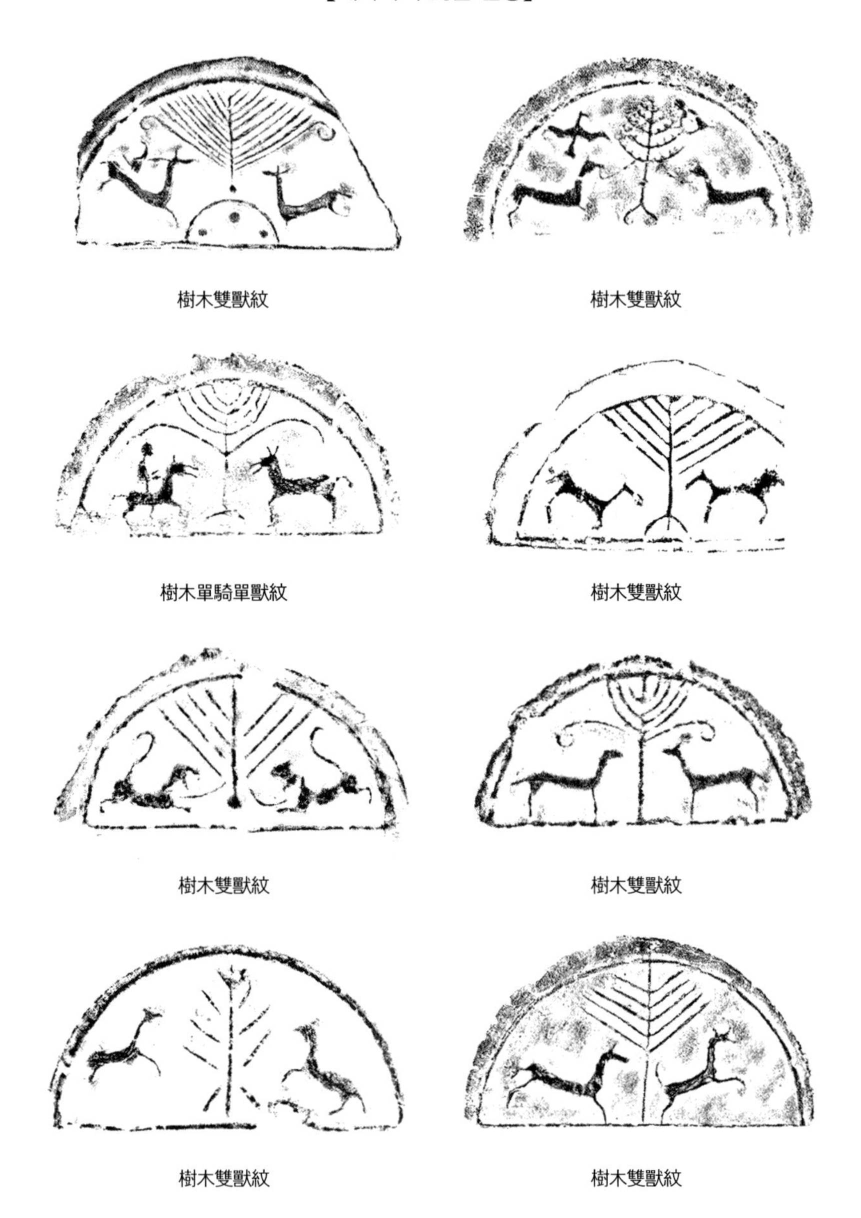

樹木雙獸紋

樹木雙獸紋

樹木單騎單獸紋

樹木雙獸紋

樹木雙獸紋

樹木雙獸紋

樹木雙獸紋

樹木雙獸紋

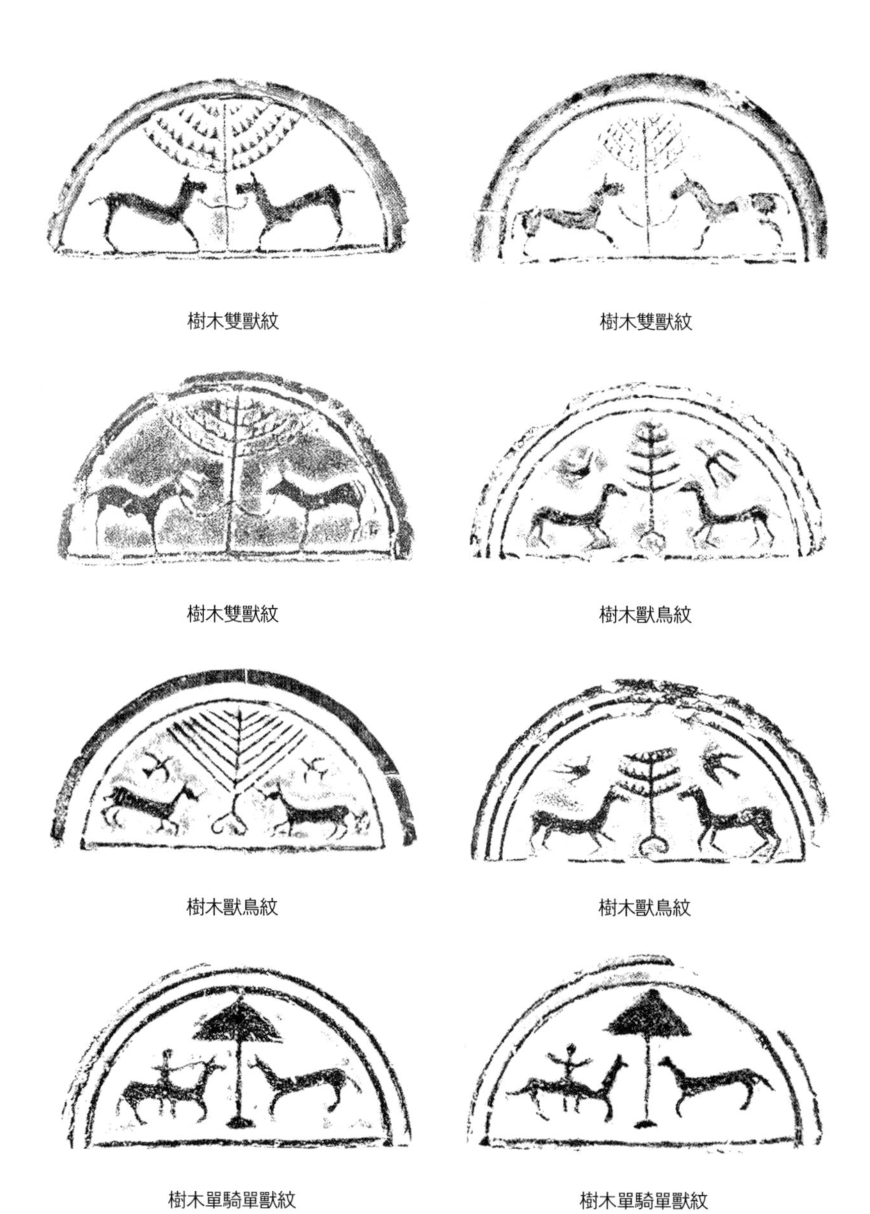

樹木雙獸紋

樹木雙獸紋

樹木雙獸紋

樹木獸鳥紋

樹木獸鳥紋

樹木獸鳥紋

樹木單騎單獸紋

樹木單騎單獸紋

樹木雙騎雙獸紋

樹木單人單騎獸紋

위의 자료들을 통해 알 수 있듯, 제나라 와당은 수목을 중심으로 한 개 혹은 두 개 이상의 문양이 배치되어 있음을 알 수 있다. 와당면에 수목을 중심으로 동물, 조류, 태양, 인물 등이 배치되어 있으며, 때로는 수목이 등장하지 않는 경우도 있다. 제나라 와당에 나타나는 문양을 분류하여 보면 樹木+動物, 樹木+鳥類, 樹木+太陽, 樹木+人物, 樹木+雲紋 등이며, 두 개 이상의 문양이 배치된 것으로는 樹木+馬+騎者, 樹木+雲紋+雙目(혹은 太陽, 羊), 樹木+人物+動物, 樹木+箭頭+動物, 樹木+其他 紋樣 등이며, 樹木과 네 개 이상의 문양도 출현한다. 또한 수목문 없이 단독으로 動物紋 혹은 太陽紋만을 배치하고 있는 와당도 있다.

이처럼 제나라 와당은 수목을 중심으로 좌우대칭이 되어 기타 문양을 삽입하였는데, 동물 혹은 조류 등을 추가하였다. 동물의 경우 거칠고 사나운 것이 아닌 온순하고 주변에서 쉽게 볼 수 있는 동물로 雙紋을 이루고 있다. 또한 수목을 바탕으로 동물이 출현할 경우 인물모습이 등장하기도 한다. 때로는 行人일 수 있지만 婦人의 모습을 등장시키기도 한다. 동물과 인간이 단순히 함께 등장하는 것이 아니라 인간이 동물을 타고 있는 행위가 묘사되어 있다. 또한 상상속의 길상의 동물이 출현하는 경우도 있는데, 용과 봉황의 경우가 그러하다.

결과적으로 제나라 와당에서 가장 눈에 띄는 특징은 수목이 단면으로 혹은 수목을 중심 현실 생활에서 볼 수 있는 온순한 동물들이 자주 등장한다는 것이다. 따라서 제나라 와당은 다른 나라 와당보다 매우 현실적이며 문양의 다양성이 발견된다. 이러한 문양들은 가장 평범하고 일상적인 것이다. 또한 수목을 제외한 다른 문양으로 雲紋, 太陽, 雙目 등이 있는데, 이것은 천체의 현상을 의미하는 것일 수도 있다. 천체 형상을 표현한 와당 문양은 漢代 운문 와당에도 등장하는데, 어쩌면 제나라 와당의 이러한 형식이 그 前身이 되었다는 점도 배제하긴 어렵다.

【제나라 半瓦當 문양】

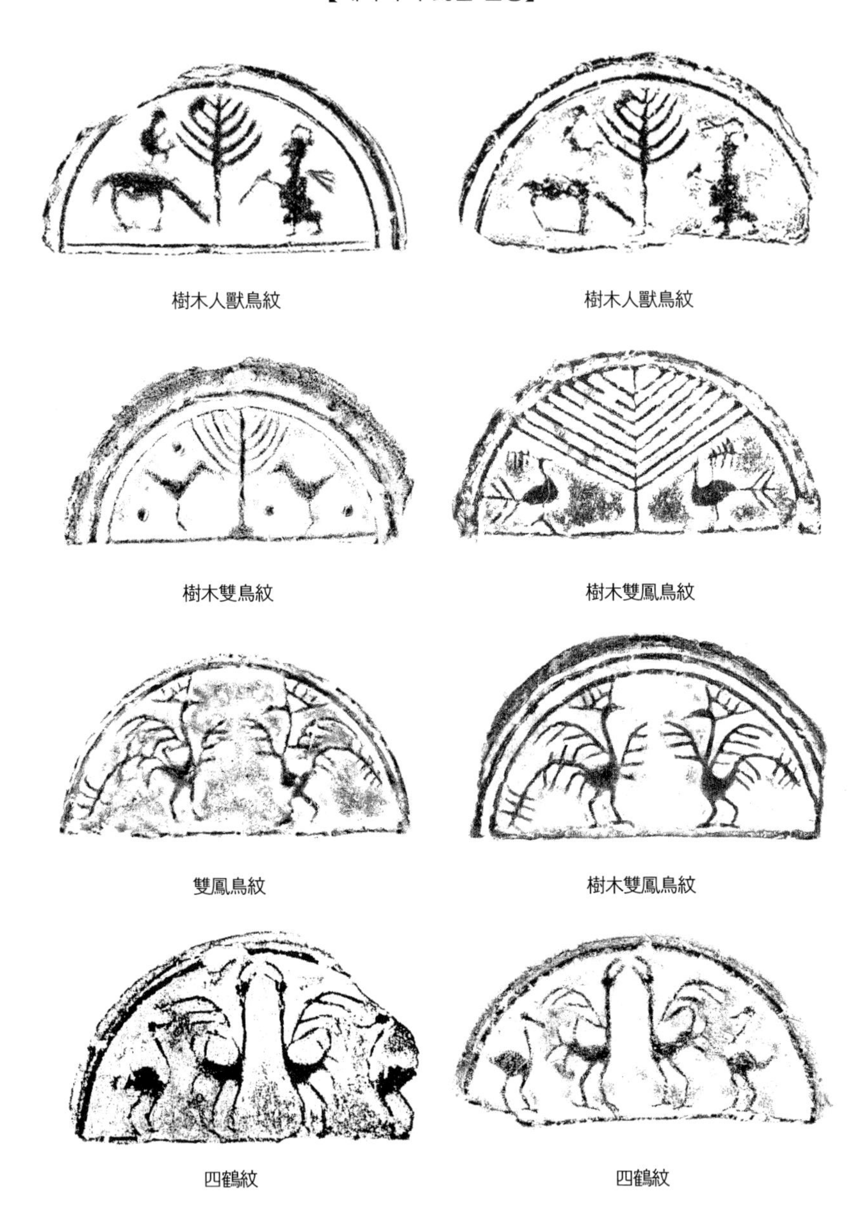

樹木人獸鳥紋

樹木人獸鳥紋

樹木雙鳥紋

樹木雙鳳鳥紋

雙鳳鳥紋

樹木雙鳳鳥紋

四鶴紋

四鶴紋

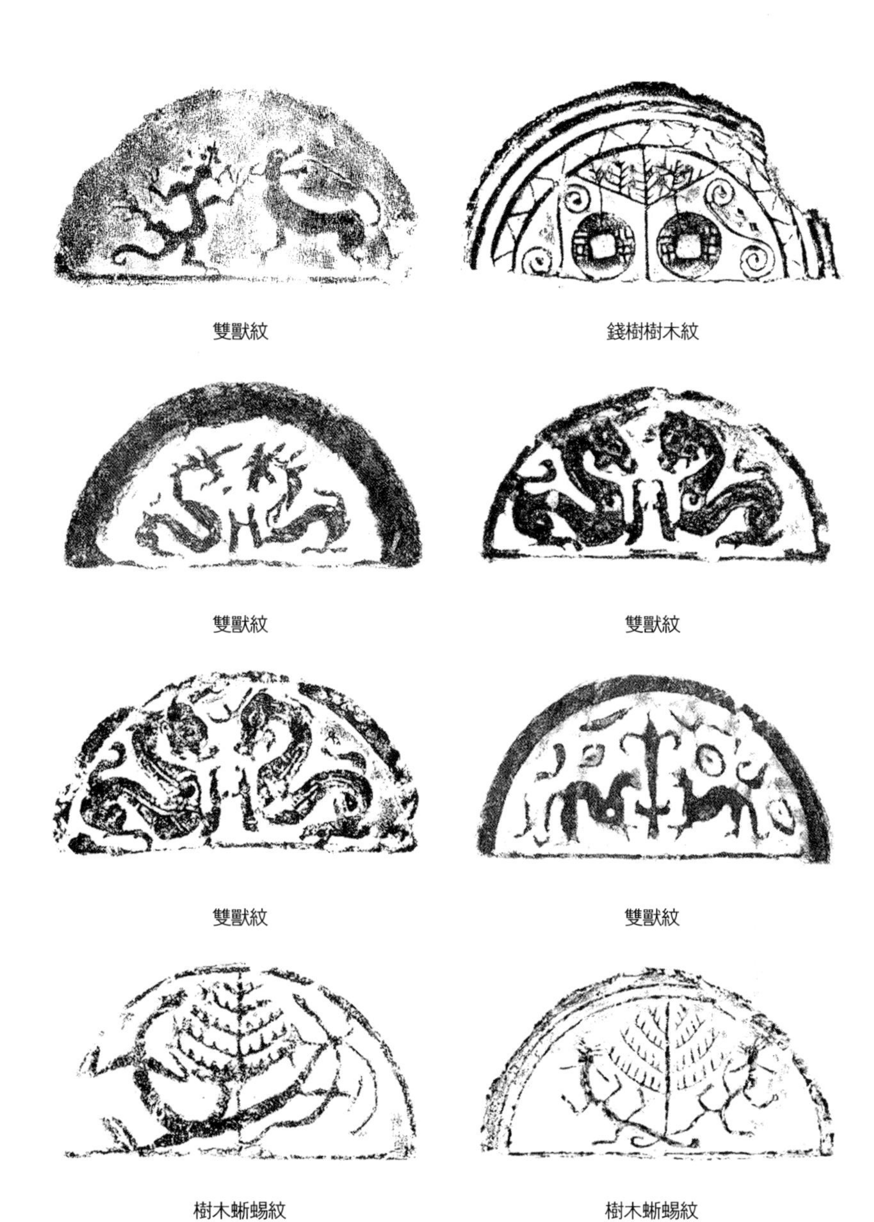

雙獸紋

錢樹樹木紋

雙獸紋

雙獸紋

雙獸紋

雙獸紋

樹木蜥蜴紋

樹木蜥蜴紋

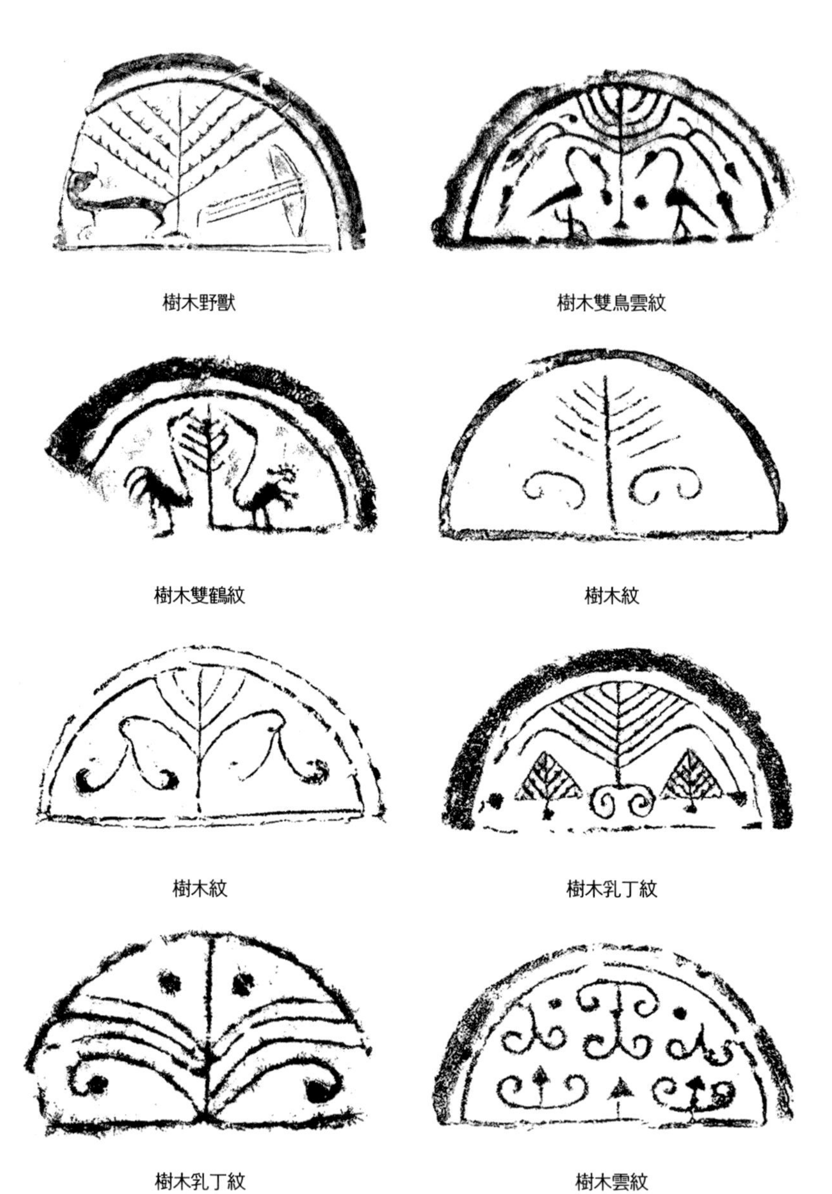

樹木野獸　樹木雙鳥雲紋

樹木雙鶴紋　樹木紋

樹木紋　樹木乳丁紋

樹木乳丁紋　樹木雲紋

제나라 와당 문양에서 대칭과 수평의 구도는 예술적 審美感을 끌어올리려는 노력이 엿보이며, 신화적이 요소도 등장하는데 太陽과 金烏의 배합이 그러하다. 당대 사상과 관념, 정감을 표현하고 있는 太陽, 金烏, 鳥紋, 鹿紋 등은 제나라 사람들의 원시토템에서 비롯된 것이라는 견해도 있다.[7] 혹자는 제나라 와당의 새나 노루의 모양은 진나라의 모양과 다른데, 진나라 와당이 사실적 묘사라고 한다면, 제나라 와당의 새나 노루는 신비스러움이 짙게 나타난다고 여기기도 한다.[8]

제나라 와당에 수목문이 주된 문양대를 형성하는 이유는 무엇일까? 제나라와당에 자주 등장하는 부호가 있는데, 인간의 생명의 근원이 수목이라는 제나라 사람들의 관념에서 비롯되었다. 이것이 모체가 되는 와당 문양은 복을 내려주고 민생을 보살피며 社稷의 영원을 기원함으로써 농경사회에서 평화를 기원하는 제나라 사람들의 이상이 담겨져 있다 할 수 있다. 그러나 제나라 와당에는 수목 문양만이 등장하는 것은 아니다. 이러한 수목 문양의 뿌리나 그 주변의 문양을 보면 , , , , 혹은 , , 등의 부호 같은 문양이 보인다. 전자는 冢土위의 한그루 나무의 모습을 나타내며, 후자는 논밭이나 건축물 축대 위에 우뚝 솟은 한그루의 나무 모습으로 해석된다. 이러한 상징적 의미는 제나라의 '社稷'과도 연관이 있다.[9]

---

7) 鄭傑文, 「圖騰·八祀·封禪」, 『文史知識』, 1989年 第3期.
8) 賈麥明, 「秦塼漢瓦」, 『故宮文物月刊』, 第116期.
9) '社'란 '토지 신'으로 社는 토지의 주인으로 토지는 넓고 끝이 없다. 어떠한 것을 편애하지 않으며 그렇기에 공경을 안 할 수도 없는 존재이다. 그리하여 土를 社

『韓非子』에 따르면, '燕나라에는 祖澤이 있고,제나라에는 社稷이 있고, 송나라에는 桑林이 있고, 초나라에는 雲夢이 있다.'고 하였다.[10] 이처럼 당시 제나라의 祭社는 굉장히 성대하게 개최되었다는 것을 알 수 있다. 그리고 농업 경제를 바탕으로 하는 제나라에서는 토지신과 곡물신이 가장 중요한 원시 숭배물 중 하나로 인식되었음을 알 수 있다. 사직을 중시했던 기록들은 출토된 와당의 문양 뿐만 아니라『管子 · 牧民』에서도 그 기록을 찾을 수 있는데,[11] 제나라 와당에 배치된 수목문의 원시적인 의미는 생명의 나무[社神]에 대한 존경과 숭배의 대상이 녹아내려진 것이다.

제나라 지역에서 祭社의 유래는 꽤 오랜 역사를 가지고 있다. 6,000여 년 전 大汶口시기의 大型陶尊器物에 대문구시대 '地母'숭배사상이 있었다. 이는 '吐生', '任成', '化育萬物'의 의미로 수목을 통해 왕성한 생명력과 번식력을 기대하였으며 당시 식물숭배사상이 넓리 보급되면서 보편화 되었는데,[12] 이와 같은 배경은 전국시기 제나라 와당의 '社中植以木'의 근본과 정통성을 이어가게 되었던 것이다.

이러한 의미가 제나라 와당의 주요 문양으로 나타나면서 그 의미도 祈生降幅, 保國佑民, 社稷長存 등 다양한 길상문양을 제나라 궁궐 건

라 封하며 보답을 하여야한다.

10) 『墨子. 明鬼』: '燕之有祖澤,當齊之社稷,宋之桑林,楚之雲夢也.'

11) 『管子. 牧民』: '順民之經, 載明鬼神, 祇山川, 敬宗廟, 恭祖舊.……不明鬼神則陋民不悟, 不祇山川則威令不聞, 不敬宗廟則民乃上校, 不恭祖舊則孝悌不備.'

12) 王樹明, 1986, 「談陵陽河與大朱村出土的陶尊'文字'」, 『山東史前文化論文集』, 齊魯書社出版發行.

축에서 찾아볼 수 있다.[13] 이처럼 제나라 와당의 문양은 樹木雙馬紋瓦當, 樹木雙鳥紋瓦當, 樹木雙目紋瓦當, 樹木雙目紋瓦當, 樹木雙騎紋瓦當, 樹木卷雙雲乳丁紋瓦當 등이 있는데, 문양의 주체는 역시 수목이었다.

제나라의 사상 정책은 진시황이 중국을 통일한 이후 秦代에 많은 영향을 끼치게 된다. 제나라는 기원전 221년 秦에게 멸망하였으며, 진시황은 중국을 통일하게 된 합리적인 이론과 설득력이 필요했는데, 제나라의 陰陽五行, 神仙方術, 儒學 등은 진시황의 이러한 욕구를 충족시켜 주기에 충분하였다. 이것은 秦代의 사상과 문화를 굳건하게 하는 초석이 되었고, 제나라의 이러한 문화는 漢代까지 이어져 간다. 漢代에 이르러서 이러한 사상은 400년 동안 漢代의 중심 사상이 되었다. 漢代에는 황로사상과 신선방술 등을 비롯한 음양설이 유행했는데, 제나라의 鄒衍의 '五德始終說'을 받아드리게 된 배경과도 깊은 연관이 있다. 그 주된 핵심 원리가 '土木水火金'의 오행 상생 상극에 있는데, 제나라 와당의 운문과 와당 구획은 漢代 문양 와당이나 문자 와당의 구획면에서도 유사성이 발견되는데, 마찬가지로 같은 의미로 해석될 수 있다. 제나라 문화가 秦代를 거쳐 漢代에 이르기까지 영향을 미치게 된 것은 비단 한자 뿐 아니라 와당 문양에서도 그 흔적을 역력히 찾을 수 있다. 따라서 제나라 문화가 秦代 와당에서 漢代까지 이어지고 있음을 쉽게 알 수 있다.

---

13) 宋立華, 1998,『齊國瓦當藝術』,人民美術出版社第, 17쪽.

2) 燕國瓦當

燕下都의 지리적 위치는 河北省 易縣縣城의 동북 2.5km에 해당되는 고성으로 長方形으로 이루어졌으며, 北易水와 中易水 사이에 위치하고 있다. 동서 대략 8km와 남북 4km에 이르는 戰國時期 故城 가운데 그 면적이 가장 큰 城 중 하나였다.[14] 연나라는 서주 초기에 건국되었으며, 기원전 11세기 중엽 진시황 25년(기원전 221년)에 멸망 할 때까지 900여년 동안 지속되었다.

1930년 燕下都 일대를 발굴한 발굴단은 먼저 老姆台를 시작으로 1957년, 1958년, 1961년 등 여러 차례 발굴을 통하여 老姆台에서 武陽台 일대까지 분포하는 建築群에서 燕나라의 전형적인 반와당을 수습하였다. 燕나라의 초기 와당은 素面의 無紋 반와당이다. 戰國 중후기에 이르러서 燕나라 와당은 지방적 특색을 보이게 된다. 이 시기에는 圖像, 圖案 와당이 유행하며, 그 가운데 饕餮紋 와당의 수가 가장 많은데, 燕下都의 궁궐 일대에서 출토되었다. 연나라 와당은 雙龍饕餮紋, 三角雙螭饕餮紋, 雙龍雙螭紋, 山形饕餮紋, 獨獸卷雲紋, 雙狼饕餮紋, 四狼饕餮紋, 三角山形饕餮紋, 雙鳥卷雲饕餮紋, 雙龍紋, 雙鹿紋, 山雲紋, 樹木卷雲紋 등이다. 이 가운데서 饕餮紋은 중심적인 문양으로 등장한다. 도철문은 獸面紋의 한 종류로 春秋戰國時代 青銅器 문양인 饕

---

14) 吳磬軍, 2008,『燕下都瓦當文化考論』, 河北大學出版社.

饕紋에서 변형된 것이다.[15)]

연나라 와당에 등장하는 동물 문양으로는 용, 호랑이, 봉황, 새 등이 있는데, 이러한 문양은 대부분 대칭을 이루며 나타나고 있다. 山字形 반원형 와당은 연나라 와당 중 지역적 특색이 보이는 와당이라 할 수 있으며, 연나라 와당은 제나라 와당과 마찬가지로 처음에는 무문의 半瓦當이었다. 전국시대의 중후기에 이르러서 강렬한 연나라 와당의 특징이 나타나는데, 연나라 와당은 燕下都의 궁궐지로 문양은 각양각색의 형태로 표현된 饕餮紋이며 鳥紋과 山紋도 나타난다. 1930년 燕下都 老姆台 발굴을 시작으로 와당문양의 형식은 현재까지 30여 점 정도 출토되었다.

연나라 와당에 관한 최근 저서로 2008년 출간된 吳磬軍의 『燕下都瓦當文化考論』에서는 연나라 와당 문양에 관하여 비교적 세분화시켜 나누어 기술하였다. 연나라 와당은 기존 발굴 보고서와 연구 성과를 토대로 살펴보면 饕餮紋, 野獸紋, 圖案紋, 混合形 등으로 분류할 수 있다.

饕餮紋 板瓦

15) 陳根遠·朱思紅, 『屋檐上的藝術』, 78-79쪽.
趙叢蒼, 『古代瓦當』, 50-51쪽.
趙力光, 『中國古代瓦當圖典』, 5쪽.

(1) 饕餮紋

연나라 와당에서 가장 많은 문양을 차지하고 있다. 도철문은 단독으로 출현되는 경우도 있지만 다른 문양과 함께 배치되어 나타나는 경우가 많다. 도철문은 세부 문양에 따라 雙龍饕餮紋, 三角雙螭饕餮紋, 山形饕餮紋, 雙狼饕餮紋, 四狼饕餮紋, 三角山形饕餮紋, 雙鳥卷雲饕餮紋 등으로 분류할 수 있다.

【饕餮紋(三角山形饕餮紋) 半瓦當】

【中國 杜陵秦塼漢瓦博物館 전시 瓦當】

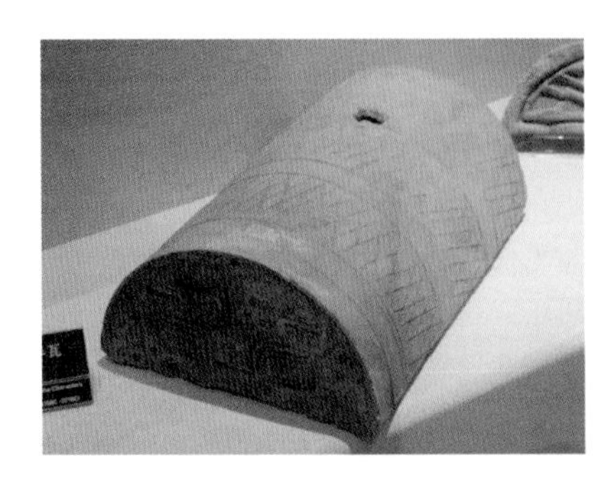

변형된 도철문은 다른 문양을 삽입이거나, 도철의 눈만을 강조하거나, '山'자가 함께 등장하는 경우 등이 확인되고 있다.

【中國 杜陵秦塼漢瓦博物館 전시】

(2) 野獸紋

野獸紋은 饕餮紋을 제외하고 나타나는 문양이다. 일반적으로 野獸가 주축을 이루고 있다. 연나라 와당에서는 龍紋이 함께 표현되기도 한다. 대표적으로 雙龍紋, 雙鳥卷雲饕餮紋, 雙鹿紋 등이 이에 속한다.

雙龍紋

雙龍紋

雙鹿紋

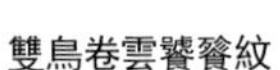

雙鳥卷雲饕餮紋

雙鳥紋

(3) 圖案紋

圖案紋은 와당의 초기부터 출현한 문양으로 오랫동안 성행한 문양이다. 연나라 와당에서는 饕餮, 野獸 등의 문양 외에 운문이나 山字形 도안이 출현하기도 했는데, 대표적으로 山雲紋과 樹木卷雲紋이 이에 속한다.

【中國 北京古陶博物館 전시 半瓦當】

山字形紋

幾何紋祭壇紋

이와 같이 연나라 도철문은 독립적으로 도철의 형상을 가진 문양, 변형된 문양, 혼합된 문양 등으로 표현되었다. 중심 문양이 도철이거나 또는 부수적인 문양이거나 모두 도철과 함께 삽입된 문양으로 雙龍饕餮紋, 三角雙螭饕餮紋, 雙龍雙螭紋, 山形饕餮紋, 獨獸卷雲紋, 雙狼饕餮紋, 四狼饕餮紋, 三角山形饕餮紋, 雙鳥卷雲饕餮紋 등으로 분류할 수 있으며, 연나라의 지역적 특징이 반영되어 있어 주목되는 자료이다.

【연나라 饕餮紋 半瓦當】

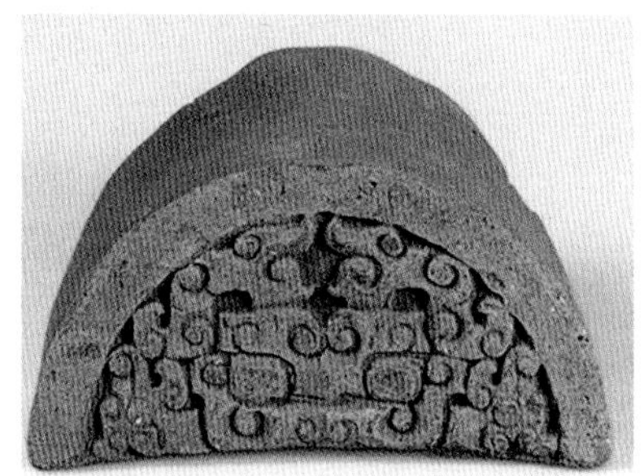

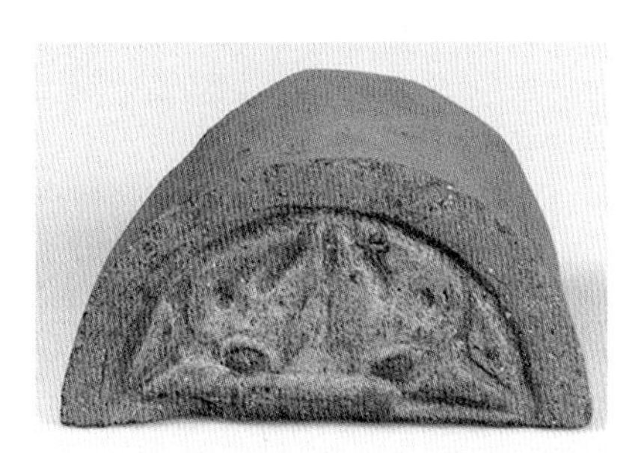

3) 秦國瓦當

발굴조사에 의하면 雍城의 면적은 11평방킬로미터에 이른다고 한다. 성내에는 姚家崗春秋宮殿, 馬家莊宮殿, 宗廟 등 3대 宮殿과 대형의 建築群이 발굴되었다.[16] 陝西 關中 지역은 周秦漢王朝의 京畿지역으로 戰國時期 진나라는 雍城에 도읍을 정하고, 秦始皇은 咸陽으로, 西漢時期에는 長安이었는데, 그 위치는 모두 關中일대였다.

秦나라 사람들은 東遷하는 과정에서 周나라의 선진 문화의 영향을 받았다. 현재 발굴된 춘추시기의 秦雍城 유적들은 豆腐村, 義鳴堡, 鐵溝村, 高王寺, 孟家堡, 姚家崗, 馬家莊 등이다. 진나라 초기의 와당 문양은 素面 혹은 繩紋의 반원형이었다. 戰國時期에 이르러 秦瓦當은 화려한 변화를 가져오기 시작한다.[17] 動物紋을 포함하여 葵紋, 龍紋, 鳳紋, 葵鳳紋, 虎紋, 四獸紋, 鹿紋, 鹿魚紋, 馬紋, 鳥紋, 蜻蜓紋 등 수십 종류의 문양 와당이 등장한다. 특히 진나라의 동물 문양은 한 마리의 동물에서[單體動物紋] 여러 마리의 동물들이[複合動物紋] 등장한다. 單體動物紋의 출토 지점은 대부분 秦雍城, 咸陽, 西安 일대의 진나라 유적지이다. 複合動物紋 와당의 유행은 전국시기 중 후기로 출토 지점은 秦 咸陽城, 芝陽城 유적이며, 진시황 통일 이후 동물 문양은 점차 사라

---

16) 趙叢蒼, 『古代瓦當』, 68쪽.
17) 陳根遠·朱思紅, 『屋檐上的藝術』, 36쪽.

지게 된다.[18]

진나라 시기에는 원와당과 반와당이 동시에 유행했는데, 직경은 13-16cm로 주연부가 비교적 좁다. 또한 와당의 뒷면에서 切當의 흔적들이 확인된다. 진나라 와당은 사실적인 동물문 와당이 제작되었는데, 진나라 사람들의 유목과 수렵 생활의 반영이기도 하며, 선조들의 전통적인 토템 사상의 반영이기도 하다. 이러한 동물문 와당을 圖像紋이라고도 하는데, 진시황 통일 이후에는 동물문은 점차 쇠퇴되면서 도안문이 나타나게 된다. 이 시기의 문양은 漢代에 본격적으로 유행하게 되는 雲紋의 직접적인 기원이 되기도 한다.

진시황 통일 이전의 진나라는 유목과 수렵생활이 주요 생산 활동이었다. 그래서인지 와당 문양도 대자연 속에서 발생할 수 있는 일들이 사실적으로 묘사되었다. 진나라 사람들이 수렵 생활에서 볼 수 있는 동물의 형상 등을 비롯하여 당대의 일상생활을 추정할 수 있는 내용들이 표현된다. 그러나 후에 등장하는 葵紋, 輪輻紋 등의 圖案紋 와당은 정립된 진나라의 사회, 경제, 문화 등의 생활 모습을 보여주고 있다.[19]

春秋戰國시대에 이르러 진나라 와당은 서주 초기 와당과의 융화와 각 나라의 다른 문화나 풍습 등을 중심으로 발전하게 된다. 또한 상호간의 영향과 교섭을 통하여 새로운 와당 문화가 형성된다. 현재까지

---

18) 陳根遠·朱思紅,『屋檐上的藝術』, 37쪽.
趙力光,『中國古代瓦當圖典』,5-7쪽.
19) 張文彬,『新中國出土瓦當集録』 齊臨淄卷, 2쪽.

출토된 진나라 와당은 수백개로 전국시기 와당 가운데 그 수량이 가장 많이 전해지고 있다. 진나라 와당은 후에 진시황 통일 이후를 거쳐 漢代 문양 와당에 직접적인 영향을 미치게 된다.

陝西省 鳳翔縣 이남 동쪽 西安市에서 약 170kn 떨어진 서남의 寶鷄市에는 豆腐村 秦雍城 遺蹟址는 문헌에 의하면 춘추 후기 德公元年(기원전 677년)에서 전국시기 중기의 獻公 2년(기원전 383년)까지 294년간 전국시기 진나라의 도성이었다. 진나라 사람들이 동쪽으로 이동하여 건축한 아홉 개의 도읍 가운데 하나로 사용 시간이 가장 오래된 건물지로 알려져 있다.[20)]

이곳에서는 수천 개의 와당이 출토되었는데, 그 종류도 다양하며, 전돌, 건축 장식품, 수도관, 토기를 굽는 그릇, 도용, 석기, 철기, 자기 등도 함께 출토되었다. 와당 문양은 동물문, 복사문, 식물문, 규문, 운문, 승문, 소면문, 문자 와당 등이 출토되었다. 이러한 와당은 그 지름이 모두 일정치 않고, 주연부의 폭도 불규칙하다. 또한 일부 와당은 주연부가 없는 것도 있다.

---

20) 陝西城考古研究所 · 寶鷄市考古研究所 · 鳳翔縣博物館, 「秦雍城豆腐村制陶作坊遺址發掘簡報」, 『考古與文物』, 2011年 第4期.

秦國 葵紋 瓦當

(1) 動物紋

동물문은 鳳鳥紋, 單貛紋, 虎紋, 鹿紋, 虎鹿獸紋, 鹿蛇紋 등이 있다. 秦雍城 遺蹟址에서 출토된 와당 중에서도 동물문 와당이 가장 많은 수량을 차지하고 있다.[21] 세부 문양으로는 鳳鳥紋, 單貛紋, 雙貛紋, 單虎紋, 卧鹿紋, 鹿紋, 虎鹿獸紋, 鹿蛇紋, 犳鹿紋, 子母鹿紋, 虎雁紋, 鹿蟾狗雁紋 등으로 나눌 수 있다.

---

21) 필자가 2013년 12월 豆腐村 秦雍城 遺蹟址 조사 당시 2,283개의 와당이 출토되었는데, 이중에서 동물문 와당이 1,576개였다. 동물문 와당 중에서 완형은 600여개였으며, 나머지는 대부분 파손된 상태였다.

秦雍城 發掘 瓦當

① 鳳鳥紋 瓦當

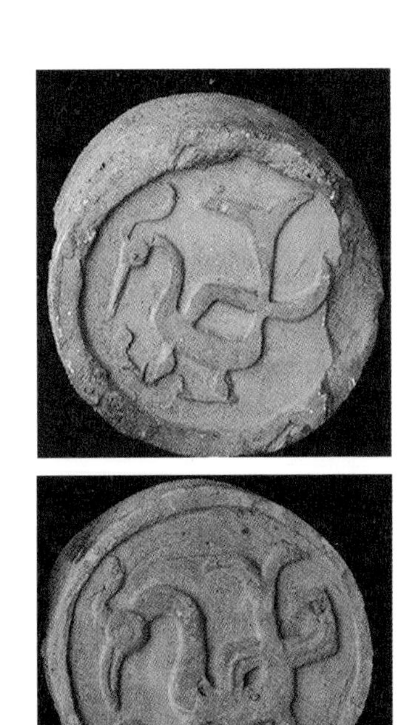

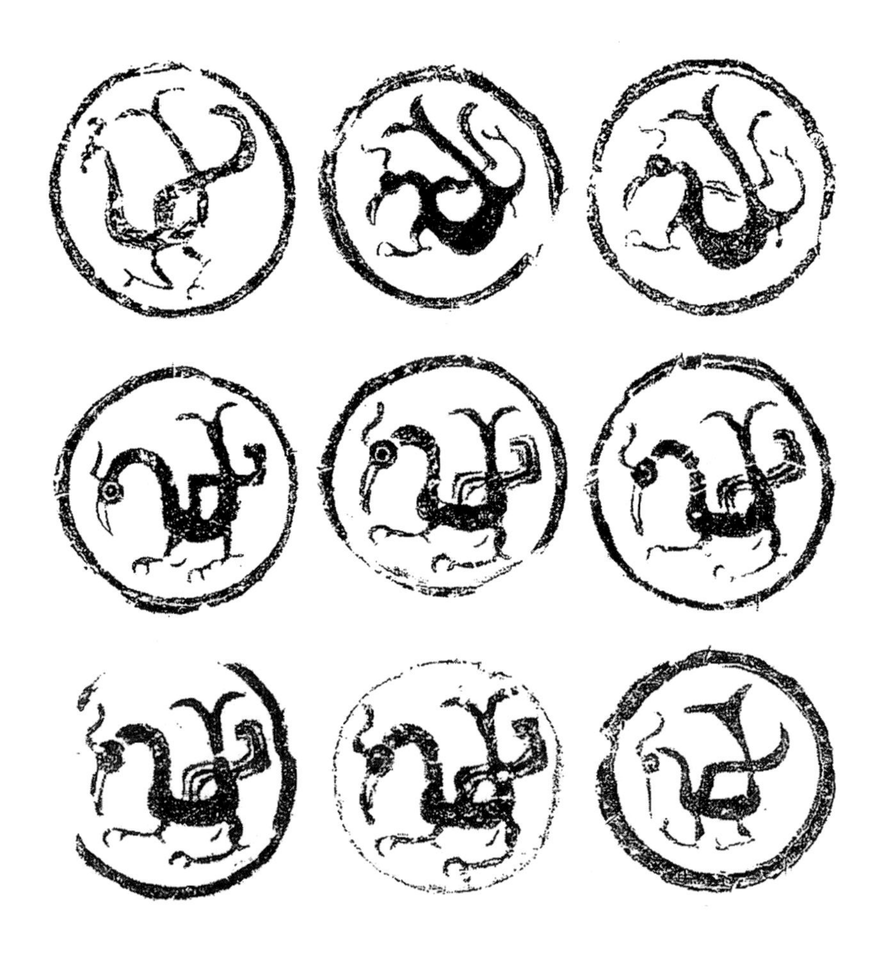

모두 원형으로 鳳鳥紋이 배치되어 있다. 와당의 직경은 약 14-15cm 이며, 가장 작은 것은 13.5cm이다. 주연부의 폭은 0.4-1.2cm이며, 와당의 두께는 0.9-2.4cm이다. 와당의 크기는 불규칙이며, 청회색이고, 회홍색과 회흑색도 출토되었다.

와당의 특징으로 와당면 안쪽에 손으로 누른 지두문의 흔적이 있으며, 통와와 잘린 흔적이 명확하다. 어떤 것은 와당이 휘어져 있는데, 가

마온도가 높았던 것으로 확인된다. 또한 일부 와당은 중심 부분이 돌출되어 있으며, 연결된 통와는 30cm로 통와의 배면은 승문이며, 내부는 麻點紋으로 점토판을 이용하여 제작한 흔적도 있다. 어떤 것은 주연부가 없으며, 배면이 매끄럽게 처리된 것도 있다. 아래의 사진들은 필자가 직접 豆腐村 秦雍城 발굴 현장에서 촬영한 것들이다.

【豆腐村 秦雍城 출토 기와】

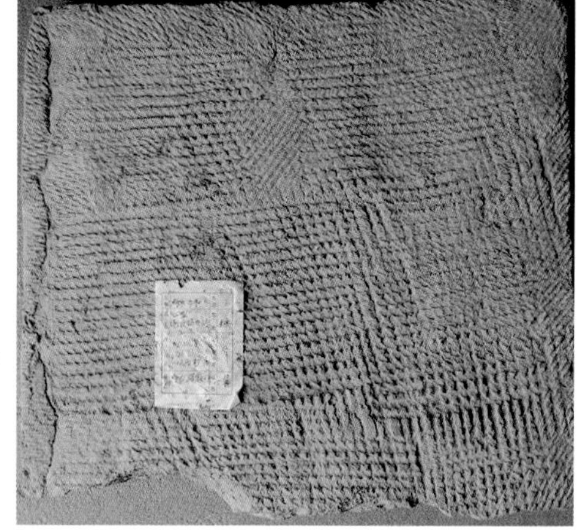

② 獾紋(오소리문)

조사에 의하면 오소리문은 單으로 배치된 것과 雙으로 문양이 교차되어 배치된 것이 있다. 이중에서 單의 경우 94개의 출토 와당 가운데 완형은 대략 44개 정도로 와당면은 모두 원형으로 머리를 반대 방향으로 돌려 입을 벌린 형태를 하고 있다. 도색은 주로 청회색으로 와당의 직경은 14cm, 주연부는 비교적 넓은 0.5-1cm이며, 와당의 두께는 1.2-2cm 정도이다. 雙으로 출현하는 것은 그 수량은 대략 200개 정도인데, 완형에 가까운 것은 85개 정도이다. 와당면에는 두 마리의 오소리가 교차하며 배치되어 있다. 도색은 청회색으로 와당의 직경은 14.6cm이며, 와당의 두께는 2cm 정도이다.

【雙獾紋(쌍오소리문)】

【單獾紋[단오소리문]】

③ 單虎紋

지금까지 필자가 확인한 수량은 66개이며, 이중에서 완형은 33개이다. 머리는 꼬리를 향하고 있다. 도색은 청회색, 옆은 흑회색, 직경은 14.5cm이며, 주연부는 0.7-1cm로 비교적 높은 편이다. 와당의 두께는 1.5-2cm이다.

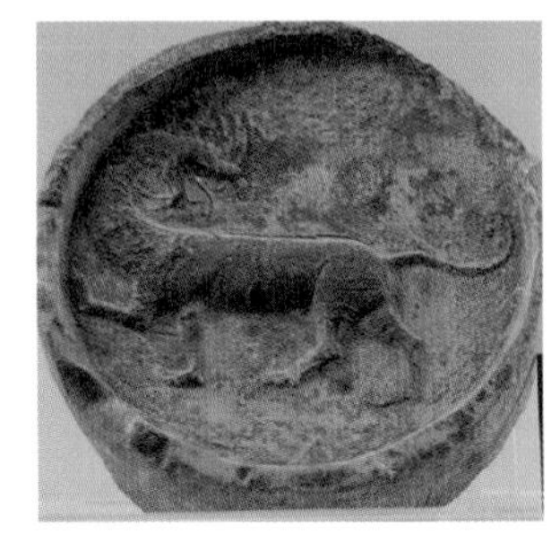

單虎紋

肥虎

子母虎

④ 鹿紋

조사에 의하면 출토된 수량은 31개이며, 이중에서 완형은 10개 정도 된다. 다리를 구부린 것과 서있는 것으로 청회색과 흑회색을 띄고 있다. 직경은 14.1-15.7cm이며, 주연부는 0.6-1.2cm, 와당의 두께는 1.5-3cm이다.

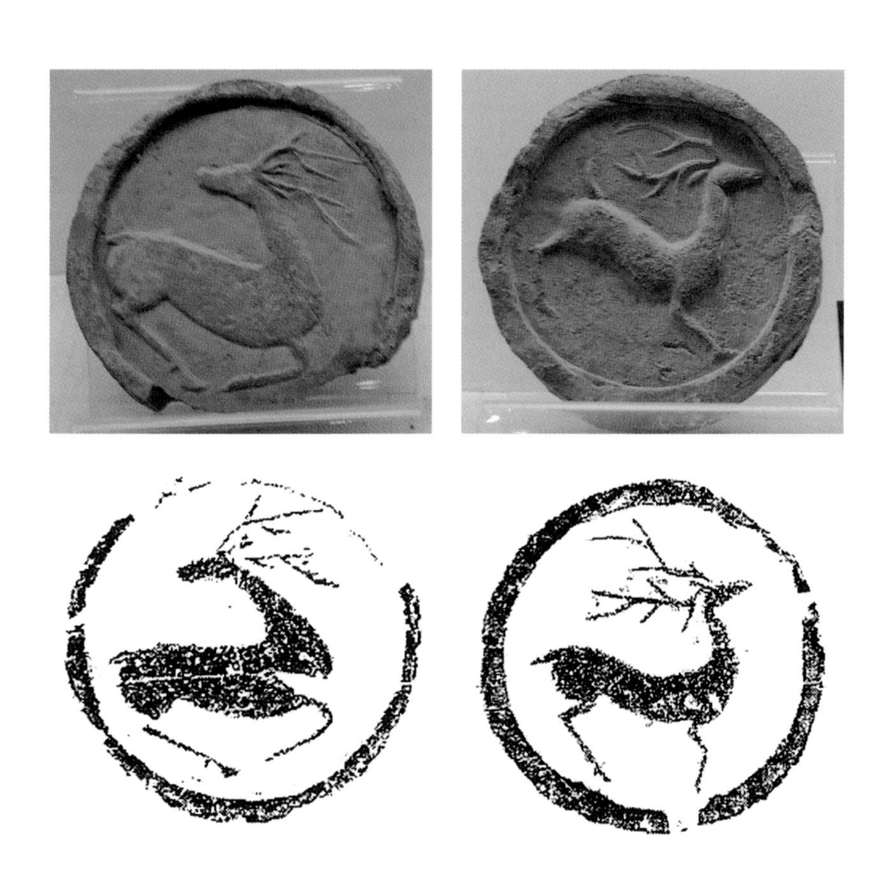

⑤ 虎鹿獸紋

조사에 의하면 지금까지 출토된 수량은 대략 51개이며, 이중에서 완형은 17개 정도이다. 도색은 청회색으로 와당의 직경은 14cm이며, 주연부의 넓이는 0.5-0.7cm, 와당의 두께는 1.5-2.4cm이다.

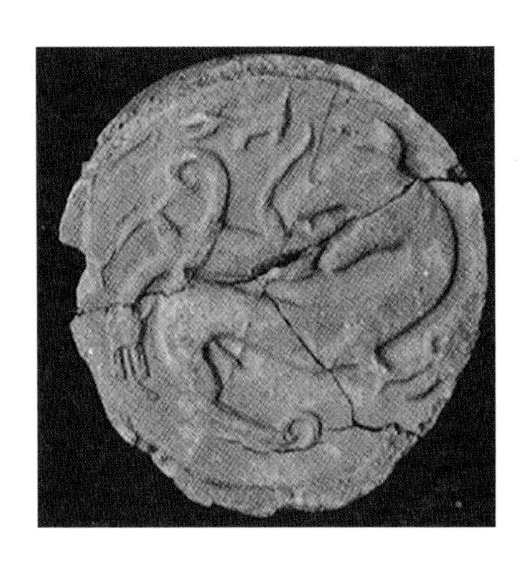

⑥ 鹿蛇紋

조사에 의하면 출토된 수량은 19개이며, 이중에서 완형은 4개이다. 문양은 한 마리의 뱀이 사슴을 감싼 형상이며, 매미가 사슴의 복부 아래 있는데, 이러한 문양의 배치는 극히 드물다. 도색은 회홍색으로 와당의 직경은 14.5cm, 주연부 넓이는 0.7-0.9cm, 와당의 두께는 0.9cm이다. 주연부는 짧은 사선문이 시문되어 있다.

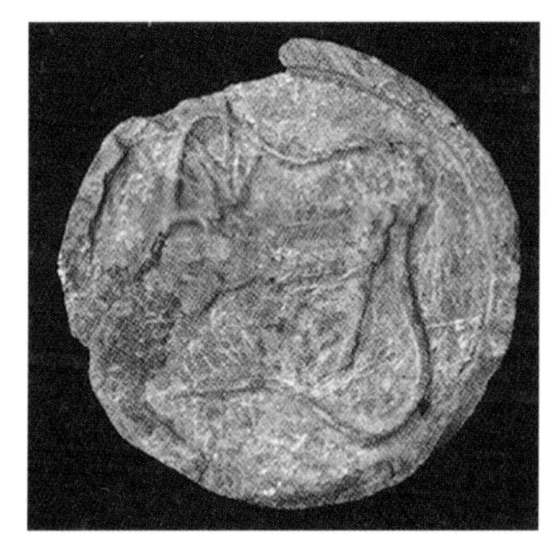

⑦ 獾鹿魚紋

지금까지 출토된 수량은 모두 42개이며, 이중에서 완형은 3개이다. 와당면에는 오소리와 사슴, 물고기가 함께 배치되어 있다. 와당의 도색은 청회색으로 주연부에는 짧은 사선이 표현되어 있다. 와당의 직경은 14.5cm, 주연부는 0.6-0.9cm, 와당의 두께는 2cm이다.

⑧ 子母鹿紋

조사에 의하면 지금까지 출토된 수량은 모두 278개이며, 이중에서 완형은 104개이다. 도색은 비교적 연회색을 띄고 있다. 와당면에서는 달리는 형상을 하는 長角을 가진 사슴으로 가슴에는 새끼 사슴을 품고 있다. 와당들은 직경 15cm. 주연부는 0.5-1cm, 와당의 두께는 1.5-2cm이다. 도색은 옅은 회색과 청회색이며 통와와 연결된 상태를 보면 통와의 제작은 점토판으로 제작되었음을 알 수 있다. 주연부가 없는 와당과 당면에 '+'의 문양이 배치된 와당도 있다.

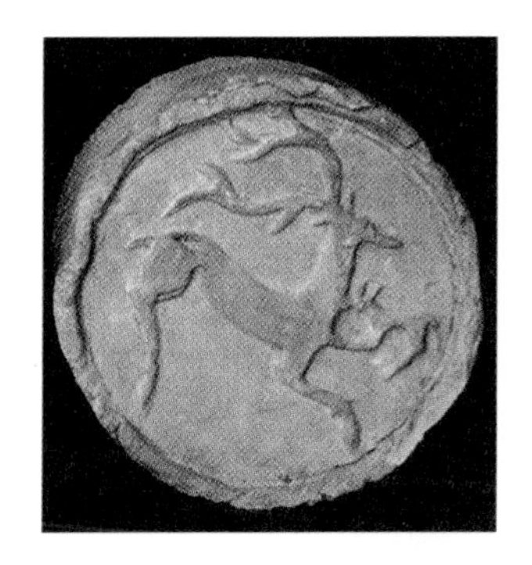

⑨ 虎食鳥紋

조사에 의하면 지금까지 출토된 수량은 102개이며, 이 가운데 완형은 51개이다. 도색은 청회색으로 직경 15cm, 주연부는 0.7-1cm, 두께는 1.5cm이다. 통와는 점토판으로 제작되었다.

⑩ 鹿蟾狗雁紋

조사에 의하면 지금가지 출토된 수량은 모두 75개이며, 이중에서 완형은 22개이다. 長角의 사슴과 두꺼비, 개, 기러기 등의 문양이 함께 배치되어 있다. 도색은 청회색으로 직경 14.5cm, 주연부는 0.5-1cm, 두께 0.8-1.8cm이다. 통와는 점토판으로 제작되었다.

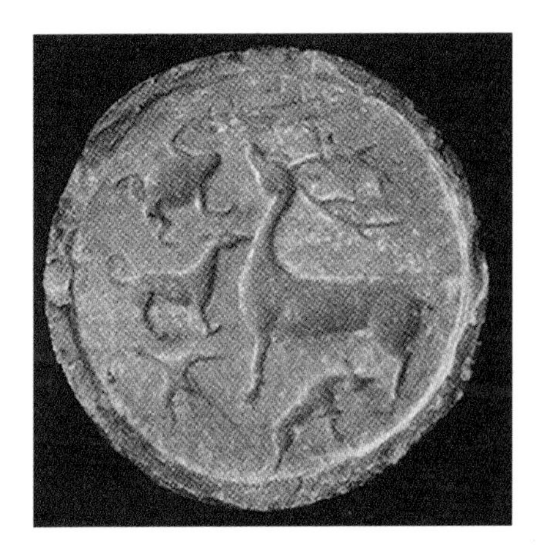

⑪ 蟾蜍紋

조사에 의하면 지금까지 출토된 수량은 1점이다. 도색은 청회색이며, 직경 15cm, 주연부 1cm, 두께는 2cm이다.

⑫ 기타 문양

조사에 의하면 기타 문양으로 鳥食魚紋, 鳥食蛇紋, 四蛙紋, 四獸四葉紋, 飛蝶紋, 雙獸食虎猪紋 등 다양한 문양이 등장한다.

鳥食魚紋 鳥食蛇紋

四蛙紋 虎狼雁紋

四獸四葉紋 飛蝶紋紋

雙獸食虎猪紋

三獸紋

虎雁紋

五馬二蛇四動物紋

三獸雙魚八動物紋

鳥乳釘紋

⑬ 輻射紋(태양문)

복사문은 태양문이라고도 하는데, 문양은 중앙을 중심하여 시계방향으로 빛이 발산하는 모습을 하고 있다. 전국시기 진나라에서는 동물문 외에도 복사문도 출현하는데, 초기 형식은 당심이 규칙적이지 않고 크기도 일정치 않다. 진나라 와당에 복사문이 등장하는 이유는 유목민족의 생활 특성상 태양의 중요성이 강조되었기 때문이다.[22] 아래의 복사문 와당(『秦漢』 107)은 청회색으로 직경 5cm, 주연부 1-1.5cm이다.

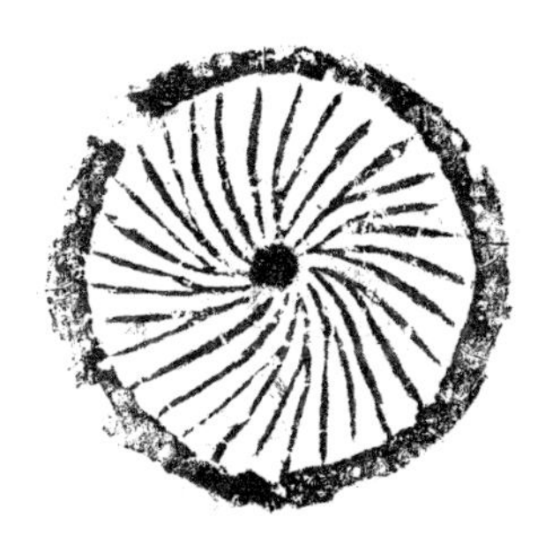

【中國 杜陵秦塼漢瓦博物館 전시 輻射紋 瓦當】

22) 『秦漢』, 1-4쪽.

아래 사진은 葵紋으로 輻射紋과 유사한 형식으로 한 방향이거나 혹은 반대방향으로 돌아가고 있다.

【中國 北京古陶博物館 전시 輻射紋 瓦當】

【豆腐村 秦雍城 出土 瓦當】

앞면 배면

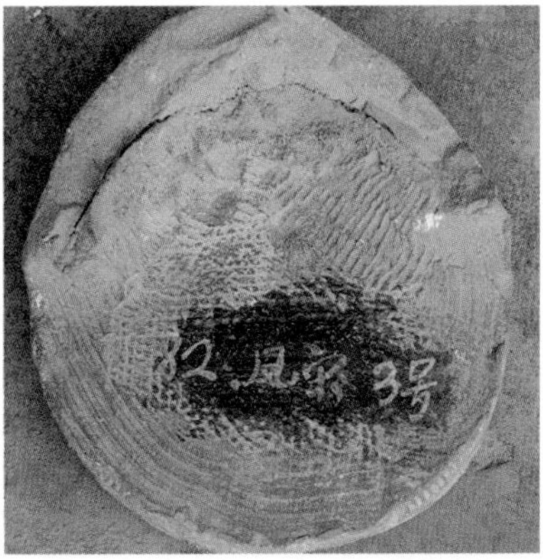

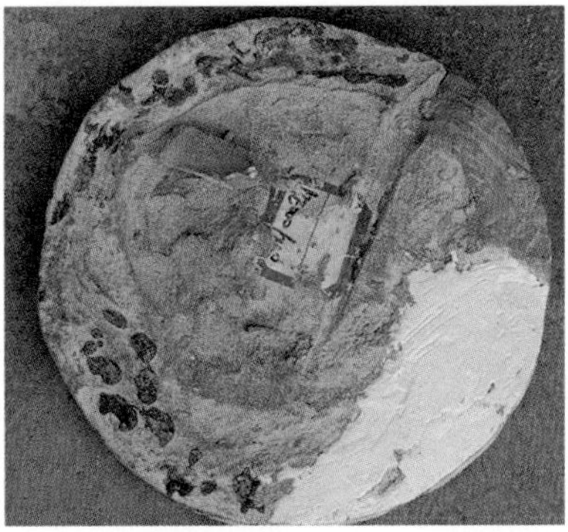

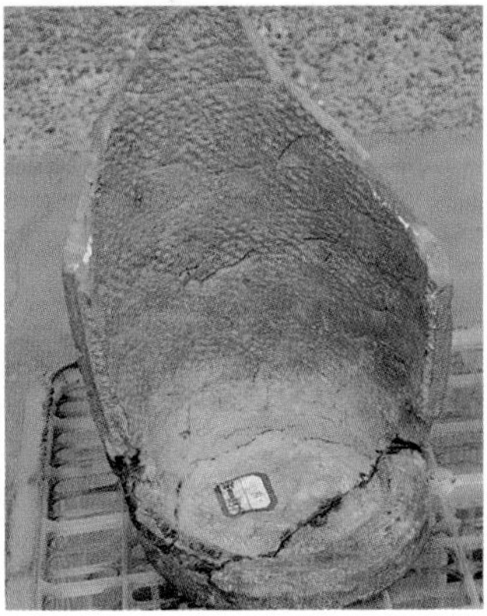

앞면 배면

앞면 배면

【秦國 輻射紋 瓦當 탁본】

⑭ 植物紋

이 문양은 그 형태가 식물의 잎이나 꽃잎에 해당되어 포괄적인 의미로 식물문이라고 부른다. 식물문은 와당면에 배치되는 잎의 수에 따라 홀수의 5엽, 7엽, 9엽이 있지만, 짝수의 4엽도 종종 찾아볼 수 있다. 잎 사이사이에는 삼지창이나 물방울 문양 등이 함께 배치되기도 한다. 漢代에는 당심에 4엽이 등장하는데, 秦代의 식물문을 계승한 것이다.

진나라 와당에 표현된 식물문은 후에 등장하는 연화문과 유사하여 연화문이라고 칭하기도 한다. 식물문은 당면에 돌출된 꽃잎이 표현되어 있으며, 매 꽃잎의 좌우에는 삼치창 문양도 함께 배치되어 있다. 도색은 청회색으로 직경 6.5cm, 두께는 1cm이다.

【중국 杜陵秦塼漢瓦博物館 전시】

【植物紋 탁본】

⑮ 새긴반와당

이 와당의 용도는 정확히 알 수 없지만, 와당은 찍어 구운 것이 아니라 와당면에 날카로운 공구를 이용하여 그린 것으로 보인다. 어떠한 문양인지도 정확히 이해하기 어렵다.

Ⅳ. 와당의 정립기 : 秦代

秦代 瓦當은 진시황이 중국을 통일하면서 문양의 소재가 변화된다. 동물문은 사라지고 葵紋과 雲紋이 등장하는데, 이러한 점은 秦代 文化가 더 이상 초원에서 형성된 문화가 아닌 정착 생활을 보여주는 중요한 단서를 제공해준다.

진시황이 중국을 통일한 기원전 221년에는 혼란한 정국도 서서히 안정되어 간다. 진나라는 경제와 문화가 발전하면서 도읍지를 咸陽으로 옮기게 된다. 국력이 부강해짐에 따라 궁궐과 정원, 능묘와 사찰 등이 신축되는데, 『史記』에 따르면 '咸陽의 진나라 제후들의 건축물은 궁실 건축과도 같이 화려하고 웅장하였다.'는[1] 기록이 있다.[2] 사마천의

1) 『史記·秦始皇本紀』: '秦每破諸侯, 寫放其宮室, 作之咸陽北阪上, 殿屋複道, 周閣相屬.'

2) 『史記·秦始皇本紀』: '秦每破諸侯, 四放其宮室, 作之咸陽北阪上 …… 殿屋複通, 周閣相廳.'

묘사에서도 알 수 있듯이 당시 건축물 규모의 웅대함을 그 무엇과도 비교할 수 없음이 짐작된다. 또한 와당 예술도 한층 더 발전되었음을 알 수 있다.

진대 와당은 연화문과 함께 간소화된 운문이 함께 배치된다. 이 시기에는 당심도 서서히 출현하는데, 당심에 문양을 배치하는 경우와 융기형 당심을 중앙 배치하는 경우도 있다. 당심 문양은 유정문이나 사엽문 혹은 윤복문의 형태와 함께 사용된 것도 확인된다.

진시황이 중국을 통일 한 후 半瓦當은 사라지고 圓瓦當이 주를 이루는데, 圖像紋, 圖案紋, 植物紋 등의 문양이 등장한다.[3] 圖像紋은 '노루', '물고기', '새', '표범' 등을 주요 소재로 삼았으며, 圖案紋은 전국시기에도 유행한 葵紋이 계속 등장하고 雲紋, 網紋, 植物紋 등도 함께 등장한다.[4] 圖案紋 와당은 漢代 유행하는 雲紋의 기원이 되기도 한다.[5] 이번 장에서는 秦代時期 출현한 도상문, 도안문, 식물문, 연화문 등을 중심으로 서술할 것이다. 秦代 瓦當은 아방궁유적에서 집중적으로 출

---

3) 秦代의 와당 문양은 크게 圖像紋과 圖案紋의 두 종류로 구분하여 볼 수 있다. 그러나 圖案과 圖像 외에 식물문도 나타난다. 그런데 圖案紋은 식물문을 포함할 수 없기에 독립된 문양으로 따로 분류해야 한다고 본다. 田亞岐 선생도 秦代의 와당 문양을 圖像紋, 圖案紋, 植物紋의 세 분류로 본다. 陳根遠, 朱思紅 선생도 植物紋은 독립된 하나의 문양 체제로 보아야 한다고 보았다(田亞岐,「秦漢瓦當淺說」, 陳根遠·朱思紅,『屋檐上的藝術』, 52 - 55쪽).

4) 趙叢蒼,『古代瓦當』, 12쪽.
張文彬,『新中國出土瓦當集錄』, 齊臨淄卷, 2쪽.

5) 漢代 와당은 크게 두 가지로 나누는데 하나는 도안문양이고, 다른 하나는 문자와당이다. 이 도안문양은 400년 이상 漢代의 와당예술로 자리 잡고 있었으며, 위진 남북조 이후로 들어서면서는 구름문양은 점차 쇠퇴하기 시작한다.

토되었다.

아방궁 유적

1. 圖像紋：夔紋大半瓦當

秦代時期의 도상문 와당은 그 수량이 그다지 많지는 않다. 이 가운데 지름 61cm, 높이 48cm, 주연부 2.5cm의 대형 와당도 출토되었다. 이 와당은 '瓦當王'으로 불리며 진시황 능북2호 건축군에서 1점 출토되었는데, 문양의 형태가 매우 독특하며 좌우가 대칭되는 것이 특징이다. 와당의 장식은 아름답고 웅장하며 예술성도 돋보인다. 이 와당과 유사한 크기가 遼寧省 綏中縣 '姜女坟'에서도 8점이 출토되었는데, 도색은 회색으로 진시황 능북2호 건축군에서 출토된 것과 문양과 크기가 유사하다.

夔紋大半瓦當(北京古陶博物館 전시)

夔紋大半瓦當(遼寧省博物館 전시)

2. 圖案紋

이 시기에 등장한 도안문은 동물문과 식물문을 제외한 문양으로 물방울 형태나 태양문 혹은 운문의 형태로 정의를 내릴 수 있다. 秦代 도안문은 춘추전국시대의 葵紋에서 그 형식을 찾아 볼 수 있으며, 秦代의 도안문은 전국시기와 한대 시기의 운문와당과 교량적 역할을 하고 있다. 이 시기 운문은 특정한 규칙성이나 구체적인 구름문양의 형식을 띠고 있지는 않으며, 와당면을 중심으로 시계방향이나 그 반대방향으로 문양이 배치되었다. 이것은 마치 태양이 움직이고 있는 형상을 표시하기도 하며, 수천 개의 물방울이 일정한 방향으로 움직이고 있는 모습을 연상케 하여 '秦人水德'의 관념을 잘 반영하고 있다.

秦代 도안문 와당을 살펴보면, 당심의 변화와 구획의 변화가 서서히 시작되었음을 알 수 있다. 당심은 불규칙한 크기로 원형의 網紋으로 표현되거나, 돌출된 반구형 형태가 아닌 문양만 배치된 것도 확인되고 있다. 운문의 형태는 대부분이 磨菇紋 형식이거나 羊角紋도 등장한다.

1) 葵紋 瓦當

전국시기 葵紋은 單線인 반면 이 시기의 葵紋은 주로 다선으로 이루어 졌거나 선의 처리가 굵다. 당심의 출현이 어느 정도 정착되어 갔음을 알 수 있다.

【中國 杜陵秦塼漢瓦博物館 전시 葵紋 瓦當】

秦代의 葵紋은 태양문 또는 소용돌이 문양이라고도 하며 일정한 방향으로 돌아가는 형상을 하고 있다. 당심과 연결하여 돌린 것도 있지만 당심에 다른 문양을 배치하는 경우도 있다. 당심은 와당면에서 넓게 차지할 만큼 크게 배치하고 있다. 돌출형이 아닌 線의 표현이 가장 큰 특징이라 할 수 있다.

雲紋瓦當은 진나라 와당에서도 자주 나타나는 문양 중 하나인데, 漢代의 운문 와당에 많은 영향을 주었다. 초기 운문 와당에 관한 명칭을 운문 또는 태양문이라는 주장이 서로 엇갈리고 있는데, 실질적으로 태양문과 운문은 하나로 보아야 한다고 생각한다. 운문의 특징은 시계 방향 혹은 시계 반대 방향으로 돌려지는 것과 권운문이나 양각문처럼 서로 마주보며 돌려지는 형태가 있는데, 이들의 특징은 중앙을 중심으로 서로 말려있다는 것이다. 즉, 태양이 중앙을 중심으로 일정한 방향으로 도는 것과 같은 원리이다. 앞장에서 제시한 것처럼 중환문도 이와 같은 원리이다. 중환문과 운문을 비롯한 태양문 등은 모두 태양문이라는 모티브에서 시작되어, 태양을 중심한 일정한 규칙에 따라 돌아가고 있다. 청동기 문양의 운기문도 이와 같은 원리로 해석할 수 있다다.

2) 乳釘雲紋 瓦當

와당면에 운문과 유정문이 함께 등장하는 유정운문 와당은 도색은 청회색이다. 일반적으로 직경은 15-16cm, 주연부는 0.8-1cm, 두께는 2-2.5cm이다.

3) 網格雲紋 瓦當

網格雲紋은 網紋과 유사한데, 그물의 형식이 촘촘하지 않고 격자문을 하고 있어 網格紋으로도 분류된다. 운문과 함께 배치되어 있으며, 網格은 당심에만 배치되어 있다.

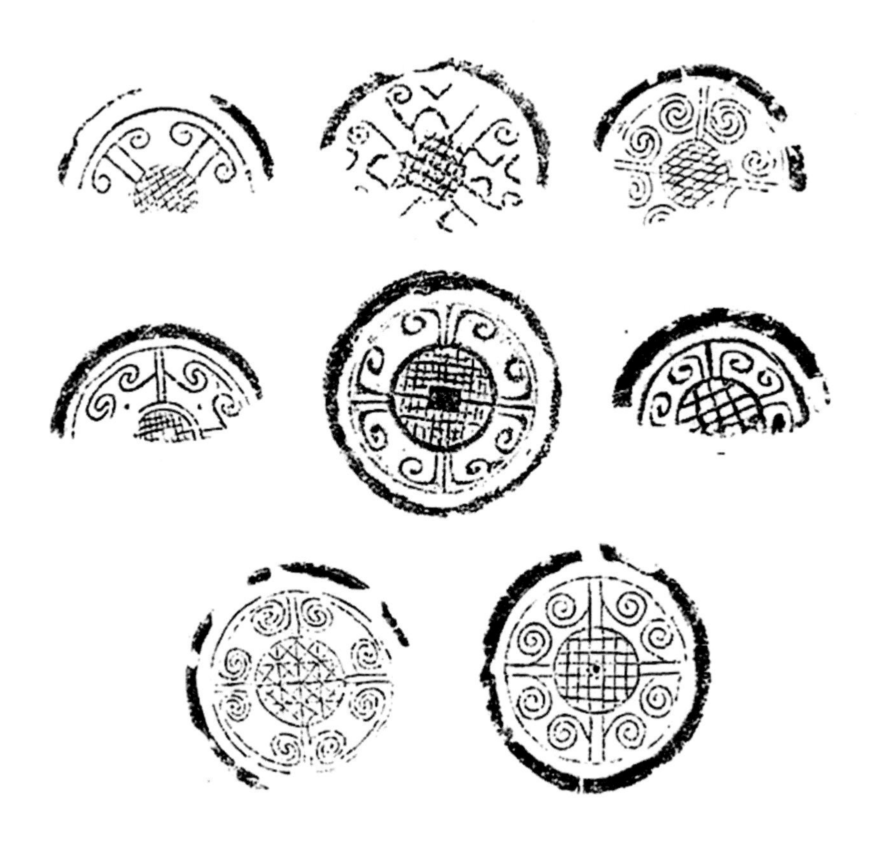

【中國 杜陵秦塼漢瓦博物館 전시 磨菇紋/羊角紋 瓦當】

3. 植物紋：蓮花紋

고대 와당에 나타난 花紋의 변천을 보면 원시적인 단순함에서 시작하여, 점차 복잡, 다양, 성숙, 규범, 통일성을 갖추게 된다. 秦漢時代의 운문과 문자 와당은 와당 화문 장식의 최고 전성기였지만, 중앙집권체제의 정립으로 와당의 문양 형식도 점점 규범화되어 간다. 점차 시대가 흐르면서 인간이 사용하는 기물에는 당대에 추구했던 정신세계가 반영되는데, 와당 예술도 예외는 아니었다. 東漢에 이르러 불교 전래로 통치자는 불교의 교리를 통치 이념으로 수용하면서 연화 문양 형식으로 발전되는데, 불교를 상징하는 연화는 당시 각종 여러 건축과 기물에서 주요 문양대로 표현되었다. 문양의 표현 기법은 단판연화문에서 복판연화문으로 복잡해진다. 그리고 연주문, 연화문, 보상화 등이 화려해지고 왕권의 상징인 부귀와 위엄을 나타내게 된다. 결과적으로 연화문은 통치자와 불교가 융합되어 나타난 부산물이라 할 수 있다.

이러한 현상은 마치 西周時期 重環紋이나 秦漢時代 雲紋의 의미와 마찬가지로 종교에 의탁하여 통치자의 염원을 기원하고자 한 當代의 문화적 소산물인 것이다. 원시종교에서 숭배된 하늘(天), 태양숭배 사상의 중환문과 운문, 불교의 상징인 연꽃의 혼합은 정치와 종교가 하나로 묶이게 되었음을 보여주고 있다. 周代부터 漢代에 이르기까지 원시종교에서부터 외래종교에 이르기까지, 정신세계의 다양한 현상을 표현한 종교의식에서 시작된 문양은 자연스럽게 변화되게 된다.

중국 고대 와당에서 연화문은 전국시기 진나라에서도 찾을 수 있지만, 진나라 와당의 대표적인 문양이라고는 말 할 수 없으며, 불교와 전혀 연관이 없는 문양이었다. 중국에서 말하는 연화문은 식물문의 한 종류이다. 연화문은 고구려, 백제, 신라를 비롯하여 중국, 일본 등의 고대 와당 문양에서 자주 등장한다. 따라서 국내외 와당 연구자들이 많은 관심을 가지고 연구하는 분야이기도 하다. 출토 자료에 의하면 고구려 연화문 와당은 그 수량과 문양 형식이 매우 다채로운 양상을 보이고 있다.

지금까지 연화문은 일반적으로 불교와 연관을 지어 생각하는 경우가 많았다. 그러나 연화문 형식이 처음 등장한 중국의 경우 불교와는 전혀 연관성이 없는 것으로 불교라는 종교적 색채에서 탈피한 다른 문양에서 기원한 것으로 이해해야 한다.

1) 중국 문헌에 등장하는 '연화'의 의미

고대 동아시아에 나타나는 여러 가지 문양 가운데 연화문의 기원은 유구한 역사를 가지고 있다. 고대 이집트에서는 연화를 태양 숭배와 관련하여 생명력과 연관시켜 숭배하여 왔고, 인도에서는 불교가 성립되기 이전에 연화를 우주 만물 창조의 상징에 비유하여 광명의 꽃, 생명의 꽃이라고 신성하게 여겼다. 이렇게 연화를 이용하여 장식하게 된 것은 불교 발생 이전의 일들이다.

'연화'에 관한 명칭을 기록한 가장 빠른 문헌은『詩經』이다. 그 용도는 관상용으로 표현한 것으로 '습한 곳에는 荷花가 있다.'[6] 라는 기록이 있으며,『詩經 · 陳風 · 澤陂』에는 '저 못에는, 향포와 연꽃이 있다.'[7] 라고도 하였으며,『爾雅 · 釋草』에서는 '荷는 芙渠이며, …… 그 열매는 蓮子이다.'[8] 라고 하였다. 이와 같이 고대 중국에서는 '荷'를 '芙渠'라 칭하였다는 점으로 미루어 보아 '芙渠'가 '연화'를 의미하는 것을 알 수 있다. '荷'에 관한 가장 빠른 기록도 앞에서 제시한『詩經 · 鄭風 · 山有扶蘇』에서 찾아볼 수 있으며, 荷花를 아름다운 미적 대상에 비유하면서, 남자에 대한 애정의 그리움을 표현하였다.『楚辭』에도 연꽃에 관한 기록이 나타나고 있다.[9] 모두 연꽃에 관한 가장 빠른 기록들이다.

'荷'와 '蓮'은 모두 荷花의 꽃잎과 蓮子를 의미하며, 여성이 남성에 대한 그리움을 읊은 내용으로 해석된다. 2,500년 전 중국 중원지역에 유행한『詩經』의 한 시구에 '연화'와 상관된 서정시를 읊은 내용은 '연화'를 高雅하고 美妙한 남자에 대하여 여성이 자신의 한 남성을 애모한 마음을 표현한 것이다. 당시 연화는 사람들 마음속에 아름다운 형상을 내포하고 있었으며, 음양의 조화를 이루는 남녀 서정시에 등장한 것으

6) '山有扶蘇, 濕有荷花.'
7) '有蒲與蓮.'
8) '荷, 芙渠, …… 其實蓮.'
9) '集芙蓉以爲裳'와 '因芙蓉而爲媒.'

로 보아 우주만물의 원동력을 상징했던 것으로 추측된다. 이와 같이 '연화'에 대한 당시 사람들의 서정적 마음은 戰國時期의 문장에도 자주 나타난다. 연꽃이나 연잎은 순결과 정결의 상징적 의미로 표현되었다. 위진 이후에도 연화와 연관된 기록이 계속 등장한다. 閔鴻有의 『芙蕖賦』에도 연화가 주된 소재로 등장하는데 남녀가 만나 蓮子를 따러가는 것으로 묘사되어 있다. 『相和歌辭·江南』에는 '강남에는 연화가 있는데, 연잎 위에서 물고기들이 동서남북 여기저기 뛰어 노는 구나.'[10] 라고 하였으며, 『樂府詩集·淸商曲詞一·子夜夏歌之八』에서는 '달에 올라 부용을 캐니, 밤마다 연자를 얻노라.'[11] 하였으며, 應劭의 『風俗通』에서는 '배가 물을 뿜어내는 것이 마치 연꽃과 같다.'고 묘사하고 있다.[12] 이러한 내용에서 알 수 있는 것은 당시 연화는 아름답고 좋은 것[美好]의 최고 칭송인 것이다. 어쩌면 남조시대의 지리적 환경으로 江南의 아름다운 경치를 연화에 대한 깊은 애모로 표현하였을지도 모른다. 양조시대의 任昉『咏池邊桃』에는 연화를 사랑하는 마음에, 작가 자신도 모르게 연못 근처에서 발을 멈추어 서고, 심지어 이곳에서 휴식을 취하기도 한다.[13] 때로는 연화에 대한 직접적 묘사를 하기도 하였는데 『蓮華賦』에 의하면 '나에게는 연화가 가득한 못이 있는데, 금(黃金)처럼 애

10) '江南可采蓮, 蓮葉何田田. 魚戱蓮葉西, 魚戱蓮葉南, 魚戱蓮葉北.'
11) '乘月采芙蓉,夜夜得蓮子.'
12) '舟漂汎似散蓮花.'
13) '聊逢赏者爱， 栖趾傍莲池.'

모한다.'[14]라고 표현하였다. 이와같이 唐代 이전의 시인들은 蓮花, 芰荷, 芙渠 등을 애모하는 마음의 상징으로는 표현하였지만 불교적인 의미로는 해석하지 않고 있다.

그런데 唐 이후에는 연화에 대하여 애모하는 마음과 종교적 성향이 함께 베어나는 내용들이 등장한다. 이러한 문헌 자료를 통하여 볼 때 고대시대 연화는 불교공인 이전에도 등장을 하였으며 그 의미는 우주만물의 생성원리와 태양의 원동력을 상징하는 길상의 의미,[15] 또는 음양이 조화된 남녀관계를 표현하게 된 것으로 해석해야 한다. 이에 대해 盧丁선생은「蓮花紋瓦當考」에서 필자와 같은 견해를 제시한 바 있다.[16] 북위시기 賈思勰의『齊民要術』에서는 연꽃을 재배하는 방법이 묘사되어 있다. 이처럼 연꽃에 관한 기록은 문양 예술뿐만 아니라 문학작품에서도 자주 등장한다. 명대 화가 薛文淸의 그림에는 길상문양의 '梅', '蘭', '菊', '蓮'이 등장한다. 중국 고대의 吉祥圖案의 소재로 주로 동물, 식물, 星月, 流水, 瑞雲 등을 표현하는데, 이것은 후에 도교와 불교의 영향으로 다양하게 변화되었던 것으로 보아야 한다.

漢唐이후 이러한 문양들은 중국인들에게 미화작용을 하는 길상문으

---

14) '余有蓮花一池, 愛之如金.'

15) 연화를 태양과 비유하는 것은 연화문의 초보 단계에서도 나타나고 있다. 특히 와당이나 전돌의 연화문은 태양의 원동력을 표현하는 중심을 기준으로 문양대를 형성하고 있다(허선영, 2005,「漢代瓦當研究」, 國立臺灣大學 中國研究所博士學位論文, 67-68쪽 탁본 참조).

16) 盧丁, 1998,「蓮花紋瓦當考」,『四川大學考古專業創建三十五周年紀念文集』, 四川大學出版社, 339-342쪽.

로 정착하며, 한국과 일본에도 영향을 주었다. 앞에서 제시한 문헌상의 기록을 통해 볼 때 '연화'는 생명, 광명의 의미에서 출발하여, 四季平安의 의미로 梅, 蘭, 百合, 蓮花, 菊花, 桂花, 水仙, 南天 등과 함께 길상문양으로 표현되고 있다.

이처럼 고문헌자료에서 확인한 것처럼 연화는 불교 공인 이후의 종교적 개념에서 승화된 문양이 아닌 우주만물의 생성원리를 표현한 것이었으며, 불교 전래 이후 원시개념과 종교의 혼합물로서 탄생된 상징성이 강한 것으로 해석해야 할 것이다.

2) 출토 유물에 나타난 연화문

전해지는 바에 의하면, 7,000년전의 중국 하모도 유적에서 연화 화석이 출토되었으며, 5,000년 전의 仰紹文化에서도 발굴되었다.[17]

춘추시대 청동기물에 연잎이 좌우 배치된 蓮鶴方壺도 출토되었는데, 기물 윗 부분에 연꽃이 좌우로 배치되어 있으며, 학은 기물의 가장 높은 자리에, 용은 기물의 아래 부분에 배치되어 있다. 춘추전국시대의 와당에서는 식물 문양의 잎과 연화문 와당이 두드러진 양상을 보이고 있다. 또한 漢代瓦當 문양에서도 연화는 당심과 당면에 등장한다. 秦漢瓦

17) 7,000천 년 전 하모도 유적에서 출토된 연화화석은 필자가 중국 북경 사회과학원 유경주 선생님의 발굴상황을 중점으로 토론하는 가운데 확보된 자료임을 밝혀둔다.

當에 표현된 연화는 종교적 차원이 아닌 문양의 한 종류로서의 식물 문양이었다. 이처럼 연화는 본래 식물의 한 종류였으며, 그것의 출현은 불교 전래 이전에 형성된 문양으로 불교와는 관계가 없음을 알 수 있다.

秦漢瓦當의 사용처는 궁궐 혹은 궁궐과 연관된 부속 건축물에서 출토되었는데, 당시 와당은 특정한 신분이었던 왕이나 왕과 연관된 건축물에서만 사용되었다. 따라서 와당은 궁궐건축의 부속품 가운데 하나로[18] 와당면에 표현된 秦漢時期 식물의 일종인 연화는 불교라는 종교적 색채가 아닌 우주만물의 생성원리를 표현한 것이며, 최고 권력자가 사용하는 건축물에 사용되었다. 따라서 漢代 이전에 등장하는 연화는 불교적 색채가 아닌 식물의 한 종류인 것이다.

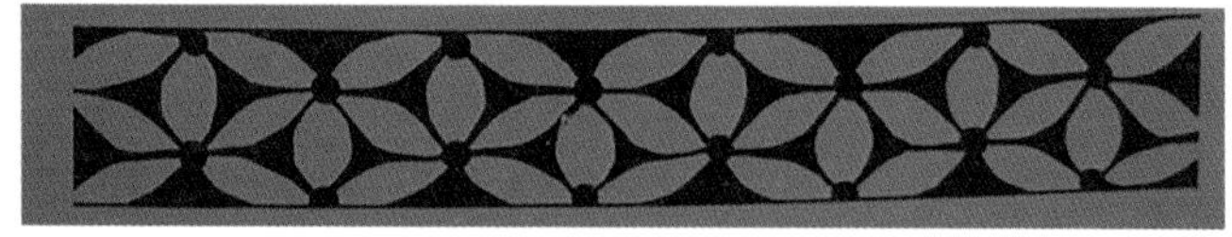

仰召文化 花瓣紋彩陶鉢(河南省博物館 전시)

18) 허선영, 2009,「중국 漢代 명문와당과 사용자와의 관계」,『2009춘계 한국건축역사학회 학술대회 발표논문』.

鄭州大河村 출토 陶鉢(복제품)
(仰召文化博物館 전시)

大汶口文化 泰安大汶口 M1014:30출토
(山東博物館 전시)

蓮鶴方壺(河南省博物館 전시)

이러한 자료를 통해서 알 수 있듯이 연화문은 불교 공인 이전부터 등장하였는데, 정확히 연화문이라고 명명해야 하는 문제와는 다르게 단판연화문의 흔적을 찾아볼 수 있는 유물 자료들이다. 연화문은 중국에서 불교 공인 이전부터 등장한 것으로, 특히 1973년 하모도 유적에서 출토된 연화 화석, 춘추시기 청동기물에 표현된 연화문, 앙소문화와 대문구신석기시기의 陶鉢 등을 살펴보면 연화문은 불교 공인 이전부터 이미 중국 고대 유물에 표현되고 있었음을 알 수 있다. 따라서 중국에서 불교 전래 이전에 표현된 연화문은 특정 종교의 도입으로 이루어진 문양이 아닌 토속문화에서 시작된 문양으로 이해되어야 할 것이다. 연화문은 원시문양에서 나타나기 시작하여 도교나 불교 등의 영향으로 다양한 변화와 변형을 이룬 것으로, 전자는 불교와 연관된 연화가 아닌 식물의 한 종류이며, 후자는 불교와 연관된 연화로 그 문양 형태도 전자와는 다르다. 따라서 고대 연화문과 불교 공인 이후의 연화문은 문양 형식과 상징성에서 차이가 있다고 볼 수 있다. 다만 이 둘의 공통점은 연화가 함의하고 있는 상징적 의미에서는 동일한 것으로 토속종교나 외래종교 모두 상서로운 길상적 의미를 담고 있다는 점이다.

기존 자료에 의하면 보아 중국 진한와당에 표현된 연화문을 불교와 연관시켜 이해하는 것은 잘못된 해석이라 할 수 있다. 반면 고구려의 연화문은 불교 전래 이후에 등장한 것으로 불교와 연관성이 있다. 그런데 고구려 와당은 와당의 제작 기술이나 문양을 표현하는 기법 등이 상당한 수준으로 발달되어 있었고, 백제와 신라뿐만 아니라 일본에도 상당한 영향을 주었다. 고구려 연화문 와당이 불교 전래 이전부터 연화문이 사용되었는지 확인할 수 있는 직접적인 근거 자료들이 필요한 상황이다.

한무제시기 사군이 설치되었으며, 와당이 전래되었던 것으로 보아 고구려에서도 와당 제작이 이루어 졌으며, 고구려는 372년 소수림왕 때 불교가 공인되기 이전부터 와당이 사용되었음을 알 수 있다. 당시 제작된 고구려 지역의 와당은 漢代 와당과 유사하다. 그런데 고구려 와당에서 漢代 와당양식을 찾아지지만, 완전한 漢代 양식으로 보는 것에는 무리가 있다. 특히 사군의 하나라고 인식되어 오던 낙랑군 일대에서 출토된 '낙랑예관', '낙랑부귀', '천추만세' 등이 새겨진 와당은 1930년대 세키노 다다시가 '漢式기와'라고 규정한 이후 한중일 와당을 연구하는 연구자들은 이를 토대로 연구를 진행하였다. 이 부분은 재검토의 여지가 있는 부분이다.

고구려 연화문은 372년 소수림왕 때 前秦의 왕 부견이 승려 순도를 고구려에 보내어 불교가 공인되었고, 다양한 선진 문화가 유입되면서 많은 건축물과 예술품에 연화문이 등장하게 된다. 고국양왕은 불교를 장려하였으며, 광개토대왕은 392년 평양에 9개의 사찰을 창건하기도 하였다. 현재 고구려 와당이나 벽화에 표현된 연화문은 이 시기의 것으로 추정되기 때문에 불교가 정착하는 과정에서 나타난 결과로 보기 쉽다. 그러나 그 이전에 이미 고구려도 중국과 마찬가지로 토속문화 속에 불교문화가 적극 장려되었던 것으로 추정된다. 따라서 고구려의 경우도 토속문화와 외래문화의 융화와 외래문화의 수용과정에서 연화문이 출현한 것으로 보아야 할 것이다. 고구려는 건국된 기원전 37년부터 불교가 공인된 기원후 372년까지의 역사 전개 과정을 고려했을 때, 토속에 바탕을 둔 재래문화가 형성되어 있는 상태였다. 불교 공인 이전에 표현된 연화문은 불교에서 연화문이 상징하는 것과는 다른 상징성이 있었을 것이다. 따라서 고구려 연화문 와당 또한 불교 공인 이전과 이후로 나누어 이해할 필요가 있다.

그렇다면 연화가 지니는 상징성은 무엇인가? 周代부터 불교 전래 이전까지와 불교가 성행한 唐代에서도 연화는 순결, 애모, 남녀의 그리움 등을 칭송하는 내용으로 계속하여 등장한다. 연화는 고대 이집트에서 태양과 같이 생명의 근원이자 재생을 상징하는 식물로 인식되었으며, 고대 인도에서도 유사하게 해석되었던 것으로 알려져 있다. 전호태는 고대 중국에서는 연꽃이 태양이나 그 상위의 존재인 天帝를 상징하는 표현으로 쓰일 뿐 생명의 근원으로 인식되지는 않았으며, 중국에서 연꽃을 생명 창조와 관련하여 인식하게 되는 것은 연꽃을 빛의 상징이자 생명의 근원으로 불교가 전래되면서 부터라는 견해를 밝히고 있다.[19] 그러나 연꽃이 지니는 상징적인 의미는 종교와 결부되었을 경우와 순수한 문양으로서 표현되었을 경우가 서로 다르고, 표현되는 과정에서 문양이나 기법상의 변화나 변형 등이 나타나기 때문에 앞으로 좀

19) 전호태, 2010,『고분벽화로 본 고구려 이야기』, 풀빛, 104-106쪽.
金和英, 1967,「三國時代 蓮華紋 硏究」,『歷史學報』34, 歷史學會, 1967.
필자는 연꽃이 우주만물의 생성원리로 표현된 것은 이미 불교 발생 이전부터 사용된 문양으로 보고있다. 이러한 근거는 하모도유적의 암각에 새겨진 연꽃과 춘추전국시대의 연화문, 태양문 등의 와당을 통해서도 알 수 있다.

더 구체적인 연구가 필요한 부분이다.

향후 면밀한 접근이 요구되는 부분이기는 하지만 현재 중국 내의 많은 와당 문양 중에서 태양의 상징이자 우주만물의 근원을 상징하는 것으로 해석되는 것은 연화문 외에도 중환문, 윤복문, 규문 등이 있다. 이 문양들의 공통점은 중앙을 중심하여 일정한 방향으로 돌아가고 있다.[20] 따라서 전호태의 견해인 중국에서 연꽃이 생명 창조와 관련하여 인식되기 시작한 것이 불교가 전래되면서부터라는 의견은 수정되어야 할 것이다.

한편 고대 시대에 형성된 문화, 특히 동아시아 문화는 국가 간 연관성을 가지면서 발전하였다. 고구려는 중국의 선진 문화를 많이 수용하고 있었기 때문에 중국과 유사한 문화적 특성이 있었을 것이다. 중국 고대 연화문은 태양숭배와 연관되어 다양한 기법으로 표현되었는데, 그 중 하나가 식물문의 연화문이었다. 따라서 불교 전래 이전에 표현된 고구려의 연화문은 다른 의미와 상징성이 내재되었을 것이다. 이러한 측면이 있기 때문에 불교 전래 이전에 표현된 연화문들은 그 민족이나 지역의 상징을 담고 있는 것으로 재인식되어야 할 것이다.

---

20) 필자는 태양문, 葵紋 등의 형성 원인과 변화 과정이 고대 태양 숭배에서 비롯되었을 것으로 보았으며(허선영, 2006, 「漢代雲紋瓦當의 編年硏究」,『중국사연구』42집, 중국사연구회), 연화문의 상징적 의미가 고대 태양숭배와 연관성이 있는 가능성을 제시하였다(허선영, 2008, 「고대 한중 인동 당초문양의 명칭과 형태의 재고」, 『동아시아고대학』제18집, 동아시아고대학회).

4. 中國 瓦當에 등장한 初期 蓮花紋 瓦當

연화문 와당의 가장 빠른 자료는 전국시기에 나타난다. 전국시기 秦나라 궁궐에서 사용된 와당에 4엽, 5엽, 8엽으로 연꽃의 수가 증가되면서 표현되기도 한다. 이 시기의 연화문 와당에는 複線과 蓮珠紋, 三角, 草葉 등의 문양도 함께 배치되는데, 이러한 요소는 고구려 와당에서도 보편적으로 나타나고 있다.

전국시대 와당의 소재는 크게 식물문과 동물문으로 나눌 수 있으며, 식물문 가운데 고대 와당의 문양은 다시 꽃과 잎으로 나눈다. 또한 꽃은 표현 기법에 따라 단순히 꽃봉오리만 표현하거나 꽃봉오리에서 꽃이 피기 시작한 상태, 꽃이 만개한 상태, 꽃잎을 낱개로 표현한 것 등 여러 모습으로 표현되어 다양하게 분류할 수 있다. 가장 빠른 시기의 와당은 서주시기의 素面와당이며, 태양문, 동·식물문, 葵紋, 雲紋 등이며, 동·식물문은 춘추시기부터 등장하기 시작한다. 식물 문양의 경우 단순히 꽃잎을 표현한 경우도 있지만, 아몬드형의 잎처럼 표현된 것도 있다. 그렇다면 이 꽃이 어떤 꽃인지에 대해서 생각해 볼 필요가 있다.

중국 고대 문양에 등장한 이 꽃이 아마도 '연화'일 것이다. 그 근거를 살펴보면, 우선 연화의 상징적 의미이다. 이집트에서 연화는 태양의 상징으로 다양한 고미술품에 표현되었다. 연화가 서역을 통해 전래되었다는 기록도 있으나, 그 이전 중국 고대에서 이미 연화가 표현되었는데, 신석기시대 벽화의 연꽃문양과 전국시기 와당에서 찾을 수 있다. 우리나라는 삼국시대에 들어와 중국과의 국제적인 교류를 통하여 연화문이 전래되었는데, 고구려는 북조의 영향을 받았고, 백제와 신라는 고구려를 통하여 연화문이 전래되었다는 것이 일반적인 견해이다. 그런데 백제는 이후 남조와 직접적인 교류가 이루어졌고, 나중에는 수당과의 교류를 통하여 중국 고대의 선진문화가 전래되었다.

중국은 唐代부터 연화문이 크게 성행하는데, 唐代의 연화문 종류는 고구려와 비교하였을 때 그 문양이 비교적 단순하며, 문양의 변화도 많지 않다. 고구려는 연화문의 문양이 매우 다양하며, 독특한 표현 기법의 연화문이 많이 확인되고 있다. 따라서 雲紋이 중국 와당의 대표 문양이라면, 蓮花紋은 고구려 와당의 대표 문양이라 할 수 있다.

동아시아 고대 와당에 등장하는 문양의 흐름을 파악해 보면, 연화문은 중국에서 전국시기의 진나라에서 처음 확인되고 있다. 시기가 비교적 빠른 전국시기 진나라 와당에서는 연화문과 유사한 식물 문양들이 많이 나타나는데, 진시황 통일 이후에도 이전과 유사한 표현 기법을 보이고 있다.

중국 고대 와당에서 漢代는 운문이 문양의 중심이 되며, 연화문은 드물게 나타난다. 이와 같이 연화문이 드물게 나타나는 이유는 漢代의 사상과 연관이 있는데, 그것은 漢代 黃老 思想과 한무제 독존유술 정책으로 漢代 초기에는 태양숭배를 비롯한 우주의 근본원리를 담고 있는 운문이 유행한다. 그러나 漢代에도 와당에서 연화문이 발견되고 있다. 그리고 고구려 연화문 와당과 관련하여 북위시기 연화문은 秦나라 초기 연화문과 유사성이 발견된다.

【秦國 秦代 北魏 蓮花紋 탁본】

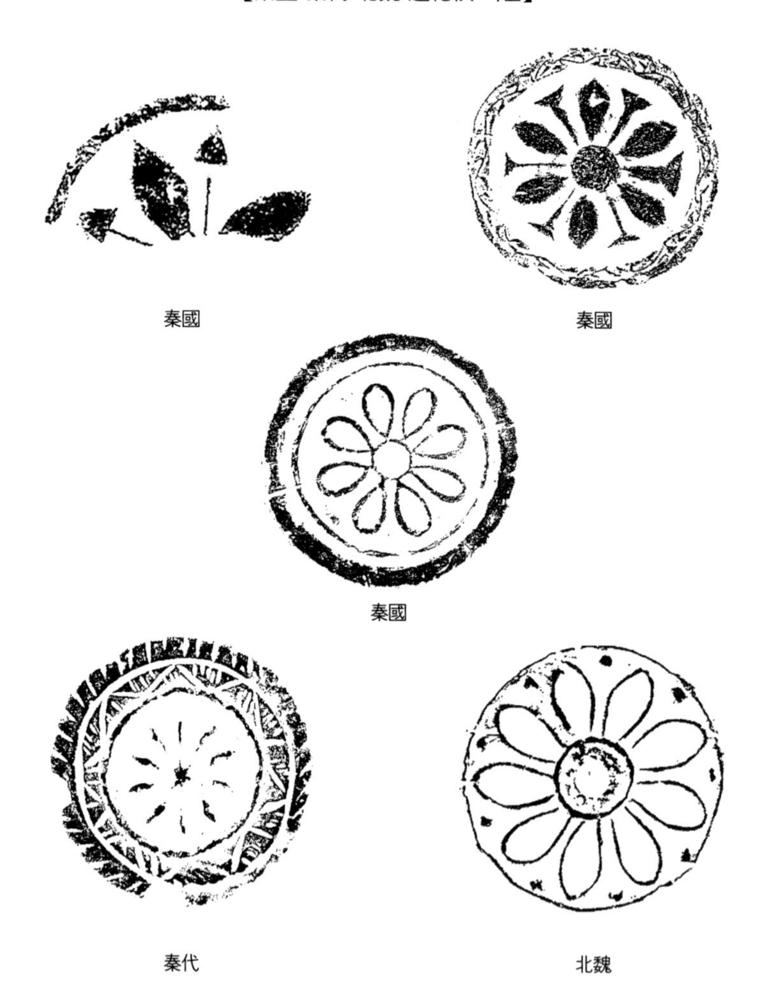

秦國 秦國

秦國

秦代 北魏

현재까지 확인된 중국 고대 연화문 와당 중에서 시기가 가장 빠른 것은 위의【秦國 秦代 北魏 蓮花紋 탁본】의 첫 번째 와당이라고 푸쟈이[傅嘉儀]선생과[21] 林巳奈夫선생은 주장하였다.[22] 필자도 이 와당이 연꽃잎을 표현한 것이라고 생각한다. 동아시아 와당사에 있어서 연화문 와당의 시원은 전국시기로 상한을 두는데, 秦代에 이미 이러한 정교한 문양 형식이 등장한 것으로 보아 오래전부터 연화문이 사용되었을 것으로 추정된다. 왜냐 하면 춘추전국시대의 蓮鶴方壺 청동기에 이미 생동감 있는 연화문이 표현되고 있기 때문이다.

필자는 秦漢時期 와당에 표현된 연화문의 기원이라 할 수 있는 식물 문양을 우주 생성의 원리를 상징하는 輪輻紋 와당 계통, 當心에 표현된 연화문 계통, 만초의 삼엽문과 사엽문, 연화문 등 고대 와당에서 나타나는 식물 문양을 다섯가지 유형으로 분류하였다.[23]

21) 傅嘉儀,『秦漢瓦當』탁본 438.
22) 林巳奈夫, 1993,「中國古代蓮花的 象徵(一)」,『文物季刊』3.
23) 필자가 분류한 연화문은 문양형식의 유사성만을 가지고 분류 하였을 뿐 출토지와 제작 형식에 의거한 것은 아니다.

【중국 蓮花紋 瓦當 유형】

유형	해당 탁본			
A. 輪輻紋 瓦當	戰國	戰國 秦		
B. 當心에 표현된 蓮花紋	秦代	秦代	秦–漢初	秦–漢初
C. 蔓草三葉紋 瓦當	秦代	漢代		
D. 四葉紋 瓦當	秦–漢初	漢代	漢代	
E. 蓮花紋 瓦當	秦國	秦國	秦代	北魏
	北魏	隋唐	隋唐	唐代

위의 표에서 A계통은 운문 와당의 기원으로 추정되는 전국시기 진나라 와당으로 태양의 상징인 輪輻紋이 배치되었다.[24] 輪輻紋이 연화문과 어떤 관계가 있었는지는 구체적인 연구가 필요한 부분이지만, 戰國時期 태양의 상징인 輪輻紋과 연화문은 문양의 형태에서 유사성을 보이고 있는 것은 분명하다. B계통은 秦代 와당으로 당심에는 4엽 또는 8엽의 꽃잎이 배치되어 있다. 이 와당은 운문과 식물문이 혼합되어 표현되어 있다. 이와 같은 종류의 와당은 秦代를 거쳐 漢代에도 계속하여 나타난다. C계통과 D계통은 삼엽문 또는 사엽문으로 당심을 중심으로 식물 문양이 배치되어 있다. 漢代에는 와당면의 중심에 연화의 흔적이 거의 나타나지 않지만 그 이후에는 전형적인 연화문이 나타나고 있음을 알 수 있다. E계통은 북조 이후에는 와당에서 운문이 사라지고, 연화문이 전성기를 맞이하게 된다.

24) 허선영, 2006,「漢代雲紋瓦當의 編年研究」,『중국사연구』42집, 중국사학회.

V. 와당의 전성기 : 漢代

1. 文字 瓦當

문자 와당이 언제 시작되었는지에 대해서는 와당에 대한 연구가 시작된 이래 오늘날까지 끊임없이 논의되고 있는 문제이다. 중국 고대 목조건축은 여러 가지 단점이 있었다. 나무나 이엉으로 만든 지붕은 빗물과 적설에 대한 누수를 방지할 수 없었고, 높은 온도나 습기 등의 기온 변화에도 적응력이 떨어졌기 때문에 방수와 방한의 효과가 미흡하였다. 또한 이러한 소재는 계절에 따른 변화뿐 아니라 벌레나 곤충의 피해도 잦았으며 이로 인해 고대 중국인들은 실생활에서 여러 어려운 점이 느끼게 된다. 생활의 불편을 막기 위한 지혜를 터득하면서 지붕에 큰 변화가 오기 시작하는데, 처음에는 瓦만이 사용되었다. 두 개의 板瓦 안팎 면을 끈으로 묶어 지붕에 올리는데, 후에 筒瓦를 함께 사용하여 지붕을 마무리하게 된다. 현재까지 발굴된 가장 빠른 시기 瓦의 사용은 3,100여 년 전 西周時期로 보고되어 있다.

瓦 혹은 瓦當의 발명은 도기 공예뿐만 아니라 고대 건축 양식에 새로운 변화를 가져왔다. 동아시아 건축 문화에 있어서 혁신적인 변화였다. 특히 漢代와당은 중국 뿐 아니라 동아시아 와당에서 중추적 역할을 하게 되는데, 漢代에 이르러서 와당은 제작 방법이 발달하고, 와당

中國 杜陵秦塼漢瓦博物館 문자 와당

문양이 다양해지며, 문자가 새겨진 와당이 등장한다. 또한 와당의 발굴은 漢代 궁궐지로 당대 신분과 밀접한 관계가 있음을 보여주고 있다. 위진 이후 와당은 왕실 건축 외 사찰, 개인 가옥 등 다양한 건축에서도 사용된다. 이 시기의 와당문양은 연화문을 기본 모티브로 하며 약간의 변화를 추구하며, 와당문화의 유행은 문화사적(상징적) 차원이 아닌 기물학적(실용적) 관점으로 서서히 정착된다. 따라서 漢代瓦當은 당대의 역사적 문화적 배경을 담고 있어 중국 고대 와당사에 있어서 귀중한 자료이다.

서주시기 와당과 춘추전국시대 각 제후국의 지역적 특징들이 반영되어 제작되었으며, 와당은 漢代에 이르러 최고의 전성기를 맞이한다. 한국과 일본 등 중요한 건축 부재로써 영향을 주었으며 당대의 문화사와 예술사 연구에 중요한 자료를 제공해 주고 있다. 이 시기의 와당은 사용자의 신분 관계와 연관성이 있다는 점이 특징적이다. 또한 고대 토목건축의 독특한 민족적 스타일이 살아 있다. 하늘과 가장 먼저 만나는 지붕에서 건축의 아름답고 고풍스러움을 찾을 수 있는데, 특히 와당의 기능은 고대사회의 물질문화의 수준을 반영하고 있으며, 당대의 예술품으로 승화되기도 하였다. 漢代瓦當이 동아시아 와당사에 있어 최고의 경지에 이르게 된 것에는 다음과 같은 이유로 설명할 수 있을 것이다.

첫째, 문자 와당의 출현

漢代 이전까지는 문양 와당이 와당면의 중심적 문양대를 형성하고 있었다. 예를 들면 소면문, 식물문, 동물문, 기하학문 등 와당면에서 주로 나타나는 문양이었다. 혹자는 漢代 이전에 이미 문자 와당이 등장하였다고 주장하기도 한다. 문자와당의 출현 시기에 관하여 그동안 중국 와당 연구자들은 진대에 이미 출현하였다고 보고 있지만 필자의 연구에 의하면 진대가 아니라 한대에 시작된 것으로 보아야 한다. 그 중심에는 12자 문자와당의 출토지와 편년이 중요한 단서를 제공한다. 12자 문자와당의 편년과 관련하여 지금까지는 아방궁 출토라는 점에서 한대시기에 제작되었을 가능성에 초점을 두고 있었다. 이러한 이유로 문자와당의 출현 시기에 대한 시원과 문제점 등이 발생하였다.

漢代 시기를 중심으로 중국 와당은 중요한 변화가 시작되는데, 와당면에 문자가 새겨지면서 문자와당이 본격적으로 등장하고 한대 와당

의 중추적 역할을 하게된다. 와당면에 새겨지는 것은 문양이든 문자이든 그 내용들은 當代의 심미적, 문화적 배경을 담고 있는 것이라 할 수 있다. 그리고 와당면에서 문양 와당이 간접적 표현의 방식이었다면, 문자 와당은 직접적이고 구체적인 표현 방식이다. 그래서 문자와당은 건축물과 연관되어 있기도 하지만 당대의 역사와 문화를 전해주는 연구대상이 될 수 있다는 점에서 역사적 학술적 가치도 높다고 할 수 있다. 또한 문자와당은 한자 발전 과정에 있어서도 중요한 역할을 하는데, 다양한 書寫 방법은 다른 기물에서는 등장하지 않고 있다. 이러한 점은 와당문자가 독특한 문자로 형성되었으며, 독립적인 텍스트로 분류되어 연구되어야 한다는 점을 시사한다. 그리고 문자와당은 고대 사회의 부족한 사료를 보완해 줄 뿐만 아니라 문자와당의 출토지와 명문의 내용 등을 통하여 망실된 문헌과 지명, 古代의 宮, 室, 署, 祀, 墓 등을 연구하는데 중요한 자료를 제공해 주고 있다.

둘째, 와당 문자 字體의 다양화

한무제 시기는 와당 문화가 활발히 꽃핀 시기로, 특히 漢代 문자 와당의 字體는 篆書를 비롯하여 隸書, 鳥蟲書, 楷書 등 다양한 字體가 등장한다. 낙랑지역에서 출토된 '樂浪禮官'와당과 '樂浪富貴'와당은 篆書와 隸書로 되어 있어 주목되는데, 이 두 점의 문자 와당은 陝西省에서 출토된 漢代瓦當의 형식과 字體, 문양 등이 유사하다. 이러한 것으로 보아 漢代瓦當 文化가 한반도까지 전파되었음을 쉽게 알 수 있다.

고문자학을 연구하는 연구자들도 그동안 문자 와당의 명문 내용, 字

體, 字形의 구조 등에 대해서는 크게 주목하지 못했다. 그런데 와당 문자는 공간과 소재의 특수성을 가지고 있으며, 이러한 특수성은 글자를 해독하는 과정에서 매우 중요하다. 대중적이지는 않았던 漢代瓦當은 다양한 字體를 지니고 있으며, 古文字學의 한 분야로 甲骨文, 金文, 簡帛文字 등과 함께 높은 학술적 가치가 있다. 글자를 새기는 면이 원형인 와당은 어려운 필획을 요하는 부분이기도 했으며, 필획의 簡化(필획의 일부 생략) 또는 增筆(필획의 일부를 추가)로 와당에 글자를 새기게 된다. 이러한 과정에서 字體의 변화도 함께 오게 된다. 그래서 楷書, 隸書, 小篆, 藝術體 등 여러 종류의 字體가 활용되어 와당이 가지고 있는 다양성과도 잘 어우러지고 있다. 小篆에서 隸書로 변화되는 과정에서 '隸辨'현상, 合文(두 글자를 한 글자로 표기)과 反書(일부 필획 혹은 전체 필획의 반대)는 와당의 제작 기법, 사용처, 자체 등의 기법에 따라 변화된다.

갑골문 이후 수많은 기물에 새겨진 字體는 그 시대의 다양한 字體와 字形 등이 반영된 것이라 할 수 있는데, 와당 문자의 중요성은 하나의 와당면에 여러 字體와 字形이 새겨지는 다양성에 있다. 특히 隸辨 현상은 와당면에 표현되는 문자 현상들로 漢代 文字의 전반적인 모습과 경향을 보여주고 있다는 점에서 중요하다. 이러한 점은 와당 문자만이 지니는 매력이라 할 수 있다.

최고의 권력자가 머문 궁궐 처마에 장식된 와당은 크기뿐만 아니라 字體의 화려함이 더욱더 돋보인다. 와당에 문자를 새기기 시작한 것은 서한 초기이지만 한무제 이후 문자와당의 사용은 매우 빠른 속도로 발전하게 된다. 한무제 시기를 중심으로 출현한 문자 와당은 秦漢時期의 글자체에서 계승되어 발전되는 과정을 확연히 보여주고 있다. 중국 고대 문자 와당은 線과 點의 구조로 이루어진 그림으로 동아시아 지붕 건축의 멋스럽고 단아한 와당의 미를 문자와 함께 어우러지게 표현하고 있어 漢代 文化를 대변하고, 사상의 표출인 '文物文化'라 할 수 있다.

문자 와당을 분석하는데 있어서 가장 중요한 요소는 와당의 내외적 구조이다. 와당의 직경은 작은 경우 12㎝이지만, 대부분 18-20㎝의 공간 안에 문자 또는 문양이 표현된다. 와당면을 이등분, 사등분 혹은 팔등분 등으로 나누고 나면 부채꼴의 구획이 형성되는데 부채꼴안에 배치되는 글자의 형태는 새기는 과정에서 변화를 가져오게 된다. 따라서 와당 안팎의 공간적 특수성으로 인하여 讀法과 字體에서 오는 변화가 문자 와당의 字數와 字形에 영향을 주는 중요한 요인이 된 것이다. 外的 특수성은 와당면이 원형이라는 공간적 제한이 있으며, 內的 특수성은 문자의 수에 따라 획을 나누는 부채꼴 혹은 장방형의 구획선에 의해 字體에 변화가 생기는 것이다. 따라서 와당 문자는 와당마다 구조가 다르기 때문에 서로 다른 차이를 보이게 된다.

字體는 瓦當面에 새겨지는 방식, 기물의 크기, 와당의 독법에 따른 공간상의 변화 등에 따라 차이를 보이고 있다. 또 필획의 長短에 따라 字體의 簡省, 增筆, 借筆(필획을 빌리는 현상으로 한 기물의 공간 안에서 서로의 필획끼리 빌려 쓰는 현상)이 나타나며, 때로는 글자 수에 따라 구획 안에는 문자 외에도 문양이 함께 배치되기도 한다. 또한 漢代는 隸書나 篆書가 함께 사용되는데, 隸書가 중심 서체로 정착하게 된다. 와당 문자는 隸書 뿐 만 아니라 小篆과 楷書, 鳥蟲書 등 다양한 字體가 나타난다.

이렇게 문자 와당에서 여러 형태의 字體가 출현하는 것은 진흙을 소재로 한 와당의 사용 범위와 명문 내용 등이 연관되어 있다. 중국 고대 와당은 궁궐, 관청, 능묘 등에 사용된 지붕 건축의 부속 재료로 왕실이나 궁궐과 밀접하게 관련되어 있다. 또한 이것은 당시 와당을 사용한 사용자의 신분과도 관련되어 있는 것으로 당대의 정치적, 문화적 배경의 산물이라 할 수 있다. 따라서 다양한 字體의 출현은 와당 사용자의 신분이나 명문 내용과 연관성이 있다. 와당 문자는 다양한 字體에서 또 다른 학문의 영역으로 자리 잡고 있으며, '와당 문자'는 하나의 독립된 텍스트로 보아야 할 것이다.

중국 고문자에서는 당시 사용된 기물의 재료나 신분에 따라 字體가 영향을 받게 된다. 예를 들면 은상시대 신과의 대화 기록인 甲骨文, 왕족 문자인 金文과 石刻, 정치적 문자인 簡帛文字, 璽印文字 등이 그러하다. 그렇다면 와당 문자는 漢代 왕실 귀족의 長生不老와 富貴萬歲에 대한 기원과 축복을 담은 궁궐 문자라 할 수 있다.

셋째, 切當을 이용한 편년기준

漢代瓦當에서 편년을 결정하는 중요한 근거 중 하나는 切當法의 사용 여부이다. 한대 와당의 5가지 편년 기준법 가운데 하나가 절당법인데, 와당 뒷면의 잘라진 흔적을 통하여 절당 여부를 확인할 수 있다. 이 방법은 한무제 시기를 기준으로 사용된다. 따라서 앞서 필자가 한대 와당을 초중후기로 나눈 것은 절당법을 사용하여 와당을 어떻게 잘랐는지 여부에 따른 것이다.

절당법은 秦代와 漢代 초기에 주로 사용된 방법이었는데, 한무제 太初元年의 建章宮에 사용된 와당에서 절당법이 사용되었음을 확인할 수 있다. 이러한 것으로 보아 와당을 제작하는데 있어 절당법이 중요했음을 알 수 있다. 예를 들면 한대 와당에서 명문 '漢並天下', '長生未央', '長樂未央', '右空'등의 글자가 절당되어 문자와당이 제작되었다. 그런데 서한후기의 '道德順序' 와당은 절당법을 사용하지 않았다. 이러한 현상은 문양 와당에서도 마찬가지로 확인되고 있다.

南京 張府園 出土 切當瓦當

切當 瓦當

未切當 瓦當

중국은 60년대 이후 陝西省을 중심으로 대대적인 발굴 조사가 시작되었다. 그 이후 많은 양의 와당이 출토되었지만 출토된 수량에 비하여 와당 관련 도록은 매우 적은 편이라 할 수 있다. 90년대 이후 발간된 도록에서 와당의 수량을 가장 많이 수록하고 있는 것은 푸쟈이[傅嘉儀]의 『秦漢瓦當』으로 한대 와당 가운데 문자 와당 800여점과 문양 와당 250여점으로 총 1,000여점 이상의 한대 와당을 수록하고 있다. 그 후 일부의 도록이 출간되기는 하였으나 대부분 중복되는 내용으로 새로 발굴된 와당은 발굴보고서를 중심으로 확인할 수 있다. 그런데 이러한 도록은 중국뿐만 아니라 와당을 연구하는 연구자들에게도 아직까지는 구체적인 정보를 제공하는데 한계를 보여주고 있다.

이번 장은 푸쟈이의 『秦漢瓦當』의 탁본을 중심으로 중국에서 발간된 각종 발굴보고서, 최근 수 년간 중국 지역 조사를 통하여 필자가 확보한 자료 등을 중심으로 최대한 많은 연구 자료를 연구자들에게 제공하기 위한 목적으로 구성하였으며, 사진 확보가 어려운 자료는 탁본으로 대신하였다.

漢代瓦當은 종류별로 文字瓦當(紋樣兼文字瓦當 포함), 紋樣瓦當, 圖像瓦當으로 나눌 수 있다. 그리고 漢代瓦當의 편년은 초기, 중기, 후기로 나누어진다. 서한 초기에서 文帝와 景帝(기원전 206-141년)[1] 때는 漢代初期 瓦當으로 분류된다.[2] 그리고 武帝, 昭帝, 宣帝에서 王莽時期

1) 杜建民, 『中國歷代帝王世系年表』를 기준으로 하였다.
2) 陳直선생은 武帝, 昭帝, 宣帝時期 瓦當을 西漢中期로 보았다.

까지(기원전140-24년)는 漢代 中·後期 瓦當으로 분류된다.[3] 그리고 東漢(25-220년)은 漢代 後期 瓦當으로 구분한다. 이러한 시기별 분류에서 적용된 '와당의 편년 방법'은 와당의 제작 방법, 와당의 토질, 와당면의 구조, 문자의 내용, 문자체 등을 통하여 확인할 수 있다.[4]

명문 내용은 크게 길상류 70%, 관직과 관청류 10%, 宮苑과 舍宅류 10%, 기사류 5% 정도이다.[5] 그 외 기타로 나누어지는 명문 와당은 5%에 불과하다. 본문에서 필자가 분류한 명문 와당 외에도 성씨나 방위, 금기사항 등의 명문도 등장하는데, 와당에 성씨가 나타나는 것은 동한 시기이며 대지주 관료의 신분적 상승과 연관된 와당으로 漢代 성씨 연구에 있어서 매우 중요한 자료가 된다. 예를 들면 '李', '金', '陸'의 1자 와당이 있는가 하면, '嚴氏富貴', '梁氏殿當', '張氏冢當', '殷氏冢當'

---

3) 기존의 漢代 와당 연구자들은 東漢 時期의 와당은 漢代 와당의 衰落期로 보았는데, 陳直, 陳根遠, 朱思紅, 伊藤滋 등이 그러하다. 그 원인은 서한과 동한의 두 시대를 비교하며 보면 동한와당이 서한와당보다 상대적으로 적은 수량이 출토되었기 때문이다. 단지 출토된 와당의 수를 비교하였을 뿐 실질적인 근거를 제시하지는 못하였다. 중국의 와당은 진대 이후 건축물에서 대량으로 사용되었기 때문에 특정한 시기를 쇠퇴기가 되었다고 보기는 어렵다. 왜냐하면 와당의 출현 이후 와당의 사용은 당송 시기를 거치면서 보편화 되었기 때문에 와당이 특정한 기물의 시대적 유행이라고 보기는 어렵다. 단지 현재 출토된 바에 의하면 동한 와당의 수가 서한 와당의 수보다는 적은 양이라고만 할 수 있다(陳直, 「秦漢瓦當概述」, 『文物』 1963年 11期 / 陳根遠·朱思紅, 1998, 『屋檐上的藝術』, 四川教育出版社, 89項 / 伊藤滋, 1999, 『秦漢瓦當文』, 陝西旅遊出版社, 232項).

4) 漢代 와당의 시대 편년과 기준법 등은 아래의 논문 참고.
허선영, 2007,『중국 한대 와당의 명문연구』, 민속원, 84-115쪽 참조.

5) 이 통계치수는 2,000년부터 필자가 수집한 문자 와당 1,000여점을 근거로 분류, 정리한 것이다. 계속해서 출토되고 있는 문자와당의 총체적인 통계는 아님을 밝혀둔다.

등 특정한 성의 富貴나 舍宅임을 나타내는 문자가 새겨진 와당도 있다. 이러한 성씨 와당은 주로 동한 이후의 일이다. 또한 방위를 나타내는 '東'의 1자 와당이 있는데, 방향을 뜻하는 건지 아니면 東宮으로 '東'과 '宮'을 1자 와당으로 편성하여 병렬식으로 지붕에 올렸는지는 좀 더 구체적인 연구가 필요한 부분이기도 하다.

그리고 西周時期부터 유행된 와당은 戰國時期를 지나면서 다양한 문양이 나타난다. 그런데 문자 와당은 漢代初期까지 주를 이루는데, 처음에는 간접적 전달 방식에서 점차 직접적 전달방식으로 변화된다. 또한 漢代瓦當은 문자 와당의 등장 외에도 와당 제작 방법에 있어서도 중요한 위치에 놓여 있다. 漢代 문자 와당은 내용에 따라 吉祥, 宮苑, 宅舍, 官職, 紀事, 方位, 禁止, 標紙, 姓氏 등으로 분류된다. 이중에서 한대 문자와당은 그동안 吉祥, 宮苑, 宅舍, 官職, 紀事 등을 중심으로 연구되어 왔다. 이러한 문자는 漢代時期에 유행하던 황로사상과 유교사상에 바탕한 명문으로 당대의 특성을 잘 반영하고 있다. 문자 와당의 전성기였던 漢代 문자 와당은 대다수가 길상문으로 이루어졌다. 그래서 길상문은 여러 분야에 걸쳐서 연구 자료를 제공하기 때문에 학술적 의의가 높다. 문자 와당은 漢人들의 다양한 소망과 기원이 반영되었으며, 문구의 내용은 정치, 사상, 문화, 풍습 등이 반영된 것이다.

문자 와당의 명문을 통해서 우리는 한대 사회의 역사와 문화를 엿볼 수 있는데, 그 가운데 가장 많은 양을 차지하는 것이 祈福 관련 내용으로 祈福은 漢代 사람들이 삶속에서 무수히 갈망하였던 것이었다. 이것이 '吉'인데, 生老病死와 滅亡을 두려워하였던 만큼 '吉'에 대한 관념은 추상적으로 변하게 되었을 것이다. 예를 들면 '有萬憙'와당을 들 수 있는데, '有萬憙'와당은 오복을 기원하였던 길상와당이었다. '오복'을 만배나 꿈꾸어 왔던 것은 삶의 희열과 기쁨을 누리고하는 것이었다. '大富', '富貴', '始造貴富', '長樂富貴', '貴富毋央', '元大富貴', '大吉富貴', '延年益壽', '長生', '長樂', '未央', '與天', '與華', '無極' 등 모두 '五福'을 일컫는 말들이다. '有萬憙'와당은 길상의 내용을 내포하고 있으며, '吉'이나 '福'은 결국 '喜'를 얻기 위함이었다. 길상명문 와당에 사용된 문양들은 길상의 길조나 수목, 거북 등이 함께 배치되어 있다. 다른 궁궐명이나 관직명 등의 용어에서 이러한 문양은 드물게 보인다. 그리고 漢代의 문자 와당 중에는 '泱茫無垠'와당이 있는데, 끝없이 펼쳐지는 망망대해와 같은 끝없는 인간의 기원이나 축복의 의미로 해석되고 있다. 또한 '盜瓦者死'와당 같은 문자 와당도 있는데, 이는 와당을 훔쳐가는 사람은 죽는다는 경고 와당은 당시 와당의 사용이 대중적이지 않았음을 알 수 있게 해 준다. 정말 기와를 훔쳐가는 사람은 죽는다는 의미에서 사용되었을까?

漢代 시기 와당은 그동안 문양에만 치우쳐 있던 와당면의 공간 안에 문자가 출현하는 획기적인 변화를 가져왔던 시기이다. 문양이 간접적 사고의 표현방법이었다면, 문자는 직접적 사고 의식의 표현으로 좀 더 많은 부분을 대담하게 문자로 표현하게 된다.

漢代 초기의 사상은 '無爲'를 주장하는 노자사상과 하늘의 이치에 순응하고 황제를 숭상하는 '황로사상'이 주를 이루고 있다. 그리고 백성은 군주를 섬기고, 군주는 하늘의 명으로 나라를 다스려야한다고 여겨

왔다. 그렇게 되면 온 천하가 태평하게 된다는 것이다. 한무제 이후에는 중앙집권 체제의 필요로 董仲舒가 주장한 '罷黜百家, 獨尊儒術'을 받아들이면서 '天人感應'의 핵심인 神學 哲學 思想을 펼친다. 그는 '天不變, 道亦不變'이라고 제창하면서 하늘(天)과 사람(人)이 하나가 되는 相感關係를 이루는 정치를 주장 한다. 인간세상의 모든 이치는 하늘에 달려 있고, 하늘은 인간을 배반하지 않기에 인간은 하늘의 원리에 순응해야 한다는 것이다. 이러한 원칙 속에 하늘의 힘으로 인애를 제창했는데, 이것이 하늘의 뜻이라고 여겨왔다. 漢代의 문자와당 가운데 이와 같은 의미를 담고 있는 것이 '與天無極'와당이다.

漢代 문자 와당을 통하여 당시 부강하고 안락한 태평성대에 대한 소망을 추구했던 염원을 알 수 있다. 漢代 중기로 오면서 한무제 시기의 황로사상은 점점 쇠퇴한다. 왕실에서 사용한 건축의 와당 명문은 대부분 漢代 초기의 황로사상을 바탕으로 하고 있는데, 그 이유는 다음의 두 가지로 요약된다.

첫째, 한무제 이후 사상에는 많은 변화가 왔지만, 漢代 초기에 뿌리내린 사상이 쉽게 변하지는 않았다는 것이다. 文景時代의 '황로사상'이든 한무제의 '天人感應'이든 실질적으로는 '명가', '법가', '음양가'등을 모두 담고 있는 종합 사상이라 할 수 있다. 따라서 궁궐에서 사용한 소모품에서 초자연적 사상의 문구가 표현되었다는 것은 통치자의 사상과 현실 생활은 서로 다른 관계였다는 것을 말해준다. 이런 대등함을 표현할 수 있었던 것, 그것의 대상이 와당이라는 장식품이었기에 가능했던 것이다.

둘째, 옛 부터 사람들은 부귀와 장수에 대한 염원이 있었다. 길상을 기원하는 현실세계에 대한 인간의 욕망, 이러한 욕망이 문양와당으로 표현될 경우 지나치게 간접적이고 추상적이기 때문에 구체적인 문자로서 분명하게 욕망을 나타내고자 했을 것이다.

이와 같은 이유로 한대에는 문자와당이 대량으로 제작되어 활용되었던 것이다. 또한 정치적으로 사회가 안정되고, 많은 사상이 복합적으로 융화되는 과정에서 문자의 다양성에도 중요한 역할을 하였을 것이다. 東漢時期에는 서한시기에 등장한 명문의 길상적 의미보다는 대지주의 성씨가 등장하는 등 문자 와당의 당초 사상적 반응에 따른 의식세계의 반영이 점차 쇠퇴되어 간다. 東漢에 자주 나타나는 명문에는 주로 王의 年號, 姓氏 등이 등장하며, 길상명문은 극히 드물게 나타나고 있다. 그러므로 漢代의 와당 명문은 중국 와당사에 있어서 학술적으로 중요하며, 그중에서도 길상문구가 핵심이 되는데, 한무제 시기가 그 기준이 되고 있다.

문자를 이용하여 와당을 장식하였던 것은 인간의 의식과 예술 형식의 직접적 표현 방식이었다. 漢代시기에 등장하는 와당의 文句는 풍부한 표현 기법과 그 내용의 다양성을 들 수 있다. 그리고 와당문자는 길상명문 외에도 건축물의 용도와 사용자의 신분에 따라 다소 차이가 있었다. 현재까지 출토된 와당의 내용을 보면 서로 다른 문구의 내용들이 대략 300여종이 넘는다. 그 가운데 길상와당은 문자와당의 절반 이상을 차지한다. 宮苑와 官署, 陵墓와 祀堂에 활용되었던 와당들은 제목에서 알 수 있듯이 서로 다른 특정한 건축물에서 사용되었다. 그러나 길상와당은 祈福致祥을 나타나는 뜻으로 어떤 특정한 건축물이나 신분을 나타내는 것이 아닌 궁궐이나 궁궐과 관련된 건축물에서도 모두 사용되었던 문구였다.

이러한 사실을 고려하여 와당면에 문자만 배치되어 있는 것과 문자와 문양와당이 함께 배치(文字兼紋樣)된 것으로 나누어 살펴볼 필요가 있다. 문자겸 문양와당은 문자가 主가 되고 문양이 副가 되기 때문에 문자와당의 범위에 포함시킬 수 있다.

문자 와당은 내용뿐 아니라 글자 수가 1字瓦當에서 12字瓦當에 이르기까지 글자 수의 편폭도 매우 다양하다. 또한 문자와당의 와당면에는 단순하게 문자만을 배치하는 것과 문자와 문양을 함께 배치하는 두 종류로 분류할 수 있다. 이중에서 특히 문자와 문양을 동시에 배치한 것은 당대의 문화사 연구에 중요한 학술적 자료를 제공해준다. 한대 문자 와당은『秦漢瓦當』에 수록된 자료들에 의하면 800여점이 확인되고 있다.[6] 이 가운데 문자와 문양이 함께 배치된 紋樣兼文字瓦當 와당은 대략 200여점으로 문자와당의 전체 수량과 비교하면 적은 수량이하 할 수 있다. 이러한 점은 문양와당이 주를 이루었던 시기 이후에 漢代 문자와당의 중요성을 시사하고 있다.

6) 漢代瓦當과 관련된 도록과 발굴보고서에 의하면 한대 문자와당은 1,000여점 이상으로 통계된다. 필자는 이 책에서 출토지의 정확성과 통계의 편의상『秦漢瓦當』에 수록된 문자 와당을 중심으로 서술하였다.

1) 1字 瓦當

1자 와당은 와당면에 宮, 便, 關, 大, 馬, 冢, 車, 空 字 등 다양한 글자가 새겨져 있다. 또한 글자와 함께 길상문양이나 기하학적 문양이 함께 어우러져 신비한 분위기를 연출하거나 글자에 대한 상징성을 높여 주기도 한다. 푸쟈이의『秦漢瓦當』에는 '宮'자 와당을 비롯하여 '便', '關', '大', '馬', '冢', '車', '空'자 와당 등 72점의 1자 와당 가운데 34여점에 길상문양이 배치되어 있다. 명문은 궁이나 관서에서 사용된 것 또는 성씨만을 표기한 것 등으로 분류할 수 있다.

한편 '衛'자 와당을 통하여 알 수 있듯 서한시기 각 宮에는 '衛尉'가 설치되었는데 방호와 수위를 맡은 곳이다. 예를 들면 '長樂衛尉', '未央衛尉', '建章衛尉', '甘泉衛尉' 등이다. '衛'와 '衛屯'와당은 衛尉의 관서에서 사용된 와당이다. 衛尉의 관직은 戰國시기부터 있었으며 궁중의 衛屯兵을 관장하고 있다.

『漢書 · 百官公卿表』에 따르면:
'衛尉은 秦의 官職으로 宮門의 衛屯兵을 장관한다. 景帝초에 中大夫令으로 개명하였다. 元年후에 衛尉로 다시 복귀시켰다.'師古에 이르기를: '『漢官儀』에서 말하기를 宮闕의 門內를 주관하는 衛士와 [7]그 담벼락 아래 區廬가 있다.'

---

7) 『漢書·百官公卿表』卷十九上, 782쪽. '衛尉, 秦官, 掌宮門衛屯兵, 有丞。景帝初更

이처럼 '衛'자에서 나타나는 문자의 함의는 守衛徼巡이다. 이 와당은 西漢 衛尉寺 혹은 성 담벼락[城垣], 宮門의 衛屯 區廬에 사용된 와당이다.

【中國 杜陵秦塼漢瓦博物館 전시】

'馬' '大'

'鄜' '焦'

名中大夫令, 後元年復為衛尉. 師古曰 :『漢官儀』云, 主宮闕之門內衛士, 於周垣下為區廬. 區廬者, 若今之仗宿屋矣.'

'雒'

'宮'

'關'

'關'

'宮'

'宮'

'宮'

'宮'

'宮'

'宮'

'宮'

'宮'

'金' '大'

'東' '家'

'冢' '墓'

'非'
'家'
'舍'
'上'
'便'
'王'

'王'　'王'

'踊'　'衛'

'衛'　'衛'

'衛'

'衛'

'衛'

'衛'

'李'

【中國 陝西省博物館 전시】

'李'

【中國 洛陽博物館 전시】

'關'

2) 2字 瓦當

2자 와당의 수량은 4자와당 다음으로 많이 출토되었는데 명문은 대부분 길상내용이다. 字體는 篆書의 장방형으로 左右로 배열되어 있으며 와당면을 풍만하게 채우고 있다. '千秋', '萬歲', '與天', '無極' 등으로 2자 와당은 본래 연속배열 형식으로 만들어져 네 자의 연독인 '千秋萬歲' 혹은 '與天無極'처럼 사용되었을 것이다. '萬歲'는 만년이라는 의미로 일찍이『장자 · 제물론』에 '萬歲'에 관한 기록이 나오는데[8] 두 자의 '萬歲'와당은 원형으로 當心과 구획선이 없는 것도 등장한다. 2자 와당은 대부분 한대 중후기에 등장하는 와당으로 문자의 배열은 좌우배열과 우좌 배열방식이 있으며, 글자체는 篆書와 隸書가 대부분이다. 어떤 것은 예서와 전서 필획을 함께 담고 있는 '隷變'[9]도 등장하며 어떤 와당은 길조가 함께 배치된 것과 乳釘紋이 배치된 것도 있다. 두 자를 세 등분하여 배열하기도 하였는데 '秋'자의 '火'자는 정 중앙에 위치하는데 문자의 구조로 대칭 형식을 으로 표현하였으며, 字體는 舒展하며 전반적으로 구도의 조화가 엿보인다.

'無極'의 2자 와당도 등장하는데 무극이란 '끝이 없다'는 의미로『左傳』에 이르기를 : "女人의 덕은 無極하며, 婦女의 원망은 無終이다."[10]

---

8) 『莊子· 齊物論』: "參萬歲而一成純, 萬物盡然."郭象(晉)·陸德明釋文(唐),『莊子集解』, 臺灣: 中華書局,1969, .57-58쪽.

9) '隷變'은 서체가 아닌 소전체에서 예서로 변화하는 과정에서 나타나는 글자의 변화된 필획을 말한다.

10) 『左傳·僖公二十四年 』:"女德無極, 婦怨無終."孔穎達等(唐),『十三經注疏』, 臺北:

千秋『秦漢』865

라고 전해진다. 좌전의 내용을 보면 극과 극을 이루는 내용으로 그 의미는 결국 '끝이 없다'는 의미이다. 그러나 '無極'은 '終'보다는 더 깊은 의미를 담고 있다. '無極'은 끝이 보이지 않는 종착지를 말한다면 '終'은 반드시 종착지가 있는 지점이다. 漢代의 문자와당에는 '무극'이라는 용어가 자주 나오는데, 長生이나 長樂과 함께 사용되어 끝임없이 길상을 바라는 인간의 순수한 소망을 나타내고 있다. 終보다도 더 강한 無極을 기원하였던 것이다. 또 노자의 사상에도 우주 만물의 本源은 형태도 모양도 없고[無形無象], 소리도 색도 없고[無聲無色], 시작도 끝도 없고[無始無終], 어떠한 이름도 없는 즉, 無可知名이라 하였다. 이러한 것이 바로 無極이라는 것이다. 이러한 예는 宋代에 와서도 마찬가지 설

藝文印書館, 1993, 257쪽.

명하고 있다. 송대 理學者 쩌우둔이[周敦頤]의『태극도설』에 다음과 같은 내용으로 무극을 설명한다.[11]

> "무극은 태극이라하며, 태극이 움직여서 陽을 생성하고, 움직여서 靜을 만들며, 靜이 움직여서 陰을 낳게 한다. …… 음양은 즉 太極이고, 태극은 즉 無極이다."

위의 글에서 알 수 있듯 '무극'이란 도가 사상의 짙은 색채가 담겨져 있다.

2자 문자와당에는 '延年'이나 '壽'의 용어가 자주 보이는데, 이 와당은 장수를 기원하였던 문구이다. '延年'와당의 종류는 4자 와당의 '延年益壽'의 수량이 가장 많고 '延壽長久', '延壽萬歲', '億年無疆', '永奉無疆' 등의 형태가 등장한다. '延年益壽'와당은 西漢 중기 혹은 조금 늦은 시기에 광범위하게 사용되었던 와당이다. '延年益壽'와당의 출토 수량은 다른 와당과 비교 하였을 때 그다지 많지 않다. 영원히 불변하기를 희망하는 長生, 長樂, 無極, 延年, 無疆 등의 2자 와당가운데 延年과 無疆의 사용은 長生과 長樂에 비하여 상대적으로 적다.

아래의 탁본3에 나타난 문양 중 '큰기러기[鴻]'라 하는 길조와 문자가 함께 사용되었다. '연년'와당으로는 半瓦當과 圓瓦當의 두 종류 와당이

---

11) 『太極圖說』: "無極而太極, 太極動而生陽太, 動極而靜动, 靜而生陰精…… 陰陽一太極, 太極本無極也太."

있는데, 모두 자방은 없지만 구획으로 나누어져 있다. 현재 출토된 '연년'와당은 주로 半瓦當이 圓瓦當보다 많고 직경 17센티미터로 구획선도 쌍선을 이루고 있다. 탁본6의 문자와당의 '延'자는 簡化와 생략된 필획[省筆]으로 되어 있다. 전서로 되어 있는 '年'자는 와당의 원형이라는 구조에 따라 문자의 흐름이 배치하여 아름다움을 강조하였다.

『三輔黃圖 · 漢宮』에는 : "未央宮有延年殿"[12]라고 하는데 未央宮안의 '延年殿'이 있고 '연년'은 해[年]를 이어간다는 것으로, 하나는 장생불로의 수명의 연장이고, 다른 하나는 漢代 劉氏 가문의 번창과 자손번창으로 해석이 될 수 있다. '延年益壽'와당의 등장은 생명을 연장하고 싶은 욕망에서 年年 장생을 기원하였던 문구로 '연년'와당에는 漢代 사람이 길조라고 믿어온 기러기가 등장하는 것도 이와 같은 의미이다. 漢代 명문와당 중 '鴻飛延年'와당이 있는데, '鴻飛'은 '높고 멀리난다'는 의미로 즉, 영원히 사라지지 않는다는 점을 암시하고 있다. 또 기러기의 모양은 하늘을 날아가는 듯 생동감이 있다. '연년'와당에서 상징하고자 하는 것은 큰기러기[鴻]의 형태와 장생은 길상의 한 부분이었고 소망이었다. 특히 한무제를 지나면서 西漢 후기에 이러한 문구가 나오는 것은 단순히 장생 뿐 아니라 경제적, 정치적 안정되던 시기라 할 수 있으며 반면 東漢에 이르러서는 '연년'이라는 말은 드물게 사용이 되었다.

---

12) 畢沅(淸),『三輔黃圖』,臺北, 成文出版社, 1970, 36쪽.

탁본1. 延年

탁본2. 延年

탁본3. 延年

탁본4. 延年

탁본5. 延年

탁본6. 延年

탁본7. 延年益壽

탁본8. 延年益壽

탁본9. 延年益壽

탁본3·4·5의 문양을 살펴보면 큰기러기[鴻]의 문양이 나타나는데 이것은 漢代 사람이 가장 애호하던 길조로 '연년'와당의 문양에는 이런 기러기 문양이 자주 보이며 글자의 의미를 강조하였다. 글자체는 대부분이 篆書이고 隷書로 변화하는 과정의 글자형태도 간간이 나타난다. 탁본5의 와당은 기러기 날개가 비교적 선명하다.

탁본8 와당의 글자체는 新莽篆書의 특징으로 秦篆[秦代의 소전체]의 圓轉과 漢代의 篆書體인 方折의 특징을 하고 있다. 신망시기의 量書와 흡사하다. 탁본9의 와당의 서체 중 '延', '年', '益'은 예서의 필획이며, '壽'는 篆書의 필획으로, 하나의 와당면 안에 두 종류의 서체가 있는 것은 漢代 문자와당에서 발견된다.

'上林'은 왕실 苑囿로써 그 규모가 굉장히 큰데 秦代의 上林苑이었던 이곳은 西漢 초에 백성들에게 개방하여 농경을 허가 하였던 곳이다. 한무제 建元三年(기원전 138년)에 다시 歸苑으로 귀속시킨다. 게다가 그 규모도 더 넓게 확장시키는데 東南에서 宜春까지(지금의 陝西 西安市의 南郊부근), 鼎湖, 昆吾(지금의 陝西 藍田 西南쪽), 남쪽으로는 御宿까지, 西南에서 長楊, 五柞(지금의 陝西 西周에서東南), 북쪽으로는 渭河까지 모두 오늘날의 興平市의 黃山宮까지 12개[道]의 苑門을 확장한다. 上林苑에는 奇花異樹를 재배하였으며 珍禽異獸등의 여러 종류의 동물들을 양육하였는데, 天子와 達官顯貴들의 觀賞과 오락, 수렵을 행하는 장소였다.[13] 그 가운데 궁궐, 호수, 늪 또 그 밖에 밭도 있

13) 『中國都城辭典』, 712-713쪽.

었다. '上林農官'은 上林苑에서의 農業을 담당하였다.

『漢書 · 食貨志』에 의하면:

"水衡, 少府, 太僕, 大農 각각 農官을 설치하였다."[14]

『漢書 · 百官公卿表』에는 :

"水衡都尉는 武帝 元鼎 二年에 설치되었는데, 上林苑을 관리하며 五丞으로 되어 있다. 上林, 均輸, 御羞, 禁圃…. 또 衡官, 水司空, 都水, 農倉, 甘泉上林, 都水七官 長丞이 이에 속한다."[15]

'水衡都尉'관직은 漢元鼎二年(기원전115년)에 설립되었으며, 전문적으로 上林苑을 관리하는 관원이다. '少府'와 '大司農'은 모두 秦代에 설립되었던 관직으로 周官의 '太府'가 그 기원이 되고 있다. 山海池澤의 稅를 담당하고 있으며 皇室財政을 전문적으로 관리하며, 上林苑 內外의 山林礦物과 湖河陂池의 세를 관리하고 또 上林苑의 巡邏警衛를 책임진다. '少府'는 居延漢簡 중에서도 모두 '小府'라고 적혀있다. 옛 의미를 겸하여 사용하였던 것을 알 수 있으며, 『漢書』에도 '少府'라고 전해

14) 『漢書 · 食貨志』 "水衡, 少府, 太僕, 大農各置農官"

15) "水衡都尉, 武帝元鼎二年出置, 掌上林苑, 有五丞. 屬官有上林, 均輸, 御羞, 禁圃……. 又衡官, 水司空, 都水, 農倉, 又甘泉上林, 都水七官長丞皆屬焉."

진다.[16]『漢書 · 王嘉傳』에 의하면:

"西漢元帝에 水衡財政의 수입은 매년 25억을 넘어섰다. 東漢 光武帝에 水衡都尉를 없애고 그 업무를 少府에 귀납시켰다."[17]

'少府'의 관직은 왕실 재무 경제와 전국의 山海池澤에서 세를 걷어드리는 일을 담당하였던 황제의 總管機構였다. 많은 官署가 가운데 '少府'는 漢代 九卿 중 하나이다. '少府'는 九卿 가운데서 가장 첫 번째에 해당된다.[18]

'上林農官'은 上林苑의 농업을 관리하였으며 公田과 耕種의 세를 관리하였다. '上林農官'와당은 水衡都尉에 속하는上林令의 農官이다.

'右將'와당은『漢書 • 百官公卿表』에 의하면:

"郎中令은 秦의 관직으로, 宮殿의 掖門戶를 담당하는 일을 맡았다. …中郎에는 五官, 左, 右三將등이 있다."[19]

---

16) 安作璋,熊鐵基『秦漢官制史稿』, 179쪽.

17) "西漢元帝時, 水衡財政收入每年高達二十五億. 東漢光武帝時撤銷水衡都尉, 並其職於少府."

18) 劉慶柱 · 李毓芳,『漢長安城』, 80쪽.『漢書 · 百官公卿表』卷十九上 731쪽. "少府, 秦官, 掌山海池澤之稅, 以給共養, 有六丞. 屬官有尙書 · 符節 · 太醫 · 太官 · 湯官 …… 左右司空 ……."

19) "郎中令, 秦官, 掌宮殿掖門戶, 有丞. …… 中郎有五官, 左, 右三將."

『通典 · 職官』에 이르기를 :

"五官, 左, 右中郎將은 모두 秦의 관직이며, 漢代에도 있었으며 三屬郎을 따랐다. 三屬郎은 50세 이상은 五官에 속하였다. 그 다음은 좌우로 나누었는데, 左右郎將은 각 영의 左右에 속하는 郞이다."[20]

漢代 와당의 '右將'은 '右中郎將'의 약칭인 것이다.

궁명을 쉽게 알 수 있게 해주는 와당은 '成山'과 '黃山'이다. '성산'와당은 당심을 중심으로 쌍선의 구획선이 배치되어 있다. 매 구획에 卷雲紋과 乳釘紋이 함께 배치되어 있으며 정중앙에는 두 자의 '成山'의 명문이 있다. '山'자는 장식성 문자로 되어있다. 편년은 초중기(혹은 漢武帝시기)로 成山宮은 西漢의 離宮으로 그 지리적 위치는 右扶風 陳倉縣에 위치하고 있으며, 지금의 眉縣城의 西南이다. 成山宮에 관한 史籍기록은 소실되었지만 西漢의 離宮으로 혹자는 成山宮이 秦漢시기 황제 祭日에 사용된 건축 와당으로 해석하고 있다.[21] '黃山'은 와당의 정 중앙에 하나의 鈕가 배치되어 있으며 상하 直書의 篆書로 되어 있다. 와당의 주연부는 활모양[弦紋]으로 배치되어있다. 이 와당의 '黃'자

---

20) 『通典·職官二』 卷第二九十 708쪽. "五官, 左, 右中郎將, 皆秦官, 漢因之, 並領三屬郎從. 三屬郎年五十以上屬五官. 其次分屬左右屬,左右郎將各領左右屬郎."

21) 趙叢蒼『古代瓦當』114쪽. 趙叢蒼「成山考」, 『陳直先生紀念文集』172쪽.

하단부에는 두 개의 작은 점이 처리되어 있으며, '山'자의 필세는 위에서 아래로 향하고 있다. 한대 중기 와당으로 興平市의 渭河의 북쪽에 위치한 陜西 黃山宮 유적에서 출토가 되었다. 직경 16㎝로 紅柳精舍藏에 소장되어 있으며, 명문 '黃山'은 몇 점 안 되는 合文으로 되어있다. '黃山'은 漢代의 궁명으로 한무제는 黃山宮을 건조하였다. 黃山宮의 지리적 위치는 지금의 陜西省에 위치한 興平市 부근이다.[22] 이곳에서 "黃山"와당 여러 점이 출토도었고 黃山宮에 사용된 와당임이 분명하게 되었다. 『漢書 · 地理志』에 따르면 : "黃山宮은 孝惠二年에 건조되었다."[23] 또 『漢書 · 元后傳』의 師古에 의하면 : "黃山宮은 槐里에 있다."[24] 揚雄의 『羽獵賦』의 序文 중 : '북으로 黃山을 감싸며, 동으로는 渭水에 이르며, 周袤 수 백리'[25]라 하였다. '黃山'와당은 분명 黃山宮에 사용된 와당으로 청동기 '黃山宮鼎'의 출토로 黃山宮의 위치와 궁명의 존재 여부가 더 명확해졌다.[26]

『秦漢』773 '壽成'와당, 『秦漢』779 '成山'와당, 『秦漢』784 '年宮'와당, 『秦漢』833 '津門'와당, 『秦漢』848 '延年'와당 『秦漢』857 '大吉'와당, 『秦漢』869 '萬歲'와당, 『秦漢』882 '大超'와당 등 125점 가운데 29점에 길상문양이 배치되어 있다.

---

22) 『秦漢文化史大辭典』, 697쪽.
23) "有黃山宮, 孝惠二年起."
24) "黃山宮在槐里."
25) "北繞黃山, 濱渭而東, 周袤數百里."
26) 劉體智, 『小校經閣金文拓片』卷十三, 40쪽.

【中國杜陵秦塼漢瓦博物館 소장】

上林

大世

黃山

黃山

陳氏

中侯

千万

貌宮

延壽

千歲

延壽

郁夷

萬秋

梁宮

齊園

華苑

上林

甘林

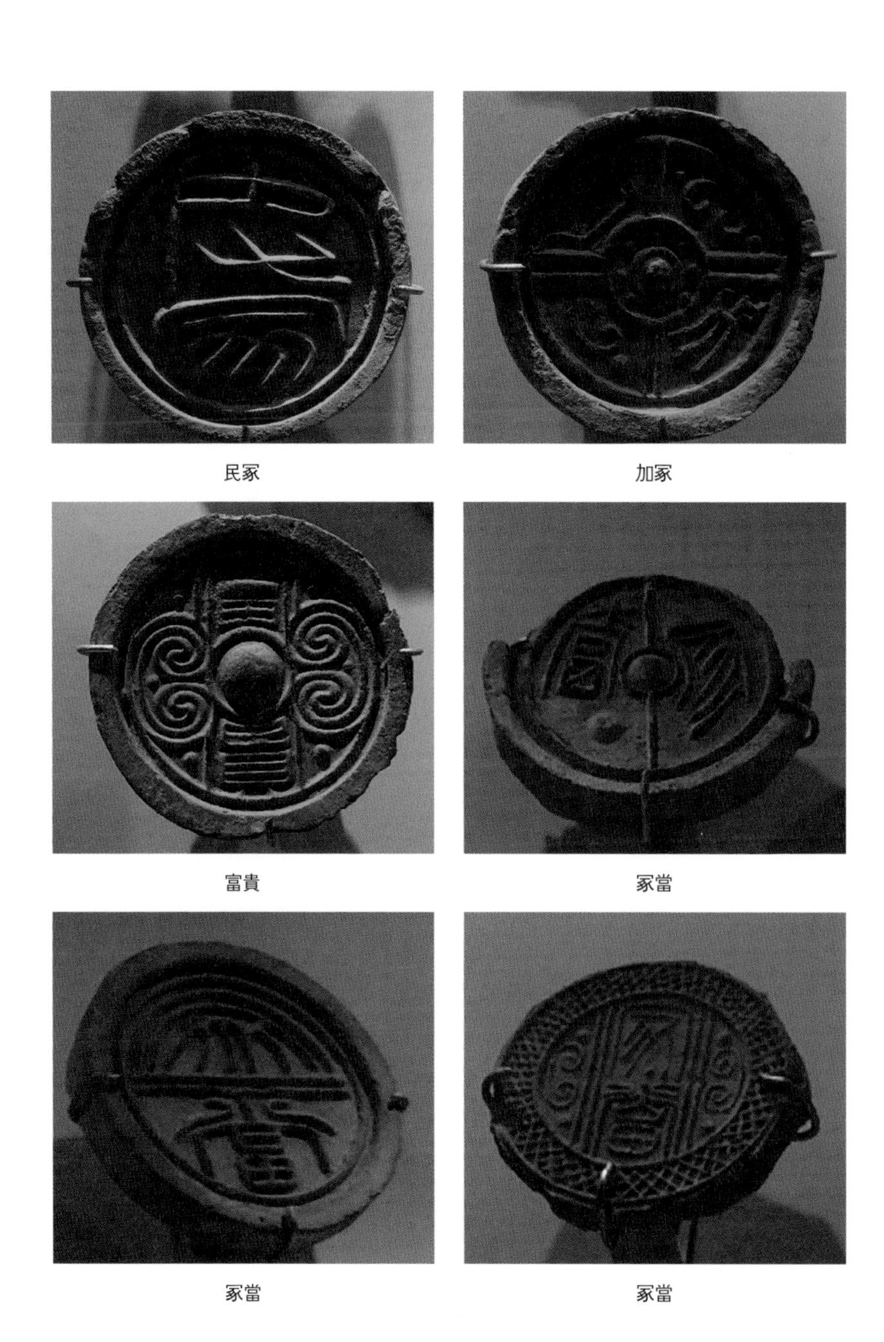

民家 加家

富貴 家當

家當 家當

陽翟　　酒張

㲃栩　　上林

禁圃　　年宮

屯美

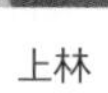

上林

萬歲

萬歲

成山

左代

右空

萬歲 后寢

無極 長樂

華倉 成山

壽貴

安世

無極

炎黃

華市

長樂

【中國 陝西省博物館 소장】

年宮

萬歲

延年

【中國 山西博物館 소장】

'上林'

3) 3字 瓦當

3자 와당은 주연부가 넓은 것이 특징이며 세로의 3자 혹은 가로의 3자로 당심에 글자를 배치한 특이한 구조를 하고 있다. 부채모양의 구획으로 글자가 배치되지 않는 곳은 운문이나 망문으로 처리하고 있다.

'萬有憙'[27] 혹은 '有萬憙'[28]는 서한 후기[29]의 와당으로 字體는 篆書로 글자의 선이 매우 강조되고 있다. 『說文』에 이르기를 : "憙는 說로 心과 喜로 구성되어 있고 喜라고 발음한다."[30] 이것은 '憙'와 '喜'는 모두 같은 글자라는 것이다. '說'은 '悅'의 번자체이다. '憙'는 즉 '喜悅'을 의미하는데, 『爾雅』에 이르기를 '禧, 福也.'즉, 禧는 福이라고 설명한다. 또 『說文』에는 : '禧, 禮吉也.'인데 즉, 禧는 禮吉이라는 것이다. '憙', '禧', '熹'는 모두 같은 의미를 지니고 있음을 알 수 있다.

또 『荀子 · 堯問』에는 "'楚莊王以憂, 而君以憙.''이라는 기록이 있고, 宋代의 문인 陸游의 「開東園路北至山腳」에는 : "今朝有憙誰能識, 不用人扶亦自行'"이라 하였다. 이처럼 '禧'는 '憂'와 상반된 아름답고 좋은 것[美好]을 뜻하는 말이다. 따라서 '福'는 '喜悅'과도 연관이 있다.[31]

---

27) 『陝瓦』, 『圖典』, 『西北』등 고석하기를 '萬有憙'라 하였다.
28) 『程秦漢』, 『藝術』등 고석하기를 '有萬憙'라 하였다.
29) 宗鳴安, 『漢代文字考釋與欣賞』에서는 서한 초기로 보았다.
30) 『說文』"憙, 說也。從心, 從喜, 喜亦聲."
31) '禧'는 일반적으로 말하는 '福'이 아니다. 추위와 배고픔만을 충족하는 현대어의 '福'과는 다른 개념의 의미이다. 고대에서 말하는 '福'은 '五福'을 말하는 것이다. 宗鳴安, 『漢代文字考釋與欣賞』, 陝西人民美術出版社, 2004, 44쪽.

『書經·洪範』에는 "五福：一曰壽，二曰富，三曰康寧，四曰攸好德，五曰考終命.:"[32]이라 했으며 『韓非子』: "全壽富貴之謂福"라는 말이 있다. 또한 세속에서 말하기를 '일생의 부귀는 복이다[一生富貴謂之福]'라고 하였다.

'福禧'는 기본적으로 어떠한 표준이 있는 복을 뜻한다. 황실 왕족은 '五福'을 꿈꾸며 일생의 부귀를 좇았는데, '有萬熹'와당을 통해 그들은 자신들이 '五福'을 꿈꾸던 것보다 더 많은 '熹氣'의 강림을 원했던 것이다. 이 와당은 未央宮유적에서 발굴 되었으며, 未央宮은 한무제 이후의 西漢시기의 황제들이 머물었던 곳이다. 『三輔黃圖』에 다음과 같은 기록이 있다.[33]

> 未央宮의 사방 주변은 28里나 된다. 앞쪽 대전의 동서 길이가 50丈이고 폭은 15丈, 높이는 28丈이나 된다.……금과 옥으로 지붕을 두른듯하고 화려한 와당으로 처마를 마무리하며, 玉으로 조각을 했다. 황금으로 벽의 테두리를 둘렀으며 그 사이엔 和氏의 玉을 사용하였다.

위의 글 속에서 未央宮의 외형을 짐작할 수 있다. 또한 '盡享富貴'의

32) 孔穎達等(唐), 『十三經注疏』, 臺北: 藝文印書館, 1993, 178쪽.

33) "未央宮周回二十八里，前殿東西五十丈，深十五丈，高三十五丈. …… 金鋪玉戶, 華榱璧璫. 雕楹玉碣,.……黃金爲壁帶, 間以和氏珍玉, 風至, 其聲玲瓏然."畢沅『(淸), 『三輔黃圖』, 成文出版社, 1970, 38쪽.

내용을 담고 있으며 목표를 향해 추구했던 왕실의 염원을 알 수 있다. '有萬熹'명문은 그들이 이러한 생활이 영원히 지속되었으면 하는 욕망이었음을 알 수 있게 해준다.『秦漢』과 『瓦當藝術』에서는 '有萬熹'라 판독하고 있다. '千秋萬喜'와당과 '與地毋極'와당을 통하여 '憙'는 '喜'와 서로 통용되어 사용되고 있음을 알 수 있다.

『秦漢』893 '宜富貴'와당, 『秦漢』894 '有萬憙'와당, 『秦漢』990 '甲天下'와당 등 15점 가운데 6점에 길상문양이 배치되어 있다.

■ 中國杜陵秦塼漢瓦博物館 소장

太吉羊　宜富貴

宜富羊　宜吉羊

有萬憙

有萬憙

尤富吉

吉富貴

富□貴

樂富貴

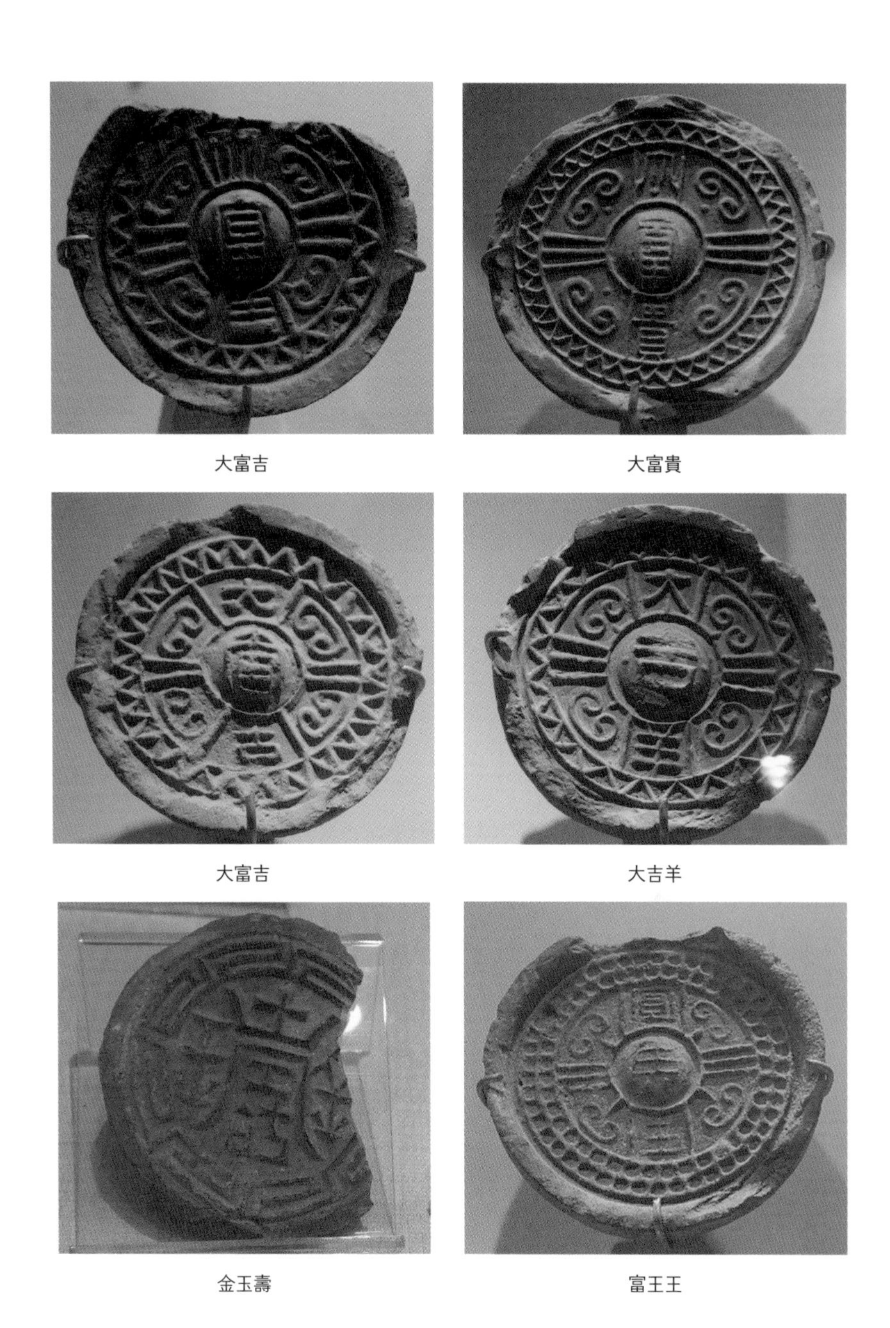

大富吉

大富貴

大富吉

大吉羊

金玉壽

富王王

4) 4字 瓦當

한대 문자와당 가운데 수량이 가장 많은 와당은 4자 와당이다. 명문의 내용은 70% 이상 길상어로 이루어져 있으며, 길상 문양이 함께 배치되는 경우도 쉽게 찾아 볼 수 있다.

(1) '千秋萬歲'와당

미앙궁은 漢代 장안의 황궁으로 한고조 7년(기원전 200년)2월에서 9년 10월에 거쳐 蕭何의 지도하에 東闕, 北闕, 前殿, 武庫 등이 건조된다. 이후 한무제는 이곳을 확장, 보수를 하였는데 長樂宮 서쪽에 위지하여 西宮이라고도 칭하며, 서한 왕조의 황궁이므로 紫宮이라고도 한다. 왕망시기에는 다시 壽成室이라 부르기도 하였다.[34]

'千秋萬歲'와당은 대부분 중후기 왕릉에서 출토가 되었고, 후기 王陵 유적지에서도 출토된 바 있다. 漢代 都城지역에서 발굴된 '千秋萬歲'와당 가운데 중앙의 돌출된 乳釘紋과 그 주위에는 連珠紋으로 장식되어진 와당은 드물게 나타나고 있다. '千秋萬世'와당은 未央宮의 건축와당의 소재로 사용되었으며, 漢王朝가 천년만년 영원히 계승되고, 희망과 축복이 가득하기를 바라는 와당으로 해석된다. 『秦漢』1317 와당은 중앙에 거북 문양이 삽입되는데 길상의 의미를 잘 전달해 주는 부적 같은 것이라 할 수 있다. 와당은 원형으로 정 중앙에는 거북문양으로 장

---

34) 陳橋驛,『中國都城詞典』, 江書教育出版社, 1999, 823쪽.

식하였다. 구획으로 되어있으며 십자 모양의 四葉紋이 어우러져 있다. 字體는 篆書와 隸書의 혼합이며 글자의 구조는 좌에서 우로, 위에서 아래의 4자 구성이다. 당심에는 거북이 놓인 것으로 거북은 장수를 의미하며 商周시대의 여러 부족의 도안에 나타나는 거북숭배 문양이 漢代에서는 길조의 하나로 예술 화문으로 장식을 하였다.

'千秋萬歲'란 '千年萬年, 歲月長久'를 의미하는 것으로[35] 『秦漢』에 수록된 문자와당을 분석 정리한 결과 '千秋萬歲'와당은 대략 39종류로 파악된다.

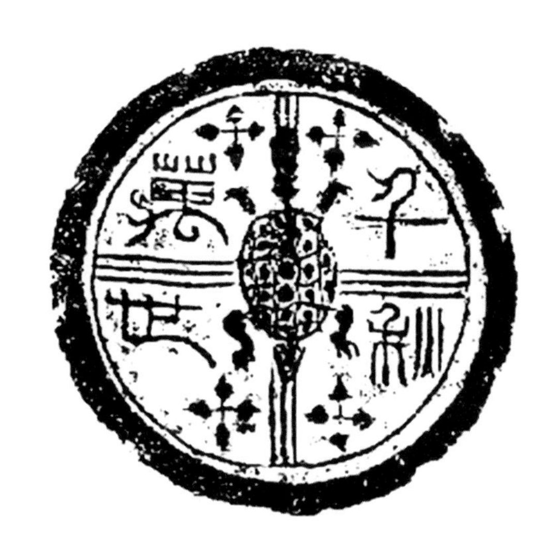

'千秋萬歲'『秦漢』1317

35) 허선영, 『漢代瓦當硏究』, 國立臺灣大博士學位論文, 2005, 109~111쪽.

천추만세는 글자의 의미에서 알 수 있듯 세월이 오랫동안 지속됨을 형용하는 문구로 사람의 장수를 염원하는 것이다. 『韓非子·顯學』에 이르기를 : "今巫祝之祝人曰:使若千秋萬歲.千秋萬歲之聲聒耳, 而一日之壽無征於人"이라 하였으며, 秦漢시기에 광범위하게 사용된 용어이다. 한대시대에는 천추만세의 용어를 이용하여 장수의 의미를 표현한 것은 당시 민간에서도 유행하였을 것으로 짐작된다. 葛洪『抱朴子』: "所謂千秋萬歲也"라고 『隋書』에서는 인용하고 있다. 또 "壽亦如其名"으로 千秋를 설명하고 있다. 한대시기 천추만세 용어의 유행은 오늘날에서 보면 단순히 장수의 의미가 아닌 천년만년 영원히 부귀영화를 쫓으려고 한 강한 바램이었을 것이다. 따라서 秦漢시기와 위진시기에 사용된 천추만세 용어가 人首鳥身의 神獸와 함께 사용되었던 것도 우연한 일은 아니다.[36] 한대 人首鳥身은 발굴 자료에서 자주 볼 수 있는데, 예를 들어 長沙馬王堆1호 漢墓의 帛畵에서 묘주인의 영혼이 승천하는 모습을 묘사하고 있는데 帛畵 중앙부에 두개의 人首鳥身의 神獸가 배치하고 있고 묘사의 수법은 비교적 간단하나 마찬가지로 천년만년 잘살고 싶음을 강하게 강조하고 있다.

고대에서 '歲'와 '秋'는 같은 의미로 『詩經』: "...一日不見,如三秋兮,...一日不見如三歲兮." 섬서성에서 출토된 '千秋萬歲'와당은 문자의 여러 가지 서체가 있을 뿐 아니라 문자에 문양을 추가하여 함께 배치

36) 謝曉燕,「漢代'千秋萬歲'瓦當文字源流考」,『湖北第二師範學院學報』, 第26卷 第10期, 2009.

한 와당이 많은데, 새 문양을 추가한 '千秋萬歲'와당이 있다. 이러한 점은 앞서 제시한 천추만세 명문의 의미가 人首鳥身과 연관성이 깊음을 말해준다. 천추만세 명문은 선진시기 吉鳥와 함께 배치되는 것 외에도 위진 이후에는 四神圖와 교차되어 나타나기도 한다.

'千秋萬歲' 와당

『秦漢』1246

『秦漢』1213

『秦漢』1176

『秦漢1246』은 와당의 구획선의 끝부분에 羊角雲紋으로 처리되어 구획선의 곡선은 좌우 대칭시켜 문자와 구획을 이용하여 美化시킨 와당이다. '千'자의 首筆는 새의 모양을 하고 있으며 '歲'자의 '止'획은 '艸'자로 되어진 篆書이다. 이 천추만세와당은 漢代의 예술체 와당의 가장 대표적인 장법의 균형으로 字體의 아름다움이 동시에 나타나고 있다. 千秋萬歲와당은 궁궐의 여인들이 머물렀던 곳에서 다량 출토되었는데 출토지에서 알 수 있 듯 字體의 외형적 미와 화려한 문양의 배치를 함께 생각해 볼 필요가 있다.

漢代는 관가에서 허용된 관방 字體인 예서체가 등장하며 널리 사용이 된다. 와당문자는 와당의 내부구조로 인하여 자연적으로 와당의 章法과 사용범위에 한정된 건축물에 때로는 특수하게 때로는 예술적으로 변화있는 字體가 등장한다. 와당에 글자를 새기는 것 이외에 문자와 문양이 함께 등장을 하는 경우도 있는데 『秦漢』1213와당의 字體는 변화가 그다지 많지 않은 필법으로 전서를 이용하여 글자와 함께 장식 문양을 배치하여 와당의 풍만함을 강조하였다.[37]

『秦漢』1176 '千'자의 하단부의 '一'획이 특이하다. 이 와당문자는 와당의 구조 의하여 거꾸로 놓아진 것이다.[38] '千'자는 문자와당에서 자주

37) 허선영, 『중국 한대 와당의 명문연구』, 민속원, 218-219쪽.

38) 와당문자는 와당의 구조에 따라 字體의 방향이 변한다. 글자의 방향이 변하는 것, 필획의 일부만 변하는 것, 와당의 구획에 따라 변하는 것 등 여러 가지 특수한 현상이 나타난다. 또한 매 글자마다 와당구조의 영향으로 글자의 讀法과도 상관이 있기에 와당에 나타나는 그대로 표기를 하였다.

'千秋萬歲' 와당

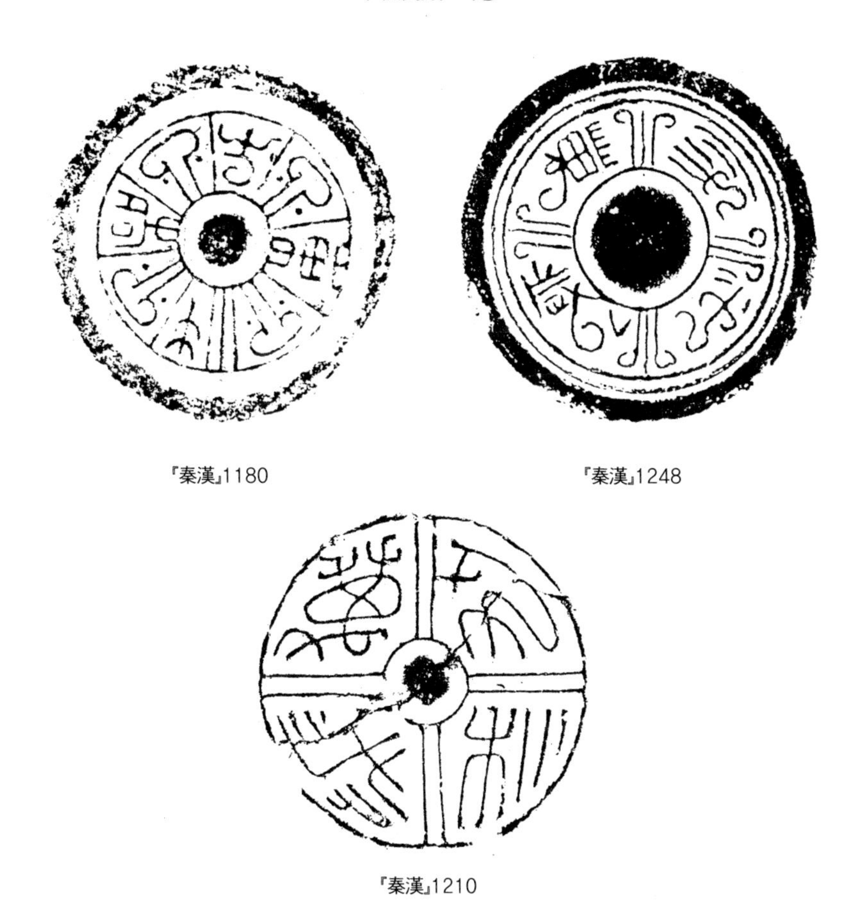

『秦漢』1180

『秦漢』1248

『秦漢』1210

나타나는 글자인데 전서이며 그 변화도 비교적 적은 편이다.

『秦漢』1180 '千秋萬歲'와당 장식의 효과로 漢代시대 와당문자에서만 나타나는 字體로 푸쟈이(傅嘉儀)선생은 '花體字'로 보았다.[39] 여덟

39) 傅嘉儀,『秦漢瓦當』, 陝西旅遊出版社, 596쪽.

구획으로 나누고 매 글자사이에 문양이 함께 배치되어있다. 당심을 중심으로 首筆을 시작하였으며 문양의 首紋 또한 당심을 중심으로 퍼져있다. 와당에 나타나는 문양은 蘑菇雲紋[양송이문]으로 명문과 문양의 배치가 조화롭게 표현된 와당이다.

중국 고대건축은 당대 문인들이 싯구에서 묘사하였던 것처럼 의식과 정감이 담겨져 있다. 와당은 조형예술의 한 분야로 문자와당의 字體의 線을 예술의 미로 승화시켜온 중화인의 審美的 특징이라 할 수 있다. 그러므로 線의 예술이란 당시의 사상의식과 예술적 자질과도 상관이 있었다.

『秦漢』1248의 경우 매 글자마다 글사의 하단부에 굴곡의 回旋을 주어 장식의 효과를 최대한 주었다. 와당의 구조를 보면 매 글자의 굴곡을 주어 변화를 주었던 것은 와당에 나타나는 운문과 연관이 있다. 와당면을 사등분의 부채모양으로 만든 후 매 구획의 線을 이용하여 羊角雲紋을 배치시켰다. 일반적으로 와당을 사등분하여 나누는 형태는 십자의 형태[十字界格]로 線을 그어 만드는데 이 와당은 線을 중심으로 羊角雲紋으로 처리하였다. 매 글자도 문양과 함께 글자의 여백에 굴곡을 주어 문양과 문자가 부드럽게 어우러지는 예술적미를 느낄 수 있게 한다.

『秦漢』1210 와당의 '萬'자는 상단 필획에 장식이 화려하다. '萬'자의 가장 큰 특징은 갈고리와 유사한 형태로 '萬'자 필획 중 가장 변화가 많은 부분이다. 위로 뻗은 것과 좌우로 대칭이 된 것 혹은 중앙으로 몰린 것 등 다양하다. '萬'자는 字體에서 예술체의 리듬을 느낄 수 있는 부드러운 필획과 원의 기법으로 와당문자 가운데 예술체 글자 중 하나로 꼽힌다. '萬'자는 문자와당에 많이 등장하는데 대부분의 字體는 전서를 기본으로 하며 간간히 예서도 등장한다.

千秋萬歲와당은 길상와당 중 가장 많이 출토되었고 사용시기가 가장 길며 사용된 범위도 아주 광범위 하다. 게다가 길상어 가운데 시대가 가장 빠른 와당중 하나이다. 명문은 주로 '千秋', '千秋萬歲', '千秋萬世', '千秋利君', '千秋萬歲樂無極', '千秋萬歲與天毋極', '千秋萬歲與地無極', '千秋利君常延年', '千秋萬歲為大年', '千秋萬歲常樂未央' 등이다. '千秋'는 고대에서 천년만년 세월의 長久를 의미하는데 祝壽하고자 하는 당시의 신조어인 셈이다. 고대 사람들은 一秋를 一年으로 여겼으며 '千秋'는 곧 '千年'이다. 따라서 이와 같은 길상와당을 통해 당시 통치계급은 천년만년 영원히 계승되기를 祝禱하였던 것이다. '千秋萬歲'와 '千秋萬世'는 같은 의미로 '千秋萬世'는 '千秋萬歲'에서 변화된 것이다. 필자의 조사에 의하면 '千秋萬歲'와당이 '千秋萬世'와당보다 더 많이 출토되었다. 후기의 왕릉유적지에서는 '千秋萬歲'와당이 출토되지 않았다. 또한 漢代의 都城지역에서 발굴된 '千秋萬歲'와당의 當面에는 돌출된 乳釘紋과 連珠紋 장식이 많지 않으며, 절당을 이용하여 제작되어진 와당 가운데는 천추만세 와당이 가장 많다. 이러한 점은 '千秋萬歲' 와당이 서한초중기 사이에 광범위하게 사용되어졌음을 시사하고 있다.

字體와 장식의 혼합이란 字體와 장식이 분리되지 못하는 경우를 의미한다. 궁궐건축은 아름답고 우화한 자태를 지닐 뿐 아니라 悠悠自適

한 여유도 담겨져 있으며 또 다른 의미에서는 崇拜頂禮의 용도로도 널리 사용되기도 하였다. 중국고대부터 중국의 건축은 인간을 위한 건축이며 생활에 밀접한 관계에서 출발하여 자유와 놀이의 한 터전으로 출발한 예술작품이다. 『論語』에 이르기를 '山節藻梲'이라 하였는데, 건축의 실용성과 화려함은 당시의 신분상승에 있어서 반드시 동반이 되어졌다. 漢賦에서 묘사된 당시의 건축은 마치 화려한 그림을 보는 듯하며, 이러한 묘사는 출토유물에서도 그 흔적을 찾아 볼 수 있다. 이렇게 화려함을 묘사한 궁궐 건축 속에 섬세하게 표현된 와당의 형태는 문학 속에서나 보일법한 내재적 화려함과 감각들이 있음이 발견된다. 와당은 당대의 건축과 함께 당시의 예술적 감상의 가치도 있다. 정면에서 보면 가장 눈에 잘 띄는 위치에 자리 잡고 있으며, 와당에 사용된 字體와 명문의 내용은 당시 사람들의 사상관념과 연관이 있어 西漢社會의 면모를 파악하는 근거자료로 활용될 수 있다.

문자와 문양이 함께 배치되는 경우 문자와 문양이 분리가 된 것 도 있지만, 분리되지 않는 것도 있는데, 분리가 되는 경우는 와당면의 공간적 활용을 한 것이며, 분리되지 않는 것은 와당면과 함께 글자를 처리한 것이다. 또한 이러한 처리방식은 당시 유행한 길상문양으로 길상의와 함께 조화를 이룬 것으로 단순히 공간적 활용이 아닌 길상의를 한 층 더 승화시키기 위한 것으로 볼 수 있다. 따라서 와당문자는 단순히 명문의 의미를 부여고자 하는 어휘들이 아니라 매 글자의 字體, 명문의 意味, 문양의 象徵, 와당의 藝術이 함께 내포되어 있는 건축예술이라 할 수 있다.

■ 中國 赤峰博物館 4字 瓦當

'千秋萬歲'

■ 中國 山東省博物館 4字 瓦當

'千秋萬歲'

■ 中國 遼寧省博物館 4字 瓦當

'千秋萬歲'

■ 中國 遼陽博物館 4字 瓦當

'千□萬歲'

(2) '長生未央', '長樂未央'와당

'長生未央'과 '長樂未央'은 西漢 중후기에 광범위하게 사용된 와당이다. '長生未央'은 서한중기에 주로 사용되었으며 '長樂未央'은 '長生未央'과 같은 의미로 서한후기에 사용되었다. '長生未央'은 甘泉宮 漢武帝시기에 대부분 출토되는데 '長樂未央'와당은 대부분 절당으로 제작한 것으로 사용 년대가 비교적 빠른 시기로 확인된다. 따라서 '長樂未央'와당은 아무리 늦어도 西漢 후기에는 사용되지 않으며, 한무제시기 유행된 중후기에 해당되는 문자와당이다.

西漢 중후기의 皇帝陵園의 建築유적지를 살펴보면 이 같은 문자와당이 출토가 되었는데, 이 시기의 문자와당은 當面의 중심부위에 융기형 乳釘紋과 蓮珠紋으로 장식이 되어있다. 이러한 형식은 서한중기부터 그리고 동한에 이르기까지 흔히 보이는 와당형식이다. 관련 명문와당으로는 '長生吉利', '長生樂哉', '長樂無極', '長樂康哉', '長樂萬歲', '長樂無極常安居', '長樂未央延年永壽昌', '長樂未央延年益壽昌' 등이 있다.

감천궁은 漢代의 별장으로 雲陽宮이라고도 하는데 한무제 建元 (기원전 140~135)에 건조되었으며, 궁의 남쪽에는 昆明池가 있으며, 감천궁은 서한시기 규모가 가장 크고 가장 화려했던 별궁이었다.[40] 감천궁의 지리적 위치는 섬서성 淳化鐵王鄉梁武帝村에 위치하고 있으며, 이곳에서는 皇帝이래 줄곧 천신에게 제사를 지냈던 곳이라고 전해진

---

40) 陳橋驛,『中國都城詞典』, 江書教育出版社, 1999, 829~830쪽.

다.[41] 『三輔黃圖 · 關輔記』에 따르면 "林光宮은 甘泉宮으로 불리며 秦代에 건조되었다. ……한무제 建元시기에 그 영역을 확대시켰다."[42]고 전해지며 漢代에 이르러서는 인근에 甘泉山이 있으므로 감천궁으로 명칭을 바꾸게 된다. 漢武帝는 매년 5월이 되면 장안에서부터 북쪽인 이곳 감천궁으로 피서를 왔으며 8월이 되어서야 장안으로 돌아갔다. 또한 황제는 서역 혹은 국가의 수장들을 이곳 감천궁에서 접대하였다.[43] 감천궁은 중국 고대 도성 가운데 가장 먼저 황제 피서지이자 사무처의 용도로 만들어진 것으로 실질적으로 이곳은 도성 부근의 또 하나의 궁이라고 할 수 있다. 이곳에서 출토된 '長生', '長樂', '未央', '與天', '與華', '無極' 등의 와당은 모두 같은 의미로, 넓고 방대하며, 아름답고 좋은 것[美好]으로 사용된 문구들이다. '長生未央'와당은 西漢 중기에 광범위하게 사용되었다. 漢武帝 甘泉宮 출토 와당의 대부분이 '長生未央'이며, 중기의 鉤弋夫人의 雲陵과 관계가 있는 건축물에서도 '長生未央'이 출토되었다.[44]

위의 글에서 알 수 있듯 '長生未央', '長樂未央'등의 와당을 연구하는데 있어서 흥미로운 점은 이러한 명문와당은 시대에 따라 사용되어진 문구도 다소 차이가 있으며, 그 신분에 따라 사용된 용어도 차이가 있

41) 劉慶柱,李毓方,『漢長安城』 文物出版社, 2003, 190~191쪽.
42) "林光宮,一曰甘泉宮,秦所造,……漢武帝建元中增廣之."
43) 劉慶柱,李毓方,『漢長安城』文物出版社, 2003, 190~192쪽.
44) 伊藤滋,『秦漢瓦當文』, 金羊社, 1995, 232~234쪽, 陳根遠·朱思紅,『屋檐上的藝術』, 四川教育出版社, 1999, 114쪽.

다. '長生未央'은 임금이 사용한 건축물에서, '長樂未央'은 왕비가 사용한 건축물에서 출토되었다. '長生未央'과 '長樂未央'와당으로는 아래의 탁본들에서 그 다양성을 찾아 볼 수 있는데, 대부분의 와당은 문자만이 있을 뿐 문양은 거의 나타나지 않으며 또 출현되는 문양의 경우 아주 간략한 운문과 연주문만이 나타난다. 字體는 전서와 예서이며 비교적 정교하다.

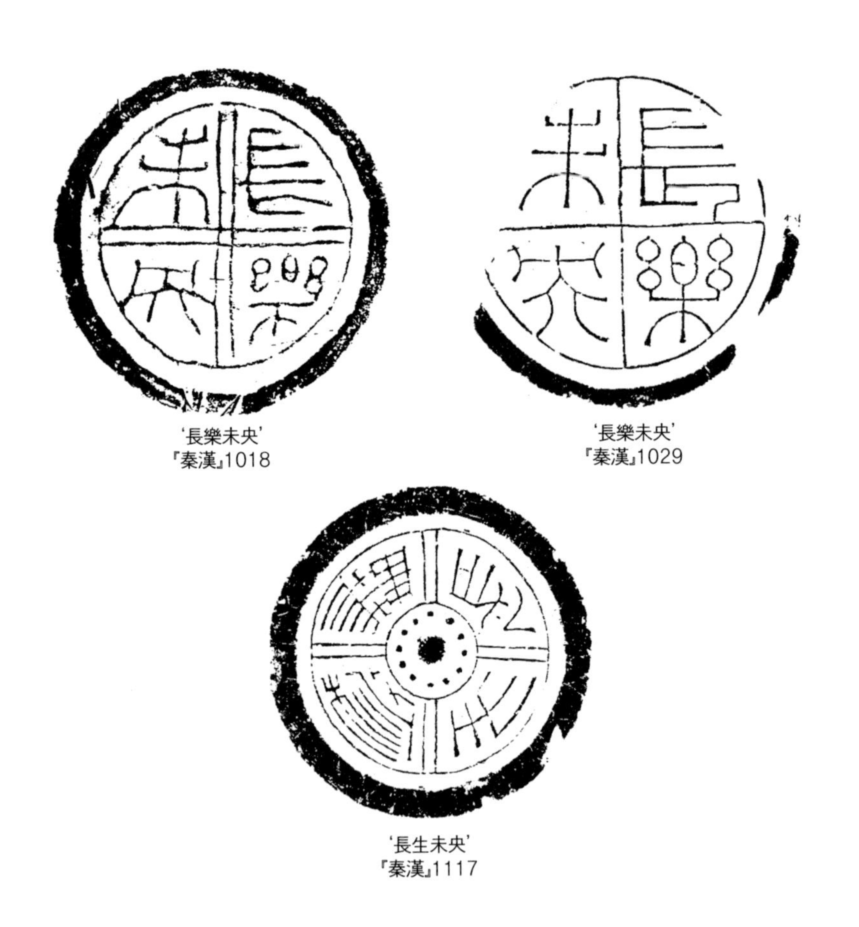

'長樂未央'
『秦漢』1018

'長樂未央'
『秦漢』1029

'長生未央'
『秦漢』1117

『秦漢』1034의 4자 와당 중의 字體는 모두 비슷하다. '樂'자 와당중의 의 문양은 마치 불이 타오르는 듯 생동감이 넘치는 문양이다. 와당 문자 가운데 글자에 장식을 더하여 글자와 문양이 분리되는 경우도 있지만, 字體를 예술화하여 변형을 주었던 字體도 자주 나타나고 있다. 일반적으로 하나의 와당에 사용된 字體는 거의 같은데 『秦漢』1034 와당의 네 글자는 모두 字體 변형을 주었던 것으로 字體에 힘이 있음을 알 수 있다.[45] 『秦漢』1034는 완형으로 '樂'字를 제외한 나머지 자형의 형태도 '樂'字와 마찬가지의 字體를 띄고 있다.

『秦漢』補69는 2자 와당으로 상단부는 파손되어있으며, 복건성에서 출토되었다.[46] 이미 隷辨이 진행되었으나 木자의 하단부분에 장식을

'長樂未央
『秦漢』1034

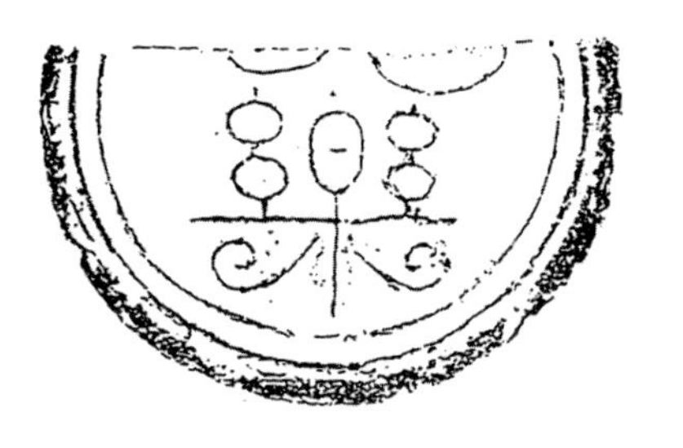

'□樂'
『秦漢』補69

45) 허선영, 『중국 한대 와당의 명문연구』, 민속원, 219쪽.
46) 傅嘉儀, 『秦漢瓦當』, 陝西旅遊出版社, 795쪽.

추가하여 繆篆과 유사함이 발견된다. 이 글자도 關자와당과 마찬가지로 와당의 형태를 고려하여 변화된 것으로 판단되며, 운문의 형태와 유사성이 발견된다.

'樂'자의 상단부와 유사한 와당은 다음의 와당에서도 확인된다.

'日樂富昌'中國 北京古陶博物館 소장

■ 中國 洛陽博物館 4字 瓦當

長生未央

(3) '與華無極'계통

西漢중기에 건조된 京師倉 유적지에서는 16점의 와당이 출토 되었다. 와당의 문구나 형식으로 봐서 '與天無極'에서 '與華無極'명문으로 발전되었을 것이다. '與天無極'은 서한 중기 혹은 좀 더 빠른 시기 사용된 와당인 경우도 배재할 수 없다.

■ 中國 北京古陶博物館 소장

'與華無極'

(4) '長生無極'과 '與天無極' 계통

'長生無極'과 '與天無極'계통의 와당은 대부분 西漢 중후기의 皇帝陵園의 건축유적지에서 출토가 되었다. 또 漢代 長安城유적지에서도 출토가 되었다. 1970년대 이후부터 지금까지 출토된 사례를 살펴보면 '長生無極'와당은 대부분 當面 중앙에 돌출된 乳釘紋과 蓮珠紋으로 장식이 되어있다. 또 일부 와당의 주연부에는 櫛齒紋도 배치되어 있다.

西漢初期 문자와당의 字體는 간결하면서도 엄격하였고 秦代의 소전체 형식을 여전히 가지고 있다. 中期 문자와당의 글자체는 글자의 편방 새김이 넓고 편안한 느낌을 준다. 後期 문자와당의 字體는 부드러우면서 대부분의 字體가 자연스럽다. 그러나 와당의 편년 기준은 字體로 구별하기는 매우 어렵다. 왜냐하면 중국 古文字의 흐름을 보면 어느 시대이든 복고 현상이 있었기에 하나의 글자가 반드시 어떠한 한 시대에서만 유행이 된 것이 아니고, 와당이란 신분이나 그 위치가 높은 계급의 가옥에서 출토된 것인데, 용도와 와당을 사용한 신분에 따라 字體는 수시로 바뀌는 불규칙한 면도 자주 나타나기 때문이다.

西漢初期의 문자와당은 매우 규칙적이며 원칙적이고 정연하다. 한무제이후 字體는 秦代시기에 사용되어진 소전체가 圓筆에서 方筆로 변한다. 또 진대의 복잡한 소전체는 簡筆(간단하게 쓰이는 소전체)로 변한다. 후기이후의 字體는 비교적 힘이 없고 대부분 예서체를 많이 사용하였다. 예를 들면 '天降單于', '單于和親', '盜瓦者死' 등이 그러한데 한대 후기에 나타나는 대표적인 예서체로 된 와당문자이다.

현재 출토된 漢代의 長安城 未央宮의 第二·三·四號 건축물유적지에서 출토된 와당을 비교해보면 문양와당은 '雲紋'과 '葵紋'이고, 문자와당과 素面瓦當 등이었다. 또 제3호 유적지에서 발굴된 와당은 '절당'사용이 거의 없다. 이곳에서 출토된 와당 가운데 '절당'을 사용한 와당으로는 '長生無極', '長樂未央', '千秋萬歲', '延年益壽' 등이 있다. 또 제 4호 유적지에서 출토된 '與天無極'과 王莽시기의 貨幣와 封泥가 함께 출토가 되면서 그 년대를 추정할 수 있다.

(5) '富貴'와당 계통

'富貴'계통 와당은 '大富', '貴富', '始造貴富', '長樂富貴', '貴富毋央', '富貴萬歲', '元大富貴', '大吉富貴'등의 명문을 중심으로 하는 와당이다.[47] 秦漢시기의 것으로 출토된 기타 유물과 『漢書』, 『史記』에도 이러한 문구들이 종종 등장한다. 漢代 사람들의 내면에는 이와 같은 명문 내용이 자신의 운명을 장악할 수 있다고 믿었다. 따라서 長生不老, 延年益壽의 꿎으며 꿈꾸는 것은 당시의 사회의 풍토로 볼 수 있다. 또한 이러한 관점은 神仙方術 사상의 흥행과 통치자는 方士를 신봉하였는데 長生不老를 추구하고자 하는 행동과 불가분의 관계였다. 이와 관련하여 탄첸쉐[譚前學]는 다음과 같은 견해를 밝히고 있다.[48]

47) 譚前學「從瓦當文字看秦漢習俗及演變—讀陳直『摹廬叢著七種·秦漢瓦當概述』札記〉, 『陝西歷史博物館館刊』第一刊.
48) 譚前學 위의 책.

“일반 하류층의 사람들은 人力도 없지만 財力 또한 없기에 不死藥을 찾을 생각도 못하였다. 상류층이든 하류층이든 ‘延壽’, ‘延年’, ‘萬年’,‘千秋’등의 길상어에 의존하여 자신의 長壽와 永生의 희망을 꿈꾸었다. 혹자는 延年益壽, 長生不老를 쫓는 것은 귀족계층들이 영원히 인간세상에서 부귀를 꿈꾸는 생활의 소극적인 사상의 반영이라고 여기기도 한다. 延年益壽와 長生不老는 인류의 가장 보편적인 욕망이기 때문이다. 예를 들어 중국인들은 ‘五福’에 대하여 자주 거론한다. 壽, 福, 康寧, 修好德, 考終命이든, 壽, 福, 貴, 康寧, 多子이든 이 가운데 ‘壽’는 언제나 가장 먼저 등장한다. 와당문자와 문헌에 등장하는 많은 길상어는 이러한 점을 증명하는 좋은 예가 되고 있다.”

와당에 새겨진 문구를 통해 漢代 사람들의 욕망과 추구하고자 하는 이상을 충분히 알 수 있다. 문자와당은 문양와당과 비교 하였을 때 그 상징적 의미가 더 명확하고 구체적이다. 또 길상 문구를 통해 당시의 보편적인 富貴, 長壽, 太平, 享樂 등의 強烈한 갈망과 추구를 이해할 수 있다.

(6) 延年益壽 계통

‘延年’, ‘飛鴻延年’, ‘延年萬歲’, ‘延年長相思’, ‘年益壽昌’, ‘延年萬歲常與天久長’ 등이 주요 문자와당이다. 문구에서 알 수 있듯 長壽不老의 욕망을 기대하고 바라는 것이다. 未央宮에서 출토되었다. 漢代의 길상와당 중 ‘延年’이나 ‘壽’를 사용한 와당이 자주 보이는데, 문구에서도 알 수 있듯 이 와당은 장수를 기원하던 문구이다.

『秦漢』848

『秦漢』852

『秦漢』839

'延年'

『秦漢』1155

『秦漢』1166

'延年益壽'

현재까지 출토된 漢代의 길상와당 가운데 장수만을 기원하는 '延年'이나 '無疆' 등의 문구는 드물게 보인다. '長生'과 '長樂'그리고 '無極'등은 영원히 변하지 않기를 바라는 내용으로 장수나 부귀를 통합시켜 사용한 것이 더 많이 나타난다.

漢代의 종교사상은 上帝가 중심이 되는 多神教로써 武帝시기에 가장 흥행을 한다. 길상와당의 사용 년대는 대부분 漢武帝에서 西漢후기이다. 漢武帝 시기의 神仙說은 크게 흥성하는데 이러한 길상어는 '神仙之說'과 깊은 연관성이 있다. 길상어에 반영된 당시의 이러한 풍토는 兩漢시기에만 유독 극성스럽게 유행한다.

와당의 크기는 매우 작다. 그러나 漢代의 문화풍토에서 理想과 욕망을 추구하고자 하는 문구를 새기기에 와당은 결코 작은 공간이 아니었다. 이러한 점이 바로 와당의 매력이 아닐까! 문자와당은 당시의 관습과 관념의 실질적인 면모를 기록해 주고 있다.

문자와당의 출현은 기물학 방면 외 지리학, 관직, 관청, 궁명 등의 문헌을 고증할 수 있는 귀중한 방증자료이다. 또 문자학사에 있어서도 字體의 다양성을 통하여 한대 문자학의 영역에서도 중요한 단서를 제공하고 있다. 문자와당의 명문 가운데 70퍼센트 이상 길상어로 이루어져 있다. 당시 길상의는 와당문자에서 문화적으로 사회적으로 매우 중요시 되어 왔다는 점을 쉽게 확인된다. 한대 와당문자의 중요 명문을 요약하면 다음과 같다.

① 길상와당

萬歲	千秋	無極	萬秋	大富	延年	大吉
有萬憙	樂浪富貴	千秋萬歲	壽老無極	長生樂哉	千秋長安	五穀滿倉
千秋萬年	長樂富貴	萬歲萬歲	羽陽千秋	富貴萬歲	宮宜子孫	延年延年
大吉萬歲	吉月照登	永受嘉福	延壽長相思	安平樂未央	千秋萬歲富貴	長樂毋極常居安
千秋萬歲與天無極	千秋萬歲與地毋極	延壽萬歲常與天久長	千秋萬世長樂未央昌	千金宜富貴當	維天降靈延元萬年天下康寧	富貴
延壽萬歲	萬世	千歲	宜富貴	益延壽	羽陽千壽	與華無極
與華相宜	長樂未央	長生未央	與天無極	與天毋極	延年益壽	富昌子孫
萬歲千秋	大吉萬歲	吉羊大吉	常樂萬歲	長川未央	千秋萬世	安樂富貴
延年萬年	并是富貴	千年延壽	安樂未央	長樂富貴	萇樂富貴	四季平安
方春富貴	千秋利君	大宜子孫	萬歲千秋	富昌大吉	長毋相忘	長駿未央
長樂萬世	富貴毋央	富貴萬歲	石渠千秋	大吉五五	大吉宜官	萇樂萬歲
殷氏富貴	梁氏富貴	安樂未央	利昌未央	與地相埸	長樂無極	與天久長
永葉千秋	富貴未央	富貴遂陽	克樂未央	富貴昌宜	長樂萬歲	延年萬歲
大秦萬歲	泱茫無垠	萬物咸成	鮮神所食	四極咸依	咸況承雨	屯澤流施
流遠屯美	仁義自成	加氣始降	加露沼沫	道德順序	億年無疆	泰靈嘉神
萬歲冢當	安邑稠柱	高安萬歲	長陵四神	嚴氏富貴	永奉無疆	八分壽存當
長生母敬冢	長久樂哉冢	鼎胡延壽宮	長樂未央金	延壽長相思	安平樂未央	長生未央冢
千秋萬世安樂無極	千萬歲富貴宜子孫	長樂未央延年永壽昌	千秋萬歲富貴	千秋萬歲樂未央	長樂毋極常安居	千秋利君長延年
千秋萬歲與天地無極	天子千秋萬歲常樂未央	千秋萬歲爲大年	與民世世天地相方中正永安	長樂未央與天相保	千秋萬歲以保長年	延壽萬歲常與天久長

② 紀事瓦當

漢并天下	單于和親	惟漢三年大并天下	漢并天下

③ 宮苑과 宅舍瓦當

宮	上林	上林	成山	黃山	清涼有憙
召陵宮當	平樂宮阿	折風闕當	朝神之宮	齊園宮當	齊一宮當
鼎胡延壽宮 (鼎胡延壽保)	嬰柞轉舍 (宅舍瓦當)	長樂未央金 (宅舍瓦當)	則寺初宮	齊園	

④ 官署와 祀臺瓦當

佐弋	上林農官	都司空瓦
樂浪禮官	京師庾當	次蜚官當
便 (祀臺瓦當)		

⑤ 標誌瓦當

禁圃

漢代 와당문자 가운데는 길상 내용이 가장 많다. 길상 문구의 함의는 당시 漢代 사람들의 심리적 이상의 반영과 그 욕망의 표현이었다.

통계에 의하면 한대 길상와당 가운데 천추만세와당의 사용이 가장 많으며, 사용된 시점도 가장 빠르다. 또한 사용 시간도 가장 길며 사용 범위도 가장 광범위 하다. 문자와당 가운데 切當을 사용한 와당은 '千

秋萬歲'와당으로 가장 많으며[49] 그 다음은 '長樂未央', '長生未央', '與天無極', '長生無極', '延年益壽', '富貴萬歲', '萬歲' 등의 순서이다. 西漢中期에 유행 頌禱의 문구이며 동시에 統治階級의 영원한 향락의 관념을 반영하고 있다.

한대 문자와당의 학술적 가치는 앞서 제시한 字體의 다양성 외에도 출토자료와 문헌의 대조를 통한 사료 정정과 오류에 중요한 자료가 된다. 예를 들어 秦漢의 宮苑과 寢殿의 명칭과 지리적 위치를 알 수 있는데, '京師倉當'와당은 지금의 陝西 華陰縣의 灌北과 渭口사이에서 출토된 것으로 일찍이 西漢의 '京師倉'이 있었던 것을 증명하고 있다. 동시에 출토된 '京師庾當'은 과거의 著錄에서는 기록되어있지만 그 지리적 위치를 알 수 없었다. '庾'은 '倉'과 같은 것으로 성안에 있으면 '倉'이라 하고, 교외에 위치하고 있으면 그것의 명칭을 '庾'이라 하였던 것이 확이되었는데, 고대에서는 일반적으로 '倉庾'을 함께 사용하기도 하였다. 『史記·孝文本紀』에 따르면: "倉庾에서 貧民을 구제한다"[50] 라는 기록을 통해 京師倉의 또 다른 명칭이 '京師庾'이었다는 점을 분명히 해주고 있다.

좀 더 상세히, 문자와당의 70퍼센트를 차지하는 길상 와당은 또 다른 방면에서 그 연구의 중요성을 엿볼 수 있다. 첫째, 漢代 사회의 번영과 나라와 백성의 안락[國泰民安]을 반영한다. 둘째, 인간의 가장 보편

49) 劉慶柱『漢代瓦當文字概論』, 28쪽.
50) "發倉庾以賑貧民"

적인 심리의 반응으로 富貴를 기도하고, 장수, 평안, 太平, 祥瑞, 幸福 등의 의식을 반영시키는 것이다. 뿐 만 아니라 官署, 宮殿, 陵園건축의 명칭들은 당시의 건축 상황을 알 수 있는 자료를 제공한다. 그러므로 漢代 문자와당을 통하여 한대 문화를 이해 하는 중요한 자료로 활용된다.

■ 中國 陝西省博物館 4字 瓦當

'大宜子孫'

'長宜子孫'

■ 中國 山西博物館 4字 瓦當

'長樂未央'

'長生無極'

■ 中國 湖北博物館 4字 瓦當

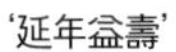

'延年益壽'

'長生無極'

■ 中國 杜陵秦磚漢瓦博物館 4字 瓦當

□ '與天無極'

□ '與天毋極'

□ '與華相宜'

□ '延年益壽'

□ '長樂萬歲'

□ '長樂未央'

□ '長生未央'

□ '千秋萬世'

ㅁ '千秋萬歲'

千秋
千秋万

□ '與華無極'

□ '長生無極'

□ 其他 4字 瓦當

'家飤堂當'　'賈氏冢當'

'巨楊冢當'　'萬歲冢當'

'百萬石倉'　'富貴壽樂'

‘并是富貴’

‘京師庾當’

‘固守此當’

‘高安萬世’

‘光曜古宇’

‘ㅁㅁ當王’

'九世長樂'

'口春萬林'

'克樂未央'

'安樂未央'

'安樂厠當'

'安定彭陽'

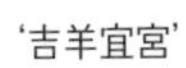

'吉羊宜宮'

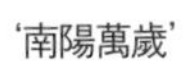

'南陽萬歲'

'單于天降'

'大家常完'

'大圭未央'

'大吉山山'

'大吉五五'

'大萬樂當'

'大宜子孫'

'大利富貴'

'都司空瓦'

'蘭池宮當'

'夔來萬歲'

'路氏受光'

'萬世之宮'

'富宜酒食'

'富利後世'

'悲哉冢舍'

'祠室堂當'

'四夷盡服'

'上林農官'

'召陵宮當'

'安樂廣大'

'安樂萬歲'

'泱茫無垠'

'楊氏冢舍'

'億年無疆'

'與天久長'

'與華相宜'

'延年延年'

'延年益壽'

'延壽萬歲'

'罃丘后府'

'永奉無疆'

'永受嘉福'

'永壽無疆'

'醴泉流庭'

'羽陽臨渭'

'羽陽千秋'

'爲臣忠信'

'日月星辰'

'日昌益安'

'任氏冢舍'

'爵至彻候'

'長ㅁㅁㅁ'

'長樂安利'

'長陵東當'

'長陵西口'

'長陵西神'

'長毋相忘'

'長生吉利'

'張是堂當'

'張氏冢當'

'長安千秋'

'長宜子孫'

'田氏富貴'

'朝神之宮'

'宗正官當'

'周氏冢當'

'朱是冢舍'

'竹泉宮當'

'衆芳芬苾'

'中十中十'

'秦氏忠信'

'㵐邑漕倉'

'蘄年宮當'

'昌昌昌昌'

'千秋未央'

'千秋利君'

'冢上大當'

'冢堂之當'

'治家室當'

'淄川武庫'

'平阿弋池'

'平阿宮樂'

'漢兼天下'

'漢并天下'

'咸況承雨'

'合水置當'

'黃位祠舍'

5) 5字 瓦當

八風壽存當, 安平樂未央, 延壽長相思, 鼎胡延壽保, 與天無極宮, 長生未央家, 朝神石室宮 등 5자 와당은 명문의 글자 수에 맞게 구획한 후 글자를 배치하는데 당면에는 명문 외 다른 문양은 거의 없다. 당심은 보통 글자를 배치하는 경우와 글자 배치하지 않는 경우도 당심의 지름은 비교적 작은 편이다.

『秦漢』1455 '延壽長相思'은 漢長安城에서 출토되었으며 甘泉宮에서도 세 점이 더 출토되었다. '延壽'는 즉, '延年益壽'와 '長相思'와 '勿相忘'과 같은 의미이다.

『秦漢』1457 '安平樂未央'은 遼寧丹東에서 출토되었으며, 당면에 배치된 구조를 보면 한식기와와는 그 형식이 다소 다르다. 명문 사이에 연주문을 배치하여 글자에 문양을 추가한 와당으로 字體는 예서로 당심이 비교적 큰 전형적인 북방식 와당이다.

'延壽長相思' 『秦漢』1455

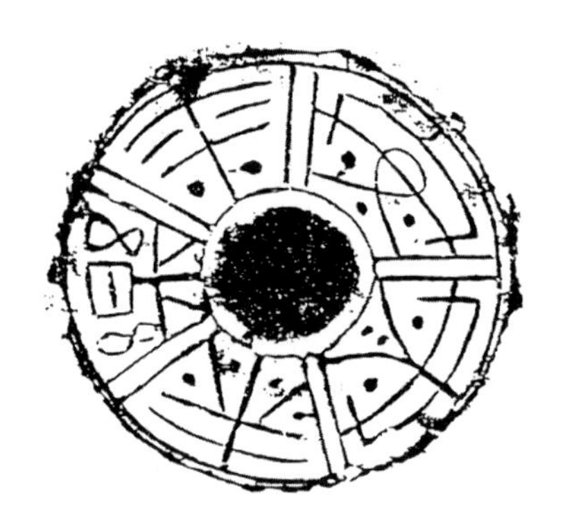

'安平樂未央' 『秦漢』1457

鼎胡延壽宮과 鼎胡延壽保와당은 1988년 陝西 藍田縣 남쪽 대략 12킬로미터 떨어진 焦岱鎮에서 출토되었다. 와당의 직경은 18㎝로 짙은 남색을 띄고 있다. 이 와당은 출토된 이후 鼎胡宮에서 사용된 와당으로 여겨져 왔다. 천즈[陳直], 쨔오리꽝[趙力光]은 '鼎湖'로 판독하였으며,[51] 양리민[楊力民], 푸쟈이[傅嘉儀], 왕스창(王世昌]은 '鼎胡'[52]로 판독하였다. 漢代와당에 '鼎胡'라고 새겨진 와당은 현재 두 종류의 문자와당이 출토되었는데 '鼎胡延壽保'와 '鼎胡延壽宮'이다. 『秦漢』에는 鼎胡延壽保 와당 2점과 鼎胡延壽宮 3점으로 모두 5점을 수록하고 있다. '鼎胡宮'은 西漢시기의 離宮이다.

와당 출토 이후 '胡'자는 끊임없는 논증의 대상이었다. 이 글자를 '胡'로 판독할 것인지, 아니면 '湖'로 판독할 것인지의 문제였다. 『漢書 · 郊祀志』와 『史記 · 孝武本紀』에는 모두 "天子가(武帝)鼎湖에서 養病하였다."라는 기록이 있다. 종밍안[宗鳴安]의 견해에 따르면 『三輔黃圖』의 저자와 編寫年代의 문제점을 지적하였는데, 이 책은 東漢후기에서 魏晉唐 등을 거치면서 여러 저자가 함께 완성한 것이라는 주장이다. '湖'는 '胡'자로 판독해야 하며 '湖'자와 '胡'자는 통용되어 사용할 수가 없다는 것이 그의 견해이다. 그에 말을 인용하자면 다음과 같다.[53]

---

51) 陳直「秦漢瓦當概述」, 『文物』1963年, 第11期, 『圖典』.

52) 『藝術』, 『秦漢』, 『陝瓦』.

53) 宗鳴安『漢代文字考釋與欣賞』, 33쪽.

이 와당은 출토 이래 많은 학자들은 '鼎湖宮'에서 사용된 와당이라 고 여겨왔다. 그러나 『漢書』에서는 鼎湖宮에 관한 사건이 나타나지 않으며 단지 『郊祀志』에서만 간단하게 기록할 뿐이다.

『三輔黃圖』에 의하면 :

"鼎湖宮은 湖城縣에 있으며 黃帝가 동(銅)을 캐어 鼎을 만들라 명하니, 용이 내려와 임금을 영접하였다. 小臣들이 용의 수염을 잡고 기어오르니 그 수가 72명에 이른다. 漢武帝는 이 곳에 宮을 건립하였다."[54]

湖城縣은 지금의 河南 靈寶縣의 서북쪽이다. 현재까지 鼎湖宮과 상관된 유물이 발굴되지 않았고 관련 문헌도 찾기 어렵다. 그러나 藍田縣 焦岱鎮에서는 오히려 鼎胡宮과 연관된 자료와 궁궐유적이 적지 않다. '鼎湖'의 위치는 『漢書·地理志』에 따르면 :"湖는 원래 京兆에 있었으며, 후에 弘農으로 분류되었다"[55]고 한다. 천껀위엔(陳根遠)과 쥬스홍(朱思紅)도 '湖'자를 '胡'자로 해석하는 것은 바람직하지 못하다고 주장한다.[56] 필자는 이와 같은 의견에 의문점을 가지고 몇 가지 의견을 제

54) "鼎湖宮湖城縣 黃帝採首山銅以鑄鼎, 鼎成, 有龍下迎帝仙去, 小臣攀龍髯而上者七十二人, 漢武帝於此建宮"『三輔黃圖』,61쪽.

55) 『漢書·郊祀志』卷25上 .1220쪽. "湖本在京兆, 後分屬弘農也"

56) 陳根遠, 朱思紅 『屋簷上的藝術』, 129쪽.

시하고 자 한다.

첫째, 이 와당은 5자 와당으로 '鼎','壽', '延'의 필획은 매우 간소화 되어 있다. 또 '保'자는 反書로 되어있다. '胡'자의 편방 '古'는 다른 방법으로 쓸 수 있는데 , , 등이 문자와당에 등장한다. 한대 문자와당에서 反書이자 생략된 경우는 극히 드물다. 그러나 '水'의 편방이 생략되었을 가능성도 배재할 수 없다. 고문자에서 생략된 필획이나 필획의 증가 현상은 기물의 구조에 의한 현상일 뿐 아니라 당시 유행되는 字體에도 영향을 받기 때문이다.

둘째, 문헌에 등장하는 '鼎湖'의 기록이다. 『漢書·揚雄傳』에 '鼎胡'라는 기록이 있는데, 漢武帝는 일찍이 이곳에서 병을 치료하였는데, 그래서 '延壽'라는 두 자가 붙여졌을 것이다. 또 『漢書·郊祀志』와 『史記·孝武本紀』의 기록에 의하면: "天子는 鼎湖에서 병을 얻었다"[57]는 기록이 있다. 顧炎武의 『歷代宅京記』에도 '湖'를 '胡로 사용하기도 하였다.[58] 『史記』와 『漢書』는 漢代 문헌사료에 있어 매우 중요한 참고 자료이다. 『三輔黃圖』는 비록 여러 왕조를 거치면서 소실, 보완 되었지만 漢代 이후의 西漢 京畿地理와 文物 연구에 있어 중요한 자료로 활용되고 있다. 종밍안(宗鳴安)의 견해에 따르면 이러한 문헌사료는 모두 잘못되었다는 결론이다. 물론 문헌사료의 오류도 당연히 발생하기도 하지만 『史記』, 『漢書』, 『三輔黃圖』에 기록된 역사 문헌사료가 오류일 수 있다

57) 『漢書·郊祀志』卷25上.1220쪽. "文成死明年,天子病鼎湖甚."

58) 『中國都城辭典』, 829쪽.

는 것은 극히 주관적인 것으로 생각된다.

셋째, 고문자에서 자주 나타나는 현상은 글자의 형태가 같거나 (혹은 유사) 음운상의 관계가 있으면 통용되어 사용한다는 것이다.『說文』'湖'의 단옥재 주에 따르면 '湖'는 戶胡切로 五部이며, '胡'는 戶孤切에 五部라고 하였다. 이 두 글자의 音韻은 같으며 통용되어 사용 가능하다.『戰國策 · 秦策四』에는 '而政留方與銍胡碭蕭相'이라는 기록이 있으며『史記·春申君列傳』에는 '胡'를 '湖'로 기록하고『史記·高祖功臣侯者年表』에는 '祁, 頃侯湖'로『漢書·高惠高后文功臣表』에는 '湖'를 '胡'로 기록하는 등 서로 통용되어 사용되고 있음을 보여주고 있다. 따라서 이와 같은 점으로 미루어 보아 '胡'와 '湖는 서로 통용되어 사용가능하다.

'鼎湖宮'의 지리적 위치는 두 가지 견해가 제시되고 있는데, 湖城縣으로 지금의 河南 靈寶縣의 서북쪽이지만 현재에는 鼎湖宮과 연관된 유적을 찾기는 어렵다. 또 다른 하나는 1988년 陝西 藍田縣 남쪽의 12킬로미터 지점인 焦岱鎭인데 이곳에서 鼎湖宮과 연관된 유물들이 출토되기도 하였다.[59]

'鼎胡延壽宮'과 '鼎胡延壽保'는 陝西 藍田縣 焦岱鎭에서 채집된 것으로 鼎胡宮은 漢代의 궁궐로『三輔黃圖』에 다음과 같은 기록이 있다. : "鼎胡宮은 湖城縣부근에 자리 잡고 있다"이 지역은 藍田으로 漢武帝시기 건조된 궁이다.60) 따라서 漢代 鼎胡宮에서 사용된 와당이다. '湖'

59) 陳根遠, 朱思紅『屋檐上的藝術』, 130쪽. 宗鳴安『漢代文字考釋與欣賞』, 32쪽.
60) 『三輔黃圖』: "鼎胡宮在湖城縣界. 61쪽.『中國都城詞典』713쪽.

'鼎胡延壽宮'

'鼎胡延壽保'

자는 모두 '胡'로 생략되어 사용하였다.

5자 와당 가운데 『秦漢』1466 '永平十五年'瓦當에서 문자와 문양이 함께 배치되어 있다. 이 와당은 출토 당시 오른쪽이 파손되어 있었다. 왼쪽의 운문과 사엽문의 배치를 통하여 오른쪽 파손 부위의 상태를 짐작할 수 있다.

'永平十五年'

□ 中國杜陵秦塼漢瓦博物館 소장

'八風壽存當'

'鼎胡延壽保'

'與天無極宮'

'鼎胡延壽宮'

'與天無極宮'

'長久樂(極)家'

'長生未央冢'

'長久樂哉冢'

'延壽長相思'

'朝神石室宮'

'ㅁ吳堂富貴'

'長樂未央昌'

■ 中國 山西博物館 소장

'延壽長相思'

6) 6字 瓦當

6자 와당은 당면을 사구획으로 나눈 후 문양과 문자를 함께 배치한다. 와당의 독법 또한 불규칙하게 나타나는데 독법은 아래의 그림이 참고 된다. 6자 와당은 독법이 불규칙하여 판독시 반드시 고려해야 한

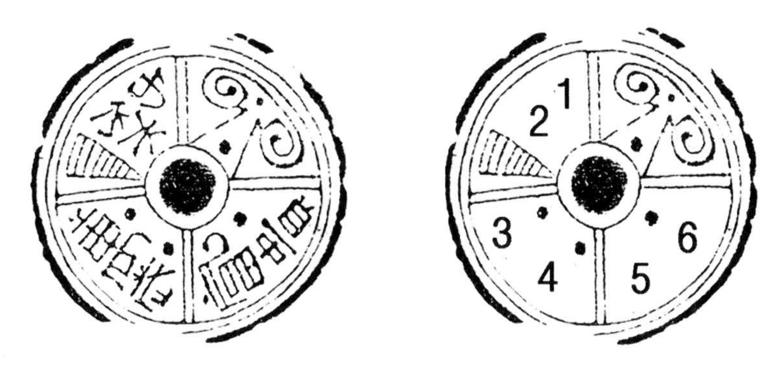

'千秋萬歲富貴'『秦漢』1467

다.

『秦漢』에 수록된 5점의 6자 문자와당 가운데 『秦漢』1467 '千秋萬歲富貴'와당은 문자와 문양과 함께 배치되어 있다.

■ 中國 杜陵秦塼漢瓦博物館 소장

'千金宜富貴當'

'千秋萬歲富貴'

7) 7字 瓦當

『秦漢』1471 '長樂毋極常安居'와당은 문자와 문양이 함께 배치되어 있다. 漢長安城에서 출토되었으며 출토당시 주연부가 거의 파손되었다. 당심은 커다란 원형으로 명문 '常居安'가 새겨져 있다. 羊角雲紋의 선을 이용하여 사구획으로 나누어 장식의 효과를 주었다. 7자 와당도 6자 와당처럼 독법이 매우 특이한데, '長樂毋極'는 각각의 구획 안에 배치하고 있는데, 명문의 수가 증가하면서 문양이 함께 배치되는 경우는 비교적 드문 경우라 할 수 있다. '極'자는 '亟'으로 표기하고 있으며[61] 명문의 독법은 아래가 참고 된다.

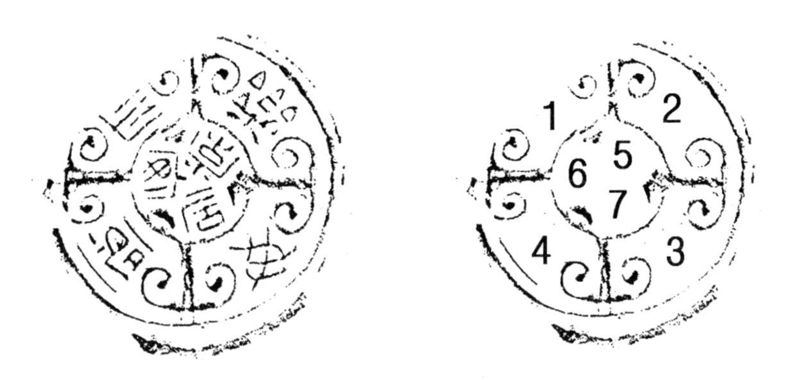

'長樂毋極常安居' 『秦漢』1471

61) 이 두 글자는 고문자에서 통용된다.

■ 中國 杜陵秦塼漢瓦博物館 소장

'千秋萬歲樂未央'

'日入百金米千石'

'千秋萬歲尙未央'

8) 8字 瓦當

‘千秋萬歲與天無極’과 ‘千秋萬歲與地毋極’와당은 지붕에 병렬로 함께 사용된 것으로 생각된다. 漢長安城에서 출토되었으며 출토당시 주연부는 모두 파손되었다. 와당의 당심 부위에는 사각으로 되어있으며 네 개의 구획으로 나눈 후 매 구획에 두 개의 글자를 배치시켰다.

『秦漢』1479 ‘千秋萬歲安樂無極’와당, 『秦漢』1482 ‘黃林千羽胡宮世昌’와당 등 2점이 문양과 함께 배치되어 있다. 『秦漢』에 수록된 13점의 문자와당 가운데 2점이 문양과 함께 배치되어 있다.

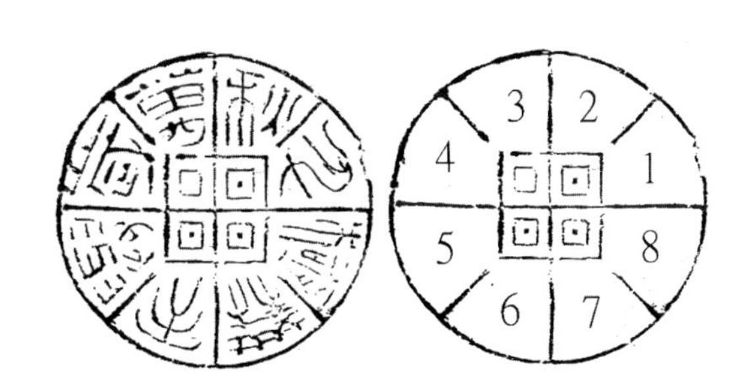

‘千秋萬歲與天無極’『秦漢』1475

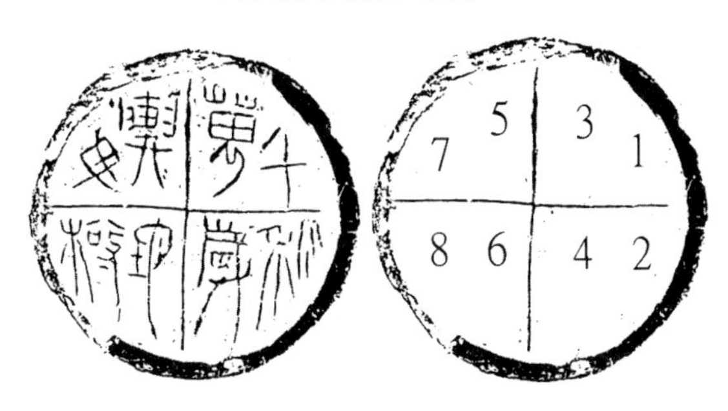

‘千秋萬歲與地毋極 ’『秦漢』1480

'千秋萬歲安樂無極'『秦漢』1479

'黃林千羽胡宮世昌 '『秦漢』1482

■ 中國 杜陵秦塼漢瓦博物館 소장

千秋萬歲與地毋極

千秋萬世長樂未央昌

千秋萬歲與地毋極

千萬歲秋富貴宜子孫

9) 9字 瓦當

'延壽萬歲常與天久長' 와당은 당면을 구획으로 나누어 문자를 배치하였다. 독법은 좌에서 아래로 비교적 정연하다. '延壽'의 두 글자는 필획에 따라 와당면을 풍만하게 채우고 있다. '萬歲常與'은 정 중앙에 위치하며 '天久長'은 좌측에 위치한다. 서한 후기 혹은 신망시기의 것으로 보아진다.

'延壽萬歲常與天久長' 『秦漢』1485

'千秋萬世長樂未央昌' 와당은 중기에 해당되는 것으로 漢長安城에서 출토되었다. 두 가지의 독법이 있는데 다음과 같다.

‘千秋萬世長樂未央昌’『秦漢』1487

‘千秋萬世長樂未央昌’『秦漢』1488

『秦漢』1481 ‘千秋萬歲富貴宜子孫’ 와당은 마고문과 함께 배치되어 있다.

‘千秋萬歲富貴宜子孫’『秦漢』1481

■ 中國 杜陵秦塼漢瓦博物館 소장

延壽萬歲常與天久長

延年延壽長樂未央昌

千秋萬世長樂未央昌

長樂未央延年永壽昌

10) 10字 瓦當

현재까지 출토된 문자와당 가운데 10자 와당은『秦漢』에 유일하게 한 점이 수록된 '天子千秋萬歲常樂未央' 와당으로 당심을 중심으로 명문이 배치되어있다.

'天子千秋萬歲常樂未央'『秦漢』1491

11) 11字 瓦當

현재까지 한대 문자와당에서 자수는 1자에서 12자까지 모두 출토되었다. 그러나 필자 조사에 의하면 60년대 이후 현재까지 11자 와당은 출토된 사례가 확인되지 않고 있다. 필자 생각으로는 11자 와당을 의도적으로 만들지 않았던 것으로 추정되는데, 이 문제는 앞으로의 출토 사례와 관련 자료에 대한 연구가 있어야 밝혀질 것으로 보인다.

12) 12字 瓦當

기존 연구에서 문자와당의 출현은 秦代 12자 와당으로 문자와당은 秦代에 이미 출현하였다는 것으로 보고 있다. 과거 秦代라고 판단한 경우 주로 출토지의 정확성이 문제가 되었다. 12자 와당은 정확한 출토지가 없고 채집되어온 것으로 실질적으로는 발굴보고서가 없는 상황이다. '12자 와당'[62]의 편년은 '○ ○출토지' 혹은 '○ ○채집' 등으로 와당의 시기를 단정짓기도 하였다. 또한 60년대 이후 섬서성 일대의 출토 상황을 보면 발굴이 활발히 된 반면 자료의 분산으로 와당 연구에 있어 많은 어려움이 있었다. '維天降靈延元萬年天下康寧'의 편년이 중요한 이유는 '아방궁 출토'라는 이유로 문자와당의 출현시기가 西漢이 아니라 秦代라고 규정을 해왔기 때문이다. '維天降靈延元萬年天下康寧'와당은 한무제시기로 문자와당의 출현은 秦代가 아니라 西漢시기로 '12자 와당'의 편년의 근거과 관련된 자료를 살펴보면 다음과 같다.

'維天降靈延元萬年天下康寧'은 문자와당 가운데 명문의 수가 가장 많은 와당으로 1978년 이후 세면에 노출되면서 秦代라고 여겨왔다. 그 이유에 관하여 상세히 언급하지 않고 단지 아방궁에서 출토되었다는 이유가 전부였다. 우리나라 연구자들도 중국 논문을 인용할 때 마찬가지로 秦代라고 인용 할 뿐 편년에 관하여 특별한 이의를 제기하지 않

62) 명문 '維天降靈延元萬年天下康寧'와당을 이하 '12자 와당'으로 약칭한다.

았다.

秦代시기로 제시하고 있는 논문들로는 다음과 같다.

1. "秦漢 12자 와당은 漢承秦制로 정치, 문화상에 있어서도 영향을 주었을 것으로 판단하고 있다. 漢代문화에는 광범위하게 보자면 秦代의 문화, 사상, 관념이 침투되어 있었는데, 와당문화도 예외는 아니었다. 秦代 아방궁 건축군에 사용된 12자 와당은 漢 長安城 建章宮유적에서도 다수가 출토되었는데, 그 형태, 자체, 구조면에서 秦代 12자 와당과 매우 유사하다. 따라서 秦代와 漢代는 12자 와당의 계승관계에 있다고 볼 수 있다."[63]

2. 직경, 와당의 제작방법 등으로 秦代의 것으로 기록하고 있다.[64]

3. 근거는 제시하지 않고 있으나 秦代의 것으로 기록하고 있다.[65]

4. 근거는 제시하지 않고 있으나 秦代의 것으로 기록하고 있다.[66]

漢代시기로 제시하고 있는 논문들이다.

1. 1978년 武庫에서 12자 와당이 출토됨에 따라 漢代시기로 기록하고 있다.[67]

---

63) 楊平,「淺談秦漢十二字瓦當」,『文物春秋』, 1996, 4期.
64) 『秦漢瓦當』, 1985, 陝西人民美術出版社, 西安市文物管理委員會.
65) 李發林,「臨淄齊故城瓦當的幾個問題」,『山東大學文科論文集刊』, 1981.2期.
66) 張旭,「秦瓦當藝術」,『文物』, 1976, 11期.
67) 吳公勤,「文字瓦當原流考」,『徐州教育學院學報』, 第17卷第4期, 2002.

2. 근거는 제시하지 않고 있으나 漢代의 것으로 기록하고 있다.[68]

3. 근거는 제시하지 않고 있으나 漢代의 것으로 기록하고 있다.[69]

4. 근거는 제시하지 않고 있으나 漢代의 것으로 기록하고 있다.[70]

5. 근거는 제시하지 않고 있으나 漢代의 것으로 기록하고 있다.[71]

이와 같이 와당을 수록하는 참고자료에는 대부분 근거를 제시하지 않고 시기만 거론하고 있다. 일부 골동품상이나 수장가들 사이에서도 편년이 빠르다는 점을 이유로 고가에 거래가 되고 있었다. 그러나 고고학 자료와 문헌, 자형의 검토를 통하여 와당편년의 재검토는 이루어져야 한다. 왜냐하면 함양이 비록 秦代의 수도이기는 하였지만, 이 지역 북쪽으로는 서한시기 帝陵 9개와 陵邑 5개가 있었으며, 漢代 陵園과 陵邑을 건조하기도 하였기 때문이다. 특히 아방궁에서 출토된 것으로 간주되어 秦代시기 와당임을 의심치 않고 받아들여지고 있지만, 아방궁 유적은 일찍이 서한시기 상림원의 일부로 사용되었던 곳이기도 하다. 따라서 아방궁에서 출토된 것으로 미루어 이 와당을 秦代시기의 것으로 보는 것에는 문제가 있다.[72]

필자는 본 고대서 기존 자료의 오류를 다시 검토할 것이며, 이 과정

68) 劉慶柱,『古代都城與帝陵考古學研究』, 科學出版社, 2000.
69) 趙叢蒼·戈父,『古代瓦當』, 1997, 中國書店, 173쪽.
70) 陳根遠·朱思紅,『瓦當留眞』, 2002, 遼寧畵報出版, 109쪽.
71) 金建輝,『中國古代瓦當紋飾圖典』, 2009, 浙江古籍出版, 253쪽.
72) 劉慶柱,『古代都城與帝陵考古學研究』, 科學出版社, 2000, 321쪽.

에서 漢代 와당 편년분류법을 통하여 '12자 와당'의 편년이 秦代가 아니라 漢代라는 점을 밝히고자 한다.

현재 세면에 출간된 '維天降靈延元萬年天下康寧' 와당과 연관된 저서를 살펴보면 다음과 같다.

73) 『陝瓦』.

[‘維天降靈延元萬年天下康寧’瓦當]

編號	瓦當	相關資料
1		出處 : 『陝瓦』74) 316 直徑 : 16.5 出土 : 西安市 西郊劉村 채집 所藏 : 陝西歷史博物館 編年 : 漢代 字體 : 小篆
2		出處 : 『陝瓦』318 直徑 : 15.8 出土 : 西安 西郊阿房宮유적부근 所藏 : 西安市文管會 編年 : 漢代 字體 : 小篆
3		出處 : 『陝瓦』319 直徑 : 16 出土 : 1974년 咸陽市東郊楊家灣채집 所藏 : 咸陽市博物館 編年 : 漢代 字體 : 小篆
4		出處 : 『秦漢』1493 直徑 : 16.1 出土 : 西安 西郊阿房宮유적부근 所藏 : 西安市文管會 編年 : 『秦漢』秦代 字體 : 小篆
5		出處 : 『秦漢』1494 直徑 : 16.7 出土 : 漢長安城유적 所藏 : 西安市文管會 編年 : 秦代 字體 : 小篆
6		出處 : 『秦漢』1495, 『陝瓦』317 直徑 : 15.7 出土 : 불명 所藏 : 安康地區博物館 編年 : 『秦漢』秦代, 『陝瓦』漢代 字體 : 小篆

編號	瓦當	相關資料
7		出處：『秦漢』1496 直徑：17.3 出土：불명 所藏：平齋 編年：漢代 字體：小篆
8		出處：『秦漢』1497 直徑：14.6 出土：불명 所藏：丑璽堂藏拓本 編年：漢代 字體：小篆
9		出處：『秦漢』1499 直徑：16.6 出土：불명 所藏：潁齋藏拓本 編年：漢代 字體：小篆
10		出處:『秦漢』1500 直徑: 16.5 出土: 漢 建章宮유적 부근 所藏: 丑璽堂藏拓本 編年: 漢代 字體: 小篆
11		出處：『秦漢』1498 直徑：15.8 出土：불명 所藏：平齋 編年：『秦漢』漢代 字體：小篆
12		出處：『秦漢』1501 直徑：16.9 出土：西安市大劉寨 所藏：紅柳精舍 編年：漢代 字體：小篆

'12자 와당'은 앞서 제시된 표에서 알 수 있 듯 여러 지역에서 출토되었다. 咸陽과 長安漢城유적[74]과 長安縣 西劉村以南[75], 阿房宮유적[76], 咸陽 東郊楊家灣부근, 장안성 武庫부근 등으로[77] 현재 섬서역사박물관, 安康역사박물관, 서안시 고고연구소, 함양시박물관 등에서 수장하고 있다.[78]

다섯 가지 와당편년을 나누는 근거를 통하여 12자 와당의 편년을 살펴보도록 하자.

① 와당의 제작방법

와당의 제작 방법은 한무제를 기준으로 나누는데, 와당 배면을 자른 흔적인 '절당'으로 秦代와 漢代로 나눈다. 절당법은 漢代에 이르러 확실한 차이를 가져오는데 절당법은 秦代시대와 西漢 초기까지만 사용되었다. 그런데 일부 '12자 와당'의 배면은 절당하지 않은 것도 있어 '12자 와당'의 제작은 절당한 것과 절당하지 않은 두 가지 방법이 모두 등장하고 있음으로, 그 편년은 서한 중후기까지도 충분히 고려할 수 있다

74) 陝西省博物館,『秦漢瓦當』, 文物出版社, 1964.
75) 陳直,「秦漢瓦當概設」,『文物』, 1963, 11期.『陝瓦』, 198쪽.
76) 『金石索』,『陝瓦』, 198쪽.
77) 中國社會科學院考古研究所,『漢長安城武庫』, 文物出版社, 2005,
78) 『陝瓦』, 198쪽.

[瓦當의 切當]

切當

不切當(한무제 이후)

② 당면의 구조

와당면에 배치된 문양은 蔓葉紋으로 글자를 애워싸고 있는데 리우칭쮸[劉慶柱] 선생의 견해에 의하면 장안성 서쪽 건장궁에서 출토된 '駘蕩宮當'와당의 형식과 유사하다고 설명하고 있다.[79] 와당면의 문양은 좌우에 간단한 만엽문과 문자 사이사이에 유정문이 배치되어 있다. 주연부 또한 秦代에서 서한 초중기까지 보이는 폭이 좁은 특징을 하고 있다.

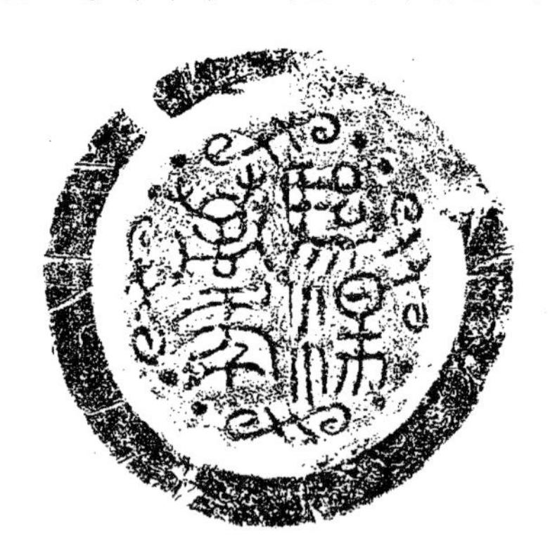

'駘蕩宮當' 『秦漢』915

79) 劉慶柱, 『古代都城與帝陵考古學研究』, 科學出版社, 2000, 322쪽.

③ 와당의 도색

와당의 도색은 소성 온도에 따라 색이 다르게 표현되는데, 漢代 문자와당의 가마 온도는 높고 구워진 흙도 견고하며 단단하다. 절당을 사용한 와당의 도색은 청회색을 띄는데, 초기 와당의 도색은 비교적 짙은 빛을 띠고 있다. 이러한 현상은 주로 문양와당에서 발견이 되는데, 필자의 조사에 의하면 문자와당의 초기와 중후기에는 청회색이 비교적 높은 비율을 차지하고 있으며, 문양와당의 경우 초기는 청회색, 중후기는 옅은 회색이 더 많은 비율로 나타나고 있다. 문자와당의 경우 초기 문자와당과 중후기 문자와당 모두 청회색이 좀 더 많은 양의 비율을 차지하고 있다. 일반적으로 秦漢와당의 도색은 이와 같이 구별이 되지만 문자와당의 경우 절대적인 것이 아님도 발견이 된다.[80] '12자 와당'은 1978년 이전의 자료는 확인되지 않고 있다. 따라서 1978년 이전에 출토된 와당은 채집된 것이거나 골동상에 의해 전해지는 것으로 판단되어 정확한 와당의 도색과 그 출처에 관해서도 불분명하다.

1978년에 보고된 『漢長安城武庫遺跡發掘的初步收穫』에 의하면 서한 武庫 유적의 서한 문화층에서 '維天降靈延元萬年天下康寧'와당이 출토되었는데, 이 지층에서는 秦代시대 유물이 발굴되지 않았으며, 서한 중기보다 빠른 초기라고 보고되어 있다. 리우칭쮸선생은 이에 관하여 서한시기의 건축군에서 秦代것으로 추정 가능한 와당은 현재까지

80) 허선영, 『중국 한대 와당의 명문연구』, 민속원, 2007, 102-104쪽.

출토된 사례가 없다고 하였다.[81]

④ 문자의 내용

한대 문자와당에 등장하는 용어는 당시 문화를 이해하는 중요한 단서와 자료를 제공해 주고 있다. '維天降靈延元萬年天下康寧' 명문에서도 『書經』과 『詩經』에 등장하는 유가 사상의 내용을 찾아 볼 수 있다.

'維天降靈延元萬年天下康寧'명문은 '維天降靈', '延元萬年', '天下康寧'으로 4자로 끊어 읽어야 한다. 『書經 · 酒誥』에는 '維天降命'의 기록이 있으며 『詩經』 '君子萬年', '壽考萬年', 『書經 · 洪範』 '五福, 一曰壽, 二曰富, 三曰康寧, 四曰攸好德, 五曰考終命[82] 등 문헌의 기록이 있는데 이러한 사료를 통하여 유가사상이 반영된 문장 형식임을 알 수 있다. 주지하다시피 진시황이 전국을 통일하고 분서갱유를 선포하면서 유가 경전을 불태우고 儒士를 몰살시키는 정책은 이미 『漢書·儒林傳』에 잘 나타나고 있다.[83] 秦代는 유가사상을 경시하는 풍토로 유가사상에 반영된 '維天降靈延元萬年天下康寧'의 용어를 사용하였다고 보기는 매우 어렵다. 반면, 漢代는 유가사상을 추종하는 시대였고 '12자 와당'에 반영된 내용은 그러한 점을 잘 나타내고 있으므로 편년은 秦代가 아니라는 것은 충분한 설득력이 있다. 또한 '維天降靈延元萬年天下康寧'에 등

81) 劉慶柱, 『古代都城與帝陵考古學研究』, 科學出版社, 2000, 322쪽.
82) 孔穎達等(唐), 『十三經注疏』, 臺北, 藝文印書館, 1993, 178쪽.
83) 『漢書·儒林傳』: "及至秦始皇兼天下, 焚'詩', '書 殺術士, 六學从此缺矣."

장하는 일부 문자의 내용에는 황제의 연호에 사용하는 '元'자가 발견이 되는데 예를 들면 한무제의 연호인 '建元', '元光', '元朔', '元鼎', '元封', '後元' 등과 昭帝연호 元鳳, 元平, 宣帝연호 元康, '成帝연호 元延, 哀帝연호 元壽, 平帝연호 元始' 등 西漢 왕들의 연호에 거의 '元'자가 포함되어 있다. 특히 무제시기 연호는 11번 바뀌었는데, 그 가운데 7번이나 '元'자가 포함되어 있다.[84]

⑤ 글자체

'12자 와당'의 字體를 통해 시대를 편년하기 위하여서는 두 가지를 고려해야 한다. 자형을 중심으로 살펴보면 秦代와 漢代 가운데 어느 시대에 해당이 되는지는 먼저 秦系文字에 대한 이해가 필요하다. 秦나라는 서주 후기에 발생된 나라로 중국 서북의 섬서와 감숙 일대에서 부흥되기 시작되어 춘추전국을 거치면서 강세한 나라로 성장을 한다. 전국 중후기에는 그 세력이 더욱더 확대되면서 東土의 각 나라들을 점령하였고, 진시황 26년에 전국을 통일하게 된다.[85] 진시황은 중국대륙을 통치하는 동시에 秦代와 부합되는 문자와 사상을 정리하는 과정을 실행하였으며, 이러한 과정을 통해 秦代문자는 발전을 거듭하게 된다. 물론 秦代문자에는 秦의 襄公이 나라를 세우고 멸망하기까지의 500년

84) 杜建民,『中國歷代帝王世系年表』, 齊魯書社, 1995, 36-37쪽.
85) 『史記 · 秦本紀』: "至周之衰, 秦興, 邑於西垂. 自穆公以來, 稍蠶食諸侯 意成始皇."

간의 기간에 秦系文字은 서주시기 문자 스타일을 어느 정도 계승하기도 한다. 가장먼저 찾아볼 수 있는 문자 자료는 '不其簋'으로 현재 중국 역사박물관에 소장하고 있으며, 보고 자료에 의하면 기원전 820년으로 추정하고 있다.86) '不其簋'명문은 서주시기 후기의 글자체와 유사함이 발견된다. 과도기에서 등장하는 명문의 글자체는 아주 유사한데 漢代 초기 문자와 秦代의 字體도 자형이 유사할 가능성이 매우 높다.

秦系文字의 발전 과정을 살펴보면 字體의 규범성 簡化된 점이 잘 드러나고 있다. 특히 전서를 살펴보면 춘추전국시기에 규정회된 방향으로 발전되다가 전국시기에 이르러서는 규범화된 경향으로 완성도를 갖추게 된다. 漢代 李斯 등이 정리한 '小篆'은 이러한 진계문자의 규범화로 완성된 글자에 변화된 규율이 적용이 되었을 것이다. 천자오롱[陳昭容]은 李斯 등이 문자를 정리한 후 漢代 관방에서 정식 공포한 문자를 소전이라 하였으며 秦代문자는 이와 상반되는 대전이라고 하였다. 즉 소전 이전 진나라 문자를 지칭하고 있는 것이다.87) 탕란[唐蘭]의 『中國文字學』에서도 大篆이란 "秦漢시기 사용된 비교적 오래된 秦系文字라고 설명한다.88) 진나라 전서를 대표하는 명문을 살펴보면 秦公鎛鐘, 秦公簋, 石鼓文, 詛楚文 등에 기록된 문자들은 大篆을 대표하는 기물이지만 소전과 비교하였을 때 그다지 큰 차이는 없다. 와당문자 또한

86) 李學勤, 『新出靑銅器硏究』, 北京:文物出版社, 1990, 285-286쪽. 「秦國文物的新認識」, 『文物』, 1980, 9期, 25-31쪽.
87) 陳昭容,『秦系文字硏究』,私立東海大學中文硏究所 博士學位論文, 1996, 128쪽.
88) 唐蘭, 『中國文字學』, 영인본, 158쪽.

와당면의 공간에서 오는 字體의 변화 현상이 자연스러우며, 이러한 현상은 전서뿐 아니라 예서, 해서, 예술체 등 字體와 와당면의 구조로 인한 영향으로 보아야 할 것이다. '12자 와당'의 자형 특징을 살펴보면 다음과 같다.

['12자와당' 상관된 자형]

楷書	와당문자					
	명문					
下	0787[89] 維天降靈 延元萬年 天下康寧	0778 維天降靈 延元萬年 天下康寧	0280 漢并天下	0760 惟漢三年 大并天下	0282 漢兼天下	0276 漢并天下
天	0786 維天降靈 延元萬年 天下康寧	0277 漢并天下	0640 與天長久	0431 與天無極		
元	0788 維天降靈 延元萬年 天下康寧	0789 維天降靈 延元萬年 天下康寧	0786 維天降靈 延元萬年 天下康寧	0561 延元萬年	0605 元大富貴	

89) 본고에서 인용한 編號는 허선영의 『중국 漢代 와당의 명문연구』, 민속원, 2007에 수록된 「漢代와당 문자표」를 참고하였다.

楷書	와당문자 명문								
年	0788 維天降靈 延元萬年 天下康寧	0779 維天降靈 延元萬年 天下康寧	0780 維天降靈 延元萬年 天下康寧	0771 維天降靈 延元萬年 天下康寧	0760 惟漢 三年大並 天下	0759 千秋下利 君長延年	0465 延年益壽	0466 延年益壽	
延	0781 維天降靈 延元萬年 天下康寧	0782 維天降靈 延元萬年 天下康寧	0788 維天降靈 延元萬年 天下康寧	0777 維天降靈 延元萬年 天下康寧	0778 維天降靈 延元萬年 天下康寧	0463 延年益壽	0465 延年益壽	0147 延年	0465 延年益壽
降	0787 維天降靈 延元萬年 天下康寧	0788 維天降靈 延元萬年 天下康寧	0783 維天降靈 延元萬年 天下康寧	0777 維天降靈 延元萬年 天下康寧	0782 維天降靈 延元萬年 天下康寧	0283 天降單于			
萬	0781 維天降靈 延元萬年 天下康寧	0782 維天降靈 延元萬年 天下康寧	0783 維天降靈 延元萬年 天下康寧	0778 維天降靈 延元萬年 天下康寧	0168 萬歲	0196 有萬熹	0488 千秋萬歲	0688 高安萬世	0685 萬歲冢當
靈	0782 維天降靈 延元萬年 天下康寧	0778 維天降靈 延元萬年 天下康寧	0788 維天降靈 延元萬年 天下康寧	0780 維天降靈 延元萬年 天下康寧	0722 泰靈嘉神	0678 泰靈嘉神			

'維天降靈延元萬年天下康寧'의 '12자 와당' 가운데 출현하는 9자[90] 와당의 글자 형태를 살펴보면 秦漢문자에서 나타나는 큰 차이를 발견하기가 어렵다. 뿐 만 아니라 '12자 와당'의 자형과 문자와당 900여점에 등장하는 와당의 글자체가 위의 도표에서 알 수 있듯 유사성이 발견된다. 위의 문자자료에서 문자와당 시기는 漢代초기에서 중기, 후기의 것도 포함되어 있는데, 예를 들면 0760惟漢三年大并天下, 0276漢并天下, 0431與天無極, 0168萬歲, 0688高安萬世 등은 서한 초기와 중기의 와당이지만, 0196有萬熹, 0685萬歲冢當, 0759千秋下利君長延年 등은 서한 중기와 후기의 것에 해당하는 문자와당이다. 이러한 자형의 유사성은 漢代 무고에서 출토된 문양과 문자와당의 와당 형태를 고려하여 볼 때 서한 초기에서 西漢 후기까지도 그 상 하한선의 폭을 충분히 넓힐 수 있다.

일반적으로 문자와당에 등장하는 글자의 특징을 살펴보면 서한 초기의 와당은 간결하면서도 정교하며 秦代의 소전형식을 어느 정도 유지하고 있다. 중기는 와당면에 사용된 字體가 비교적 넓고 안정감이 있다. 후기는 부드러우면서 자연스러움이 강조된다. 또한 서한 초기의 문자와당은 규칙적이며 정연하고, 한무제 이후에는 秦代의 원필이 방필로 변하는 경향을 보이고 있다.[91] 문자와당은 전서를 기본으로 하면서 예서, 해서, 예술체, 조충서 등 다양하게 나타난다. 漢代 문자와당은

---

90) '天'자가 두 번 중복되고 있다.
91) 허선영,『중국 漢代 와당의 명문연구』, 민속원, 2007, 108쪽.

특정한 시기에 사용된 것이 아니라 400여년 이상 사용되어 왔기 때문에 字體 만으로 와당을 편년하는 것은 좀 무리가 있다. 문자와당 가운데 같은 시기에 사용된 사례를 찾아보고, 또 문자의 일부 편방에서 어떠한 규칙을 발견할 수 있는지를 '12자 와당' 명문과 비교하여 볼 수 있는데 『秦漢』에 수록된 '天子千秋萬歲常樂未央' 와당은 예서로 안정적이며 예서의 방필이 주된 특징이다. 한무제 이후에 제작된 것으로 예서로 된 문자와당이다. '12자 와당'의 글자체는 불규칙적인 것과 규칙적인 면이 동시에 나타나고 있다. 또 예서의 흔적과 편방의 이동도 함께 나타나고 있다. 이러한 점은 와당은 내외적 구조로 인한 글자 형태의 변형인 것이다. 『秦漢』1294 '延壽長久'와당의 '延'자와 '12자 와당'의 '延'자와 유사하지만, '延壽長久'와당의 기타 세 글자 또한 와당의 구조에 따라 조금씩 변형을 주었다. 따라서 字體를 통한 편년 과정에서 秦漢시대 과도기에 출현하는 문자와당은 출토지와 제작 방법, 명문의 내용 등 복합적으로 적용시켜야 할 것이다.

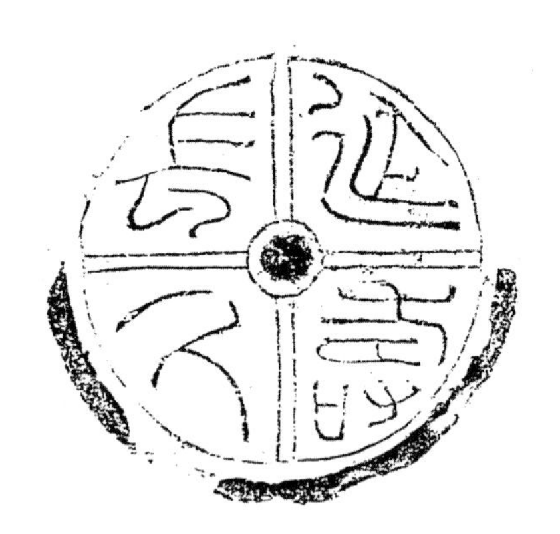

'延壽長久' 『秦漢』1294

'武庫'에서 출토된 '維天降靈延元萬年天下康寧'와당을 살펴보면 이 와당은 秦代 가 아니라 한대시대에 제작되었음이 좀 더 명확해 진다. 과거, 이 와당을 秦代의 것으로 보았던 가장 큰 근거는 와당의 출토지였다. 기존의 출처를 살펴보면 아방궁에서 출토 혹은 채집되어져 온 것이라고 알려져 秦代의 것으로 보았지만, 아방궁은 한무제시기 증축된 상림원 부근에 위치하고 있으므로 출토지에 따른 편년근거는 불충분하다. 필자가 의구점이 남는부분은 당시 아방궁이 존재하였는가의 문제이다. 중국사회과학원 고고연구소 秦阿房宫 고고학발굴 책임자 리슈팡[李毓芳]선생은 아방궁 발굴과정에서 项羽가 불에 태워버렸다는 아방궁 유적이 확보되지 않고 있다고 밝히고 있다. 그는 만일 아방궁이 불태워진 것이라면 불에 탄 흙이[红烧土] 가 있어야 되는데, 아직까지 이 일대에서는 이와 같은 흙이 발굴되지 않았다고 하였다. 또한『사기』에 기록된 항우가 불태운 '秦宫室'이 그동안 아방궁으로 간주되어 왔지만 항우가 불태운 곳은 진의 咸阳宫이라는 견해를 밝히고 있다.[92]

92) http://www.sina.com.cn 2003年12月11日猴:45. 据专家介绍，从目前发掘的情况来看，考古人员一直没有找到碳灰的痕迹，因此专家初步断定，阿房宫并非毁于大火。同时，考古人员在发掘过程中一直没有发现一块秦代也就是当时的瓦当或瓦当残片，因此专家推测，秦代的阿房宫很可能没有完工就遭到了破坏。这次阿房宫遗址考古发掘是由中国社会科学院考古所和西安市文物保护考古所联合组织发掘的，从去年10月开始，考古人员首先从阿房宫前殿遗址进行考古勘探，截至目前勘探面积已经达到20万平方米。而此前考古人员在秦咸阳宫（秦始皇在咸阳仿造六国宫殿建造的庞大建筑群）发掘中，却发现了大量的红烧土，证明了这里的秦代宫殿确实被火焚过。“我们应该给项羽平反！”因为，未发现红烧土证明项羽并没有烧过阿房宫。再次审视司马迁的『史记』，专家发现，司马迁说项羽烧的是

초보적인 출처를 밝히는 '12자 와당'의 출토지에서 '아방궁 출토' 혹은 '○○○채집' 등으로 표기하여 연구자들에게 혼동을 불러일으키기도 하였다. 그러나 '12자 와당'이 아방궁에서 출토되었다는 당시의 발굴 보고서는 현재 찾아 보기 어려운 상태이고 구전으로만 전해진다. 따라서 자료를 인용하는 일부 논문에서도 이와 같이 소개하는 정도에만 그치고 있다. 이런 가운데 무고에서 출토된 '12자 와당'의 출토는 秦代가 아니라 漢代시대로 증명하는 증거자료가 확보된 것이다. 武庫는 한무제때 건조된 것으로 이때 제작된 와당은 초기에서 중기에 해당된다. 당시 보고서에 의하면 '12자 와당' 8점이 출토되었다고 보고하고 있다.[93] 漢代 장안성은 지금의 섬서성 서안시 서북 근교로 행정상 미앙 지역의 六村堡鎭과 미앙궁과 漢城의 두 개의 지역으로 나눈다. 무고는 병기를 저장하는 창고로써 장안성 내에 위치하고 있으며 서한시대 중앙정부에 직접적인 제약을 받는 精良병기 창고로써 군사의 중요지이기도 하다. 京師를 보호할 뿐 아니라 전국의 안전과 수비를 지키는 중요한 작용을 하기도 하였다. 사서에 의하면, 무고는 한고조 7년 (기원전 200년)에 건조되었다고 전해지며, 위치는 장안성 남부의 미앙궁과 장락궁 사이라고 전해진다. 발굴조사에 의하면, 무고의 지리적 위치가 지금의 미앙궁 街道와 大劉寨村의 동쪽의 높은 곳에 자리하고 있어 사서에 의한 기록과 부합됨도 확인된다.[94]

"秦宫室", "秦宫室"原来是指秦咸阳宫而非阿房宫.

93) 中國社會科學院考古硏究所,『漢長安城武庫』, 文物出版社, 2005, 64-65쪽

94) 中國社會科學院考古硏究所,『漢長安城武庫』, 文物出版社, 2005, 1쪽.

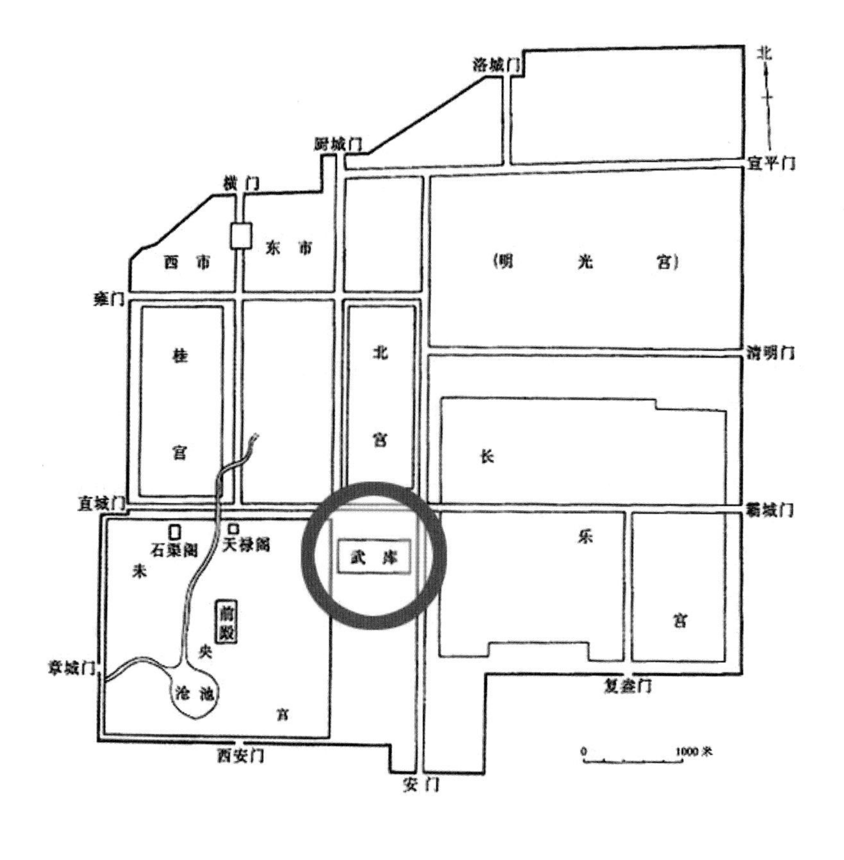

武庫位置圖

1978년부터 1980년 사이 중국사회과학원에서는 대대적인 발굴 조사를 실시하였는데, 그 가운데 '12자 와당' 8점이 출토되었으며, 보고서에는 다음과 같은 2점만이 수록되어 있다

[무고출토 '維天降靈延元萬年天下康寧' 와당]

와당의 직경 : 15.5㎝
와당 높이 1.6㎝

와당의 직경 : 13.3㎝ (주연부 파손)
와당의 높이 : 1.6㎝

위의 두 점의 문자와당에서 특히 '萬'자 중앙 편방이 기존 '12자 와당'을 秦代시대라고 보고 있는 와당의 탁본과 동일한데, 특히 이 자형은 '+'가 아니라 '×'형태로 秦漢시대 자형에서 유사하게 사용되고 있다. 뿐 만 아니라 '延'자 또한 앞에서 열거한 문자표의 문자 와당과 그 자형 형태가 거의 비슷하다.

1978년 이후 武庫에서 출토된 이와 같은 자료를 통해 '12자 와당'의 편년은 秦代가 아니라 西漢 초기부터 시작하여 한무제시기까지 보아야 한다.

결과적으로 '12자 와당'의 와당제작에 있어서도 切當과 不切當 모두 사용되어었으며 도색은 청회색이 위주이며, 명문 내용은 유가 사상을 반영하고 있는 '12자 와당'은 한대시기 와당이다.

■ 中國 杜陵秦塼漢瓦博物館 소장

維天降靈延元萬年天下康寧

2. 文字兼紋樣瓦當

1자에서 12자에 이르기 까지 문자와 함께 배치되는 문양은 雲紋, 聯珠紋, 瑞鳥, 同心圓, 梯形, 樹木, 龜紋, 蔓葉紋, 四葉紋, 動物紋, 網紋 등 대략적으로 11가지 형태가 등장한다.

이 가운데 雲紋의 수량이 가장 많으며 聯珠紋, 瑞鳥의 순서로 나타나고 있다. 聯珠紋은 雲紋 다음으로 많은 양을 차지하고 있지만 聯珠紋은 단독으로 배치되지 않으며 雲紋, 網紋, 격자문, 사엽문 등 다른 문양과 함께 삽입되는 형식으로 등장한다. 따라서 聯珠紋은 기타 문양을 보조하는 형식으로 등장하며 漢代 와당 문양의 주된 문양대로 판단하기에는 무리가 있다.

『秦漢』에 수록된 800여점의 문자와당(문양겸 문자와당 포함)가운데 문양과 문자가 함께 배치된 와당은 약 211여점으로 길상명문과 함께 등장한다. 좀 더 상세히 살펴보면 聯珠紋+雲紋 = 43점, 聯珠紋+網紋+雲紋 = 13점, 聯珠紋+격자문 = 22점 등이다. 雲紋은 聯珠紋 다음으로 가장 많은 양이 문양겸 문자와당에 등장한다. 雲紋이 단독으로 출현하는 경우도 있으나 대부분 聯珠紋, 網紋, 사엽문 등 기타 문양과 함께 출현하고 있다. 瑞鳥의 경우 문자와 함께 등장하는 경우도 문양와당 가운데 세 번째로 많은 양을 차지하고 있다. 또 만엽문의 경우 문양와당에 출현하는 것보다 문자에 배치되어 함께 출현하는 경우가 더 많은 것으로 확인이 된다. 이와 같이 문자와당은 11종류의 문양들이 배치되고 있다.

1) 雲文이 배치된 길상명문와당

雲紋은 雲氣紋이라고도 하며 선을 이용하여 굴곡의 형태로 표현을 하는데 이 과정에서 경쾌와 유동성을 발견하게 된다. 雲紋은 高升如意와 吉祥美好를 상징하며 청동기, 벽화, 와당, 칠기, 직물 등의 문양에 사용이 되고 있다.

구름은 자연계에서 가장 흔히 볼 수 있는 것으로 중국고대 전통 관념에서 구름은 천공에서 움직이고 있기에 하늘을 대표하고 있다고 믿었다. 또한 구름은 신선이 타고 다니는 도구로 여기기도 하며 만물을 적셔주는 비의 근원이 된다. 따라서 구름은 줄곧 길상적 의미를 지닌 祥雲瑞日을 대표하는 것으로 여겨왔다.

『楚辭·九歌·雲中君』 王逸注에 따르면 "雲神豊隆也, 一日屏翳"라 하였는데, 屈原은 「雲中君」편에서 雲神을 祭祀하고자 하였던 것으로 '屏翳'은 즉 '雨師'로 비를 주관하는 신이다. 구름 가운데 사다리 꼴로 보는 '雲梯'라 하여 신선이 하늘로 오를 때 사용한 도구이다. 晋郭璞의 「遊仙詩」에 따르면 '天梯'라는 용어가 등장을 하는데 신선이 하늘로 오르는 것으로 구름위에 있기에 천제라 하였으며 구름의 신선기운은 길상의 상징적인 기초가 되었다. 또 구름은 하늘 위에 존재하고 있으며, 그 변화를 예측할 수 없으며 古人은 구름의 특정한 형상 혹은 색을 따라 인

간세계 길흉의 징조로 보았다. '靑雲'이란 용어도 이와 같은 의미에서 출현이 되었던 것이다.[95)]

雲紋와당은 중국 전역에서 모두 발굴이 되었으나 공통적으로 띄는 현상은 전국시대 중기의 것으로 그 형식은 거의 유사하다.[96)] 秦漢시대 雲紋와당 천여 점을 비교 분석한 결과 雲紋이 어떠한 문양의 영향으로 발전되었는가를 輪輻紋과 葵紋의 형태에서 찾을 수 있었다. 앞에서 기술한 바와 같이 輪輻紋은 雲紋의 초기 형태로 秦代시대 이후에는 거의 나타나지 않고 葵紋은 秦代에서 漢初까지 매우 흥성했던 와당 문양이다. 그러나 雲紋은 漢初부터 유행하게 되어 兩漢 400여년간 유행하였다. 따라서 雲紋은 漢代와당의 대표문양이라 할 수 있고, 와당에 나타나는 雲紋의 종류를 살펴보면 卷雲紋, 羊角形雲紋, 蘑菇形雲紋, 反雲紋, 變形雲紋 등이 등장하고 있다. 이러한 雲紋의 종류는 漢代 와당문양의 편년을 분류하는 중요한 근거가 되고 있다.[97)]

漢代에 유행한 雲紋와당은 秦代에 문양에서 영향을 받았다. 雲紋의 기원은 대략 戰國후기에 나타나며, 秦代에 이르러서는 좀 더 발전된 문양 체제로 변화를 하는데, 陝西지역의 秦漢 유적지에서 이러한 와당이 보편적으로 출토가 되었다. 雲紋을 주제로 한 와당은 모두 光亮하

95) 沈利華, 錢玉蓮,『中國吉祥文化』,內蒙古人民出版社, 2005,446쪽.

96) 陳根遠,朱思紅,『屋檐上的藝術』, 四川教育出版社, 1998, 62쪽; 趙力光,『中國古代瓦當圖典』, 文物出版社, 1998, 9쪽; 盧建華,「雲紋瓦當與秦漢建築思想」,『文博』, 2001-6.

97) 허선영,「漢代雲紋와당의 편년연구」,『중국사연구』, 2006, 30쪽.

며 明快한 느낌을 준다. 秦漢의 宮殿 건축에서 祥雲繚繞의 형태는 건축과 와당문양이 어우러지게 표현되고 있음을 증명해 주고 있다. 또 求仙升天의 思想과도 관계가 깊은 것은 당시의 '祈求太平'과 '永受嘉福'의식의 반영인 것이다.

雲紋과 길상명문이 함께 배치된 와당에는 다양한 형태로 출현하고 있는데 그 내용은 다음과 같다.

雲紋+길상명문, 雲紋+網紋+길상명문, 雲紋+연주문+길상명문, 雲紋+거치문+길상명문 등이 출현되고 있다.

① 雲紋+길상명문

『秦漢』857
大吉/서한후기–동한

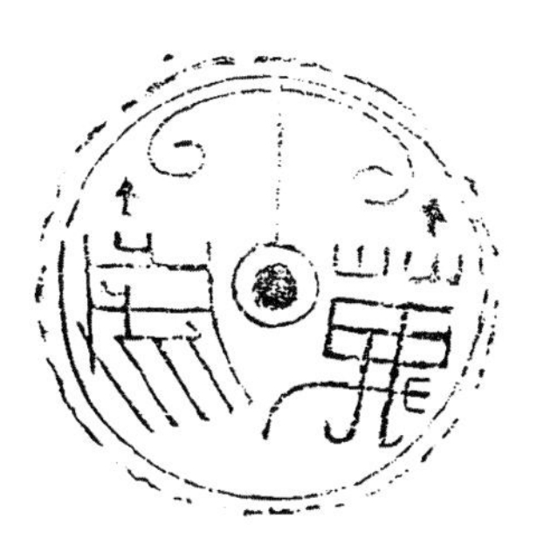

『秦漢』867
萬歲/서한후기

『秦漢』1169
千秋萬歲/서한후기

『秦漢』1203
千秋萬歲/서한후기

『秦漢』1209
千秋萬歲/서한후기

『秦漢』1212
千秋萬歲/서한후기

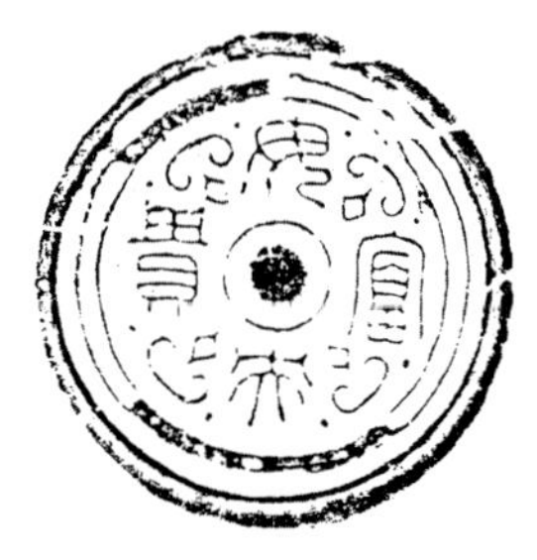

『秦漢』1356
毋央富貴/서한후기

『秦漢』1358
長樂富貴/서한후기

『秦漢』1479
千秋萬歲安樂無極/서한후기

『秦漢』1481
千秋萬歲富貴宜子孫/서한후기

大吉, 萬歲, 千秋萬歲, 長樂富貴 등 모두 길상적 의미로 雲紋과 함께 배치되어 있다. 雲紋이 길상명문과 함께 배치되는 경우는 문자겸 문양와당 가운데 가장 많은 양을 포함하고 있는데, 漢代 사상과 직접적 연관이 있다.

② 雲紋+網紋+길상명문

『秦漢』893
宜富貴/서한후기

『秦漢』771
棫陽/동한

『秦漢』783
宣靈/동한

③ 雲紋+연주문+길상명문

『秦漢』918
召陵宮當/서한후기

『秦漢』964
女陰宮當/서한후기

聯珠紋은 원형 안에서 작은 구슬이 연결되어 있다하여 얻어진 명칭으로 원형을 중심으로 기러기, 새, 학 등의 문양이 함께 배치되어 있다. 聯珠紋이 단독으로 출현되는 경우도 있으나 주로 대칭을 이루어 가며 출현하는 경우가 많다. 이러한 聯珠紋은 漢代 와당, 직물, 벽화, 天花 등에서 많이 발견된다.

④ 雲紋+鋸齒文+길상명문

『秦漢』1178 千秋萬歲/서한후기

거치문은 와당의 시대를 편년하는 중요한 문양이다. 거치문이 가장 많이 출현하는 경우는 한대 동경으로 대부분 鋸齒紋이 발견되고 있다. 와당의 경우 鋸齒紋의 사용은 비교적 늦은 시기로 그 편년을 추측할 수 있다.

앞에서 분류한 것처럼 雲紋이 명문과 기타문양과 함께 출현하는 경우를 네 가지 유형으로 나누어 볼 수 있는데, 雲紋은 길상 명문과 마찬가지로 그 상징성이 같지만 網紋, 鋸齒紋, 聯珠紋의 경우 길상의 의미를 내포하고 있는지 좀 더 많은 자료의 방증이 확보되어야 할 것이다.

2) 瑞鳥가 배치된 길상명문와당

漢代와당에 등장하는 새 문양이 정확히 어떠한 종류의 새인지 정확한 식별은 어려움이 있어 길상의 '瑞鳥'라는 명칭으로 사용하고자 한다. 瑞鳥는 靈禽이라 하여 고대 건축의 길상도안에서 자주 볼 수 있다. 길상의 의미로 喜慶을 나타내고 있다. 瑞鳥 가운데 가장 많이 등장하는 것은 仙鶴으로 학은 신화나 민간전설, 도교설화에서 신선이 타고 다니는 도구의 역할로 등장한다. 따라서 도교건축, 궁궐건축, 민간건축 등 仙鶴을 소재로 만든 길상도안이 등장한다. 鶴紋이 가장 먼저 등장하게 된 곳은 도교건축의 장식으로 도교가 유행하는 시기에는 민간건축에서도 鶴紋의 도안이 출현하게 된다. 문헌에서 仙鶴이 출현하는 경우를 『詩經·小雅·鶴鳴』에서 그 기록을 찾을 수 있는데 "鶴鳴于九皋, 聲聞于天"라 하는 학과 관련된 가장 빠른 기록이다. 학은 장수의 상징으로 雙鶴의 형식으로 등장하는 경우가 많다. 『淮南子 · 設林訓』에 의하면 "鶴壽千歲, 以極其遊"라 하여 鶴이 千歲를 누리는 것을 알 수 있고, 명청시대의 건축에서는 소나무와 연관지어 학문양이 함께 등장하기도 한다.[98]

瑞鳥가 길상명문에 출현하는 경우는 세 번째로 나타나는 길상문양이다. 그 수량은 雲紋과 聯珠紋에 비해 많지 않지만 서조의 출현인 경우 당심에 단독으로 출현(秦漢 1188, 1284, 1306, 1314)하는 경우와 여러 문양과 함께 출현(秦漢 1308)하는 경우가 있다. 탁본 1188은 조충서

---

98) 商子莊,『吉祥圖案識別圖鑑』, 新世界出版社, 2009, 65~67쪽.

로 小篆 '千秋萬歲'에 새 문양으로 변화를 주었다. 탁본 1284는 鶴紋 이며, 탁본 1306과 1308은 鳳凰과 유사하다. 탁본 1314는 한 마리 새의 몸체에 날개를 대칭으로 펴고 있는 모습과 유사하기도 하지만, 鶴獻蟠桃의 문양으로 蟠桃와 仙鶴의 구조로 된 장수와 기복의 의미로 건축 장식에서 사용한 것으로 사료된다. 비록 와당면에서 蟠桃의 흔적은 찾기 어려우나 鶴獻蟠桃의 문양을 상징하는 仙鶴을 배치한 중요한 정보를 제공해 준다.

『秦漢』1188
千秋萬歲/서한후기

『秦漢』1284
千秋萬歲/서한중기-후기

『秦漢』1306
始造富貴/서한후기

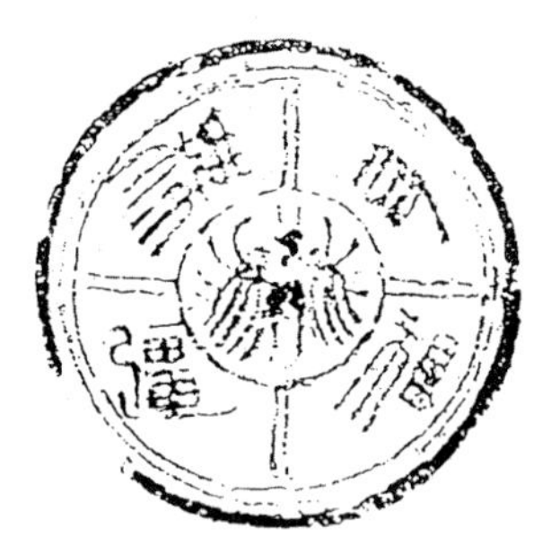

『秦漢』1314
阜福無疆/서한후기

『秦漢』1308
長樂富貴/서한후기-동한

3) 樹木이 배치된 길상명문와당

수목은 주로 人, 獸, 馬 등의 문양과 함께 대칭을 이루면서 출현한다. 馬, 畜,獸 등 목축이나 사냥과 연관된 것으로 생활 상에서 종종 볼 수 있는 문양들이 출현하는 경우가 대부분이지만, 수목아래 人物이 출현하는 경우도 있다. 수목과 鶴紋, 鹿紋이 함께 배치되는 것은 道家神仙術과 연관이 있는 것으로 神仙은 학이나 사슴을 타고 다니는 것과 연관이 있다.[99]

수목문이 배치된 漢代와당은 두 종류의 형태로 등장한다. 『秦漢』1252는 수목만 와당에 출현하고 있지만, 『秦漢』1308와당에는 수목을 비롯하여 瑞鳥, 柿蒂紋, 輻射紋 등 네 가지의 문양이 명문과 함께 배치되어 있다.

『秦漢』1252
千秋萬歲/서한후기

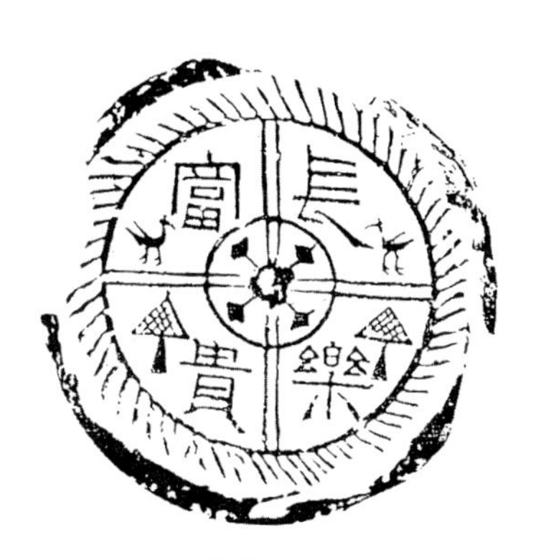

『秦漢』1308
長樂富貴/서한후기-동한

99) 諸丁郭, 葛廉,『中國紋樣辭典』, 天津教育出版社, 1998, 290쪽.

3. 음양오행과 신선방술

한대 유행된 음양오행이나 신선방술사상이 雲紋과 어떠한 관련이 있는 것일까? 이러한 문양들이 왜 한대와당에 자주 등장하는 것일까?

구름을 문양화하여 사용한 것은 商周 청동기에서 쉽게 찾을 수 있다. 구름의 굴곡을 이용해 문양을 만들었던 것은 서주시기 이후 명 청에 이르기 까지 동경, 칠기, 직물 등에서 자주 등장하는 문양이다. 한대 와당에서 가장 흔히 보이는 문양도 卷雲紋이다. 卷雲紋은 와당면에서 사등분하여 배치되는데 매 문양은 첫 획에서 卷曲을 주게 된다. 이러한 도안은 韻律, 美感이 풍부하여 상징성을 전달하는 매체인 동시에 심미적으로 아름답게 형상화 할 수 있다.

서한초기 (기원전 206년) 통치사상의 필요와 사회 안정으로 漢高祖는 두 번의 국사를 크게 논의를 하게 되는데 '用賢使能'과 '攻守異體'를 주장하는 논지를 펴게 된다. '攻守異體'에서는 유가, 법가, 도가 등을 기초로 하는 黃老道家無爲의 정치술을 펴게 된다. 당시 사회는 休養生息이 필요하였고, 여기에서는 자연무위의 황노술을 주장하는 漢代 초기의 사회상을 찾아 볼 수 있다. 道家의 無爲는 漢初의 정치사상의 기틀을 만들게 되었으며, 文景之始에는 황노사상이 정착을 하게 된다. 竇태후는(~기원전135) 황로사상을 가장 추종하는 인물로 이 시기는 황로사상의 전성기가 된다. 한무제초기(기원전 140년)에 이르러서 상황은 다소 바뀌게 되는데 무제는 有爲의 유가를 받아들이면서 기원전135년 竇태후의 사망으로 無爲를 주장하는 도가사상이 정치 문화상에 있어서 막을 내리게 된다.[100)]

고대사회에서 문화의 흐름과 유행은 왕권교체와 동시에 추종되는 대상에서 시작되어 대중화로 유행을 하게 된다.[上有好者, 下必甚焉] 漢代의 황노사상과 독존유술 정책은 비단 漢代 정치, 문화 뿐 아니라 예술의 영역에서도 자연스레 흡수하게 된다. 특히 와당은 궁궐 건축문화의 하나로써 중요한 건축의 실용적 측면을 보완하는 소재였다. 가옥의 가장 높은 곳, 하늘과 만나는 와당의 위치에서 문양과 명문내용으로 漢代 문화 사상의 맥이 흐르고 있다.

漢代문화는 유가와 도가를 중심으로 유가에서 주장하는 禮樂, 仁義, 忠恕, 奉行, 中庸의 이치와 王道를 제창하고 仁政과 德治를 주장하는 윤리도덕을 중요시 하는 인문주의 철학에 기초를 두고 있다. '道法自然'과 '天道無爲', '萬物自然化生'을 기본으로 주장하는 자연주의 철학에서는 고대 神權主宰와 우주 神創設을 부정하며 봉건 종법문화의 의식과 비판을 표명하기도 한다.[101)] 漢代사회는 음양오행설을 포함하여 神仙方術과 讖緯 관념이 유행하는데 이러한 사상적 배경에 따른 반영

---

100) 肖宏發,『中國傳統文化藝術』, 廣西民族出版社, 2009, 87~89쪽.
101) 楊樹增,『漢代文化特色及形成』, 人民出版社, 2008, 816쪽.

은 와당문양 뿐 아니라 기타 漢代 기물에도 잘 반영되어져 있다. 이에 관하여 거쟈오꽝(葛兆光)[102]은 '일반적인 지식, 사상, 신앙의 역사관점'은 사상에 따른 문화의 반영이라고 설명하기도 한다. 이와 같이 토속 신앙에서 이루어지는 규범은 사람들의 일상적인 생활상에도 반영되고 있으며 조형 실천에 대한 잠재적인 模寫에도 나타나고 있다. 漢代 많은 기물에 雲紋이 등장하는 것도 이 같은 사상적 배경 속에 대한 연민, 상상, 희망일 것이다. 꾸제깡[顧頡剛]의 『漢代學術史略』에서 음양오행 관념은 '漢代인의 사상적 뼈대'라고 설명한다.[103] 전국시기 이후 제자백가 사상의 논쟁은 진시황 통일 이후 흡수, 배타적으로 융합이 된다. 남방 초나라 지역에서 흥성한 陰陽學과 東方, 北方의 殷代의 五行思想, 周문화의 中行思想 종법의 윤리도덕 관념의 융합은 漢代 사상을 탄생시켰던 당대의 원시종교와 연관성이 있을 것이다. 쬬우옌[雛衍]은 우주 만물의 水, 火, 金, 木, 土는 모두 오행에 속해 있으며 오행을 중심으로 이루어지고 있다고 주장한다. 이로 인해 사물 또한 이동 변화되는 것으로 미래를 예측할 수 있다고 주장을 한다. 왕조의 교체 또한 이러한 원리를 따라서 黃帝시기의 土德, 夏王朝의 木德, 殷王朝의 金德, 周王朝의 火德으로 하늘이 그들에게 나라를 건국하게 하였다고 믿었다. 秦

102) "사상과 예술은 때로는 일종의 소수의 지식분자들이 훈련하는 장소에 이용이 된다. 이러한 훈련을 그들은 사회와 생활상에서 진정한 사상으로 때로는 생활과 사회의 한 사람으로서 우주에 관한 지식과 해석을 하고 있다. 따라서 완전하거나 精英한 경전속의 것들은 아닐 것이다." 葛兆光, 『中國思想史』, 復旦大學出版社, 2001, 11~12쪽.

103) 顧頡剛, 『漢代學術史略』, 東方出版社, 1996, 1~2쪽

王朝는 水克火의 水德을 강조하며 정통성을 유지하였다.[104] 水를 중심으로 사계절을 표명하는데 겨울을 대신하며 黑色을 주장하며 숫자 六을 대표로 하게 된다. 漢王朝는 水克土의 土德을 강조하며 정통을 유지한다. 이와 같은 음양오행은 당시 기물의 문양에 중요한 작용을 하게 된다.[105]

이러한 天象 관념은 고대 건축면에 있어서도 변화를 주게 되는데, 건축방향의 동남사이를 두고 서북의 위치와 時令의 춘하추동과 배합하여 천자는 '木, 火, 土, 金, 水'오행의 운행으로 天人相應하에 움직이게 된다. 이러한 음양오행은 동중서의『春秋繁露』에 나타나는 기본 원리를 따르고 있으며 漢代인들의 심리와 생활 속에 깊게 뿌리내려 진다. 그 대표적인 예로 漢代 사신와당의 四靈은 방위를 표명하는 관념을 가지고 있다. '四靈'으로 용, 봉황, 거북, 기린으로 기복을 염원, 기탁하는 의미로 중국 길상물의 천지 가운데 가장 먼저 등장을 한다. 6000년 전 河南 앙소문화 유적의 조개껍질 더미에서[蚌賣堆] '中華第一龍'이 발견이 되었으며, 절강하모도 유적에서 鳥紋이 발굴됨에 따라 '丹鳳朝陽'의 원시형태가 출현을 하였다. 은대에는 '靈龜'로 길흉을 점복 하였으며, 춘추전국시기에 기린이 출현함에 따라 사령 가운데 가장 늦게

104) 秦文公은 일찍이 鄒衍의 '五德始終設'을 받아드리면서 水德제도를 펼친다. 이러한 사상은 당시 기물의 색(黑色)으로도 출현하였으며, 한고조와 한무제는 수덕에 근거하여 土德을 받아드리면서 당시 기물의 색으로 표현하게 된다.『禮記』에 의하면 : "明堂之制, 周旋以水, 水行左旋以象天, 内有太室象紫宫, 南出明堂象太微, 西出总章象玉潢, 北出玄堂象营室, 东出青阳象天市."

105) 王行建, 孫于久,『細說漢代二十八朝』, 京華出版社, 2005, 143-144쪽.

출현을 하게 된다. 漢代이후에는 꽤 오랜 기간 동안 유행을 하게 된다.

神仙方術이 유행하는 漢代시대에는 인류문명의 진보가 생명과 불과분의 관계에 놓아 있다는 관념이 강하게 작용하였다. 또 죽음이라는 것은 古人에게는 아주 강한 신비성을 가지게 된다. 죽음은 누구든지 면할 수 없기에 사후세계에 대한 환상을 가지게 되었다. 漢代의 厚葬제도도 사후세계와 현세가 같다는 것을 내포하고 있으며 장생불노에 대한 염원 또한 갈망하여 각종 여러 도안이나 문구에 장생불노와 연관된 내용들이 등장하게 된다.

漢代의 신선관념은 漢代 신선방술의 방대한 사상을 배경으로 하고 있으며 漢代는 '重鬼好祀'로 신비 낭만의 시대였다. 한무제는 일생동안 鬼怪神仙을 쫓았다고도 한다. 통치 집단의 이 같은 관념은 漢代 厚葬제도를 선도하였으며, 漢代 생활 곳곳에 반영 되고 있다. 장홍[張弘]의 『漢代「郊祀歌十九章」的遊仙長生主題』에는 한무제가 장생을 추구하였으며 신선을 쫓았다는 기록이 있다. 한무제가 방술사의 말에 따라 甘泉山에 별궁을 짓고 귀신을 불러왔다는 기록은 漢代 神仙方士를 중용하고 郊祀의 예를 갖추었다는 점을 짐작할 수 있다.[106]

漢代 '罷黜百家, 獨尊儒術'로 유가사상에 神學이 등장하면서 災殃祈福을 예시하는 상황까지 이르게 된다. 이러한 시대적 배경에서 '符瑞'가 등장하게 되는데 符書를 통해 祥瑞를 예측할 수 있었다. 『史記·封禪

106) 張弘, 「漢代'郊祀歌十九章'的遊仙長生主題」, 『北京大學學報』, 1996, 第4期, 77쪽. 王振覆, 『宮室之魂』, 覆旦大學出版社, 2001, 72쪽.

書』에 의하면: “未有睹符瑞見而不臻乎泰山者也”라 하였으며, 『漢書 · 劉輔傳』의 「上成帝書」에 따르면: “臣聞天之所與必先賜以符瑞, 天之所必先降以災變,此神明之征應,自然之占驗也”라고 하였다. 漢代에는 자연계에서 출현하는 어떠한 현상을 통해 길상의 징조를 찾으려 하였는데 이것을 ‘瑞’라 칭하였다. 왕충[王充] 『論衡·指瑞』에 따르면: “王者受富貴之命.故其動出現吉祥異物,見則謂之瑞.”의 기록을 통해 당시 ‘瑞’의 개념은 제왕만이 누릴 수 있는 것이었으며 하늘에서 내려오는 祥瑞에 따라 군자는 天下의 德을 보는 것을 마땅하게 여기게 되었던 것이다.[107]

중국 園林은 秦代시기 발전을 시작으로 한무제 이후 원림문화는 급속히 발전을 하기 시작한다. 진시황은 신선방술을 좋아하였으며, 이 같은 영향은 漢代에도 계속되어져 왔다. 『三輔黃圖』에 의하면 : “한무제 초기에 상림원을 재건하였으며, 각 지역에서 수 천 여종의 果草를 받쳤다.”고 한다.[108] 또한 한무제는 계속된 宮殿樓觀의 건축으로 새로운 원림문화를 이끌기도 하였다. 뿐 만 아니라 신선방술을 좋아하였으며 長安의 서쪽 建章宮안에 太液池를 건조하였으며, 蓬萊, 方丈, 壺梁, 瀛洲 등의 산을 池水에 쌓아 神仙聖水의 상징적 의미로 삼기도 하였다. 한무제의 이러한 의도는 당대의 문화사를 엿보는 자료 뿐 아니라 중국 고대 원림문화의 규범을 갖추게 되는 기초적 사고와 건조방법이 되기

---

107) 沈利華, 錢玉蓮,『中國吉祥文化』, 內蒙古人文出版社, 2005, 9~14쪽.
108) “武帝初修上林苑, 群臣遠方各獻名果異草三千餘種.”

도 하였다.[109] 고대사회에서 園林의 설립 목적을 살펴보면 도교적인 색채가 짙게 나타난다. 도교에서 추구하는 최종적 목적은 飛身成仙으로 비교적 추상적이고 상징적인 활동영역 추구한다. 班固의 『西都賦』 長安宮의 묘사에서 "離宮別館, 三十六所, 神池靈沼, 往往而在,……其宮室也, 體象乎天地, 經緯乎陰陽, 據坤靈之正位, 倣太紫之圓方, 樹舯 天之華闕,……淸涼宣溫, 神仙長年." 秦漢시대 당시 사람들의 상상에서 신선의 거주지는 이와 같이 묘사하였다.

도교건축에 등장하는 문양도 마찬가지로 해석된다. 도교 건축의 평면구조 조합의 두 가지 형식을 추구하는데 좌우대칭의 전통적인 수법과 오행 팔괘의 위치에 따른 건축구조의 신비주의 색채가 짙게 깔려 있다. 특히 도교 건축장식의 吉祥如意, 延年益壽, 羽化登仙 등의 사상은 日月星辰, 山水巖石 등을 이용하여 光明普照 ,堅固永生을 추구함으로 扇 ,魚, 水仙, 仙 ,福, 祿, 喜, 吉, 天, 豊, 樂 등의 표상이며, 松柏, 靈芝, 龜, 鶴, 竹, 麒麟과 龍鳳 등은 우정을 비롯하여 장생, 군자, 벽사와 길상 등을 표상한다. 궁, 원, 원림 등은 도교 건축에서 뿌리를 내리며 맥을 이어져 왔는데 그 가운데 특히 園林은 도교양식에서 전통적인 면을 유지하는 맥락으로 이어진다.

'道法自然'과 '人與自然和諧' 등의 사상이념을 주장하면서 와당문양에 도교의 정통성을 찾아 볼 수 있는 것도 한대에 이르러 도교사상의

109) 王振覆, 『宮室之魂』, 復旦大學出版社, 2001, 72쪽.

유행과 많은 원림건축이 건조되어지는 것과 깊은 연관성이 있다.[110)]

이러한 관념을 중심으로 雲紋은 이미 오래 전 부터이며 많은 기물을 통해 출현되고 있었다. 雲紋은 자연계에서 가장 흔히 볼 수 있는 대상으로 중국 전통고대 관념에서 구름은 天空에 떠다니며 하늘을 의미하기도 하였다. 구름은 신선들이 타고 다니는 飛昇의 도구이며, 만물에 비를 뿌려주는 근원이 되는 풍부한 문화적 함의가 내포되어 있다. 따라서 구름을 길상의 상징으로 보기에 충분하며 '祥雲瑞日'의 용어도 이 때문에 등장하였던 것이다. 『楚史 · 九歌 · 雲中君』에는 구름을 신격화하여 칭송하기도 한다.[111)] 구름은 하늘에서 떠다니기에 상황을 예측하기 어려우며 따라서 고대인들은 구름을 일종의 형상 혹은 색으로 人事에 비유하기도 하였다. 이로 인해 길상의 징조를 점칠 수도 있었다.[112)]

전국시기부터 본격적으로 신선사상과 장생불로를 기도하는 방사들이 활기를 펴게 되었으며 당시 齊威王, 齊宣王, 燕昭王, 秦始皇, 漢武帝는 장생불로를 찾아 다녔다고 한다. 영지, 선초, 신선이 되어 하늘로 오르는 환생 신화가 자연스레 형성이 되면서 '延年萬年', '長樂未央', '長壽無極' 등의 길상어가 출현하면서 유행을 하게 된다. 장생불로를 기원하는 것은 秦漢 통치계급에서 복을 기원하고 성취하고자 하는 주요 주제로 설정하는 상황이 많이 발생하게 된 것이다.

---

110) 江泛, 『道與藝術』, 團結出版社, 2008, 164-172쪽.
111) 『楚辭 · 九歌 · 云中君』: "雲神豊隆也, 一日屏翳."
112) 沈利華, 錢玉蓮, 『中國吉祥文化』, 2005년, 446쪽.

2. 紋樣 瓦當

1) 圖案瓦當 : 雲紋

(1) 운문와당

漢代 문양와당은 운문이 가장 많이 등장하며, 운문을 중심으로 同心圓, 梯形, 龜紋, 蔓葉紋, 四葉紋, 動物紋, 網紋, 四神, 瑞鳥, 樹木, 乳釘紋 등의 문양이 부가적으로 함께 배치되고 있다. 특히 雲紋은 구획으로 나눈 당면의 공간을 채우는 역할 뿐 아니라 문양을 통한 길상적 의미를 간접적으로 전달하고 있다. 따라서 문양와당은 문자와당에 버금가는 중요한 연구 자료이다.

운문은 고대 동아시아에서 자주 등장하는 문양의 하나로 그 기원이 언제 어디에서 출발하여 사용하였는지 정확히 알 수는 없다. 다만 매 민족의 기원설이나 고대 도기, 벽화 등의 다양한 기물 안에서 다양한 형태로 등장하고 있을 뿐이다. 앞 장에서 기술된 바와 같이 중국 고대 와당에 출현하는 운문은 이미 서주 후기에 사용을 하였으며 소면문과 중환문도 함께 사용되었다.

그렇다면 漢代 와당에 나타나는 운문은 어떠한 형태로 등장하였을까? 건축이란 인류의 삶과 희망, 그리고 사상이 담겨진 사상표출의 유형구조물이다. 이 곳에서 누가 살았는지 또 왜 이러한 건축 구조를 하고 있는지, 인류의 사유세계가 점차 확대되면서 분명 더 많은 열정을 이곳에 쏟아 부었을 것이다. 와당은 인류사회가 한 단계 발전, 진보되는 과정에서 탄생된 생활 속의 지혜이자 예술품이다. 따라서 와당은 '복합예술'이라 하며, '복합'이란 문양을 통한 당시의 사유세계를 충분히 접할 수 있는 것으로 이러한 사유 세계는 건축 부속재료인 와당을 美로 승화시켰던 점에서 예술성이 매우 뛰어난 조형예술이다.

漢代 와당의 종류는 圖像紋瓦當, 圖案紋瓦當, 文字瓦當으로 나누는데, 圖像紋은 瓦當의 출현시기부터 등장하는 것으로 주로 구체적인 동물이나 야수의 모습을 묘사한 것을 의미하며, 도안문은 운문을 중심으로 同心圓, 梯形, 龜紋, 蔓葉紋, 四葉紋, 動物紋, 網紋, 瑞鳥, 樹木, 乳釘紋 등의 문양을 의미한다.

漢代 문양와당을 다시 세분화시켜 나누어 본다면 圖案紋과 圖像紋으로 나누며, 이러한 문양은 漢代 이전부터 유행하였다. 이 가운데 漢代 문양와당의 대부분을 차지하고 있는 雲紋와당에 관하여 그 초기 형태의 雲紋이 시대별로 어떻게 나타나고 있는지 살펴보자.

와당은 기타 장식예술과 마찬가지로 원시의 가장 초보적인 단계를 시작으로 성장기를 거쳐 완성기로 변화된다. 와당문양의 경우 시대에 따라 형태가 변하는 몇 가지 특징이 있는데 전반적으로는 寫實에서 寫意로 문양의 의의가 점차 구체화되며, 구체적인 형상에서 추상적인 형상, 그리고 복잡한 문양을 형성하면서 때로는 생략된 문양 혹은 간소화된 문양으로 그 경로를 되풀이하게 된다. 운문와당은 중국내 여러 유적지에서 모두 출토 되었으나 전국시기 중기에는 대부분 그 형식면에서 유사성이 발견된다.[113] 필자는 秦漢시기의 운문와당 천여 점을 비교 분석한 결과 雲紋와당의 기원이 어떠한 문양의 영향으로 발전되었는가를 확인할 수 있었는데 그 단서를 輪輻紋과 葵紋에서 찾을 수 있었다. 輪輻紋은 雲紋의 초기 형태로 진나라[秦國] 이후에는 거의 나타나지 않고 있으며, 葵紋은 秦代에서 漢初까지 매우 성행했던 문양이다. 그러나 雲紋은 漢代초기부터 유행하게 되어 한대시기 전반적으로 모두 유행한다. 따라서 雲紋은 漢代瓦當의 대표문양이라 할 수 있으며 雲紋瓦當은 문양의 형태별로 卷雲紋, 羊角形雲紋, 蘑菇形雲紋, 反雲紋, 變形雲紋 등으로 분류가 된다. 이렇게 분류되는 雲紋의 종류는 漢代 문양와당의 편년분류를 위한 중요한 근거자료가 되고 있다.

漢代瓦當의 편년분류에 관하여 1963년 천즈(陳直)선생이 「秦漢瓦當概述」[114]에서 시도하였는데, 천즈선생은 漢代 초기를 시작으로 文帝, 景帝(기원전 206년에서 기원전 143년)을 西漢초기로 보았으며, 武帝, 昭帝, 宣帝(기원전140년에서 기원전49년)시기를 西漢중기, 元帝이후부터 王莽後期(기원전48년에서 23년)을 西漢 후기로 나누었다. 이러한 분류에서 알 수 있듯 천즈선생은 西漢시기 와당을 중심으로 연구가 이

113) 陳根遠, 朱思紅, 『屋檐上的藝術』, 四川教育出版社, 1998, .62쪽.; 趙力光, 『中國古代瓦當圖典』, 文物出版社, 1998,9쪽; 盧建華, 「雲紋瓦當與秦漢建築思想」, 『文博』, 2001-6.

114) 陳直, 「秦漢瓦當概述」, 『文物』, 1963-11

루어 졌는데, 東漢시기의 瓦當에 관하여서는 언급을 하지 않았다. 문자와당은 중국 고대 와당사에 있어 매우 큰 의미를 내포하고 있다. 漢代 字體의 다양성이 나타나고 있으며 문자의 내용은 당 시대사를 그대로 반영하고 있어 중요한 문화사적 자료가 된다. 문양이 상징성을 내포하는 간접적 의미의 표현이었다면, 문자와당은 직접적 사상의 표현이었다.

필자는 천즈선생의 편년을 중심으로 한대와당의 편년을 초기와 중기 그리고 후기로 다시 나누었다. 西漢초기를 시작으로 文帝, 景帝(기원전 206년에서 기원전 141년)[115]을 한대초기로 武帝, 昭帝, 宣帝에서 王莽시기까지(기원전140년에서 24년)는 漢代 중, 후기 와당으로[116] 그리고 東漢시기는(25년에서 220년) 한대후기로 나눴으며,[117] 이렇게 분류한 것은 와당의 다섯가지 편년기준 방법을 중심으로 '와당의 제작방법', '와당의 토질', '와당면의 구조', '문자의 내용', '문자의 글자체'에 기

115) 杜建民,『中國歷代帝王世系年表』를 기준으로 하였다.

116) 陳直선생은 武帝, 昭帝, 宣帝시기瓦當을 西漢中期로 보았다.

117) 기존의 漢代瓦當연구자들은 東漢시기의 瓦當은 漢代瓦當의 衰落期로 보았는데, 陳直, 陳根遠, 朱思紅, 伊藤滋등이 그러하다. 그 원인은 西漢과 東漢의 두 시대를 비교하며 보면 東漢瓦當이 西漢瓦當보다 상대적으로 적은 수량이 출토되었기 때문이다. 단지 출토된 瓦當의 수를 비교하였을 뿐 실질적인 근거를 제시하지는 못하였다. 중국의 瓦當은 秦代이후 건축물에서 대량으로 사용이 되었기 때문에 특정한 시기를 쇠퇴기가 되었다고 보기는 어렵다. 왜냐하면 瓦當의 출현이후 瓦當의 사용은 당송시기를 거치면서 보편화가 되기 때문에 瓦當이 특정 한 기물의 시대적 유행이라고 보기는 어렵다. 단지 현재 출토된 바에 의하면 東漢瓦當의 수가 西漢瓦當의 수보다는 적은 양이 라고만 할 수 있다(陳直,「秦漢瓦當概述」,『文物』, 1963-11; 陳根遠·朱思紅,『屋檐上的藝術』, 四川教育出版社, 1998,89쪽; 伊藤滋,『秦漢瓦當文』, 陝西旅遊出版社, 1999, 232쪽.

준점를 둔 것이다.[118)]

(2) 한대 운문와당의 원류 : 한대 초기

漢代 도안와당은 규문과 운문으로 나누지만 기타 다른 문양들이 함께 등장을 한다. 규문와당은 秦代와 漢代초기에 유행을 하다가 사라진다. 葵紋의 유행은 秦代부터 漢代초기에 사용이 되었지만, 이 시기에는 문양의 변화가 시작되기도 하였다. 秦代에 유행된 문양이 漢代초에 이르러서도 완전히 소멸되지는 안았는데 아마도 과도기적 양상을 띠고 있는 것으로 보아야 할 것이다. 이러한 과도기적 현상은 매 시기에 모두 나타나고 있으며, 특히 王莽시기 전후에는 비교적 두드러지게 나타나고 있다.

葵紋과 雲紋 등의 圖案瓦當은 裝飾의 성분이 매우 강하게 나타나며 그 종류 또한 매우 다양하다. 漢代에 성행한 雲紋의 원류는 秦代에 유행한 葵紋과 雲紋의 연속과 발전이었다. 그러나 秦代의 葵紋와당은 지역적, 시대적 특색이 강한 비교적 독특한 형식을 지니고 있다. 葵紋의 출현은 대략 戰國시기 초기로써 戰國시기 중기에 이르러서는 어느 정도 기본적인 틀만을 가지게 된다. 葵紋은 戰國시기 후기와 秦代에 유행한 것으로 이러한 형식은 西漢초기에도 나타나고 있다.[119)] 戰國초기

---

118) 漢代 운문瓦當의 편년에 관하여서 필자의『중국 한대 와당의 명문 연구』에서 상세히 다루었음으로 본고에서는 생략하도록 한다.

119) 陳根遠·朱思紅,『屋檐上的藝術』,四川教育出版社, 1998, 57쪽.

의 葵紋瓦當은 출현되자마자 매우 빠르게 유행을 하는데 雍城, 櫟陽, 咸陽등지에서 많은 양의 와당이 발굴 되었다. 關中지역 출토와당은 가장 특색이 있는 圖案와당이라 할 수 있다.

葵紋瓦當의 기원에 관하여서는 의견이 분분한데 일반적으로 식물중의 해바라기문양에서 그 기원이 되었다는 것과 식물 잎의 뾰족한 부분과 동물 꼬리부분의 혼합체 또는 輪輻紋(太陽紋)의 旋雲紋에서 발전 변화된 것으로 해석이 가능하다. 葵紋의 圖案을 자세히 살펴보면 마치 물의 소용돌이치는 모습을 연상케 한다. 그 의미는 유동하는 물을 상징적으로 표현을 했다는 것으로 秦代의 水紋장식 瓦當은 '秦人水德'과 관계가 깊다는 설이 제기되고 있다.[120)]

---

120) 이렇게 葵紋에 관한 관점은 보는 시각에 따라 여러 가지의 형태로 표현이 된다. 신석기 유적의 벽화나 陶器에서 식물의 문양흔적을 찾을 수 있고 위진 이후 와당에 나타나는 연꽃문양과 당초문, 인동문 등 모두 식물을 소재로 하였다는 점에서 원시형태의 식물문양에서 영향을 받았을 경우는 그 확률성이 비교적 높다고 할 수 있다. 또한 고대사회에 나타나는 동심원의 문양은 태양을 숭배하는 고대민족의 기원에서 인류와 가장 밀접한 상호작용을 하고 있는 점으로 미루어 보아 輪輻紋(혹은 태양문)또한 고대문양체계에서 중요한 위치에 있다. 따라서 필자는 雲紋의 기원이 이 두 종류의 문양에서 출발하였던 것으로 여겨진다. 위의 책, 57-58쪽; 趙力光,『中國古代瓦當圖典』, 文物出版社, 1998, 8쪽.

진나라[秦國] 葵紋瓦當
鳳翔縣 출토
陝西省考古硏究所 소장

진나라[秦國] 葵紋瓦當
豆腐村 秦雍城 출토
秦雍城豆腐村 발굴 현장

위 와당에 장식된 圖案와당은 대자연계의 관찰을 통해 모방한 간접적 사고의 전달로 당시 사람들의 사상의식과 하나가 되었던 것으로 즉, '의식있는 형태'라는 것이다. 이러한 점은 고대인이 종교 신앙에 기탁하여 발산되어지는 예술 활동으로 '圖騰藝術'과 유사한 것이다. 때문에 이러한 의식의 최후에는 건축물의 장식효과에 더해지는 예술적 미와 씨족의 표지와 상징과도 같은 것이기도 한 것이다. '의식있는 형태'란 직접적 혹은 간접적으로 당시 의식과 사상을 文身과 장식등 다양한 예술 활동의 영역을 통해 표현을 하게 된다.[121]

漢代에 유행한 雲紋와당은 秦代에 성행한 문양에서 영향을 받았다. 雲紋의 기원은 대략 戰國후기에 나타나며, 秦代에 이르러서는 좀 더 발전된 문양 체제로 변화를 하는데, 陝西지역의 秦漢 유적지에서 이러한

121) 허선영, 「鳥蟲書的起源及名稱」, 『先秦鳥蟲書硏究』, 7-8쪽.

와당이 보편적으로 출토가 되었다. 雲紋이 소재로 된 와당은 모두 光亮하며 明快한 느낌을 준다. 秦漢의 宮殿에서 祥雲繚繞의 형태로 건축과 어우러지게 표현되고 있음을 증명해 주고 있는데 求仙升天의 思想과도 관계가 깊은 것으로 당시의 '祈求太平'과 '永受嘉福'의식의 반영인 것으로 해석된다.

필자는 漢代 雲紋와당의 기원과 발전을 두 가지 계통으로 나누었는데 輪輻紋瓦當에서 발전, 변화된 것과 葵紋瓦當에서 발전된 것이다.

운문이 輪輻紋에서 발전된 과정을 보면 다음과 같다.

1. 輪輻紋『秦漢』107

2. 輪輻水波紋『秦漢』117

3. 半雲紋『秦漢』145

4. 輪輻雲『秦漢』120

5. 雲紋『秦漢』141

탁본1은 輪輻紋 가장 원시적인 형태로 그 출현시기가 가장 빠르다. 와당면에는 당심이 있으며 돌출된 乳定紋이 놓여 져 있다. 輻射가 균형 있는 선으로 사방으로 뻗어져 있다. 또한 동일한 방향으로 彎曲한 선으로 이루어 졌다. 질서 정연한 것이 마치 사방에 태양의 광명이 비추는 듯하며, 旭日東升의 느낌과 朝氣蓬勃의 감각을 느낄 수 있는 회전감을 나타내주고 있다. 이 종류의 瓦當의 출현은 마치 秦人이 태양에 대한 숭배의 표현과도 같다.[122] 탁본2와 4의 경우 당심을 중심으로 등장하다가 구름문양의 형태로 혼합이 된다. 따라서 輪輻紋은 葵紋의 형태보다 더 먼저 출현되지만 일찍 소실이 된다. 위의 그림은 모두 전국시기 진나라 와당문양이다. 원와당으로 직경은 대략 13.4-16㎝정도이며, 섬서성의 鳳翔縣, 咸陽, 西安, 阿房宮 유적지에서 출토되었다. 위에 제시된 葵紋은 雲紋처럼 활동하는 듯 생동감이 있는 있으며 좌우로 旋轉하는 형식을 가지고 있다. 雲紋와당은 아마도 戰國時代의 輪輻紋과 직접적인 연관이 있을 지도 모른다.

탁본2는 중앙을 중심으로 사방에는 타오르는 태양을 묘사했다. 태양이 사방을 비춘다는 생활의 리듬과 질서를 보여주는 와당으로 조금씩 변화하여 구름문양으로까지 변화하기에 태양의 중앙에 물방울 모양을 하는 와당이 등장하는데 이것은 진나라인의 수덕[秦人水德]과도 관계가 있다. 탁본3의 도안은 탁본2의 문양에서 응용이 된 雲紋의 초기형태이다. 후에 나타나는 양뿔문양[羊角雲紋]과 권운문양[卷雲紋]의 기원을 찾을 수

122) 『圖典』, 165쪽, 『新編』, 6쪽, 趙叢蒼, 『古代瓦當』, 中國書店, 1997, 21쪽.

있는 단서가 된다. 또한 탁본3의 반운문의 방향은 비교적 일정치가 못하다. 그러나 탁본4의 문양에서는 일정한 방향으로 문양의 형태가 배치되고 있다. 탁본5의 문양은 뭉게뭉게 떠오르는 구름의 단변을 그린 것으로 卷雲紋의 초기형태로 이 문양은 漢代 雲紋에 나타나는 蘑菇紋과 卷雲紋의 초기문양형태가 된다. 이렇게 시작된 태양문 와당의 형태는 진시황이후 그리고 漢代에 이르러서 태양의 흔적은 완전히 사라진다.

운문이 葵紋에서 발전된 과정을 보면 다음과 같다.

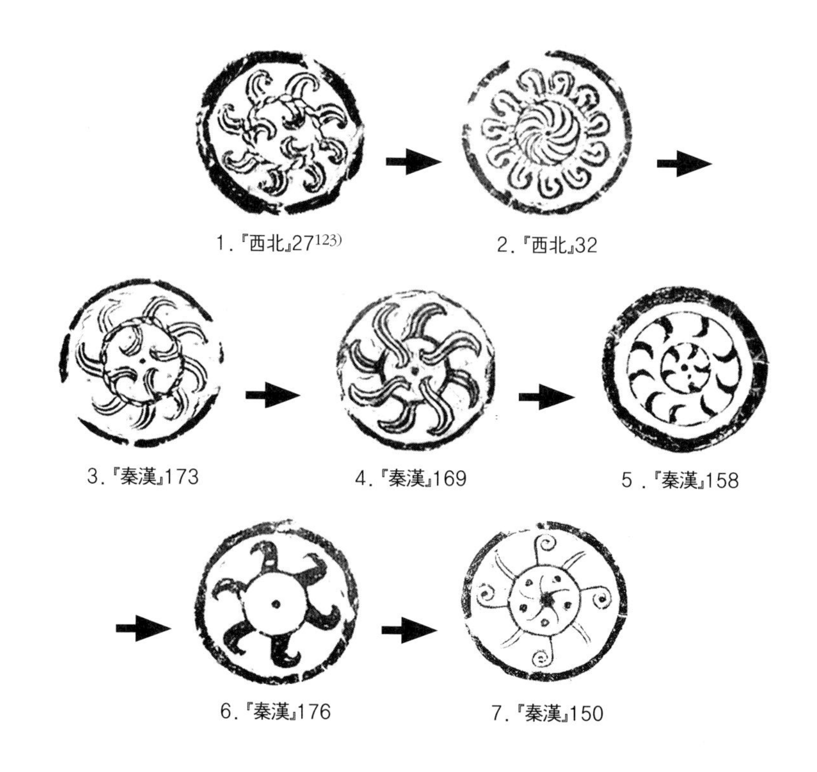

1.『西北』27[123]　2.『西北』32

3.『秦漢』173　4.『秦漢』169　5 .『秦漢』158

6.『秦漢』176　7.『秦漢』150

123) 劉士莪,『西北大學藏瓦選集』(西北大學出版社, 년도불명)

葵紋와당으로 戰國시기 진나라 와당이다. 탁본4의 와당은 舒展流暢하며 탁본5의 와당은 문양의 끝부분[端部]이 비교적 날카롭다. 탁본6의 瓦當은 문양이 간단하며 명쾌한 느낌을 준다. 그리고 선의 흐름이 약간 두텁고 거칠게 보인다. 탁본7의 와당에서는 당심에 네 개의 가늘고 긴 꽃잎(해바라기 꽃잎)이 놓여 져 있으며 당심의 外線에는 네 개의 雙線 꽃잎과 單線의 운문이 배치되어 있다. 이렇게 漢代 운문와당의 기원을 살펴보면 輪輻紋과 葵紋에서 발전 변화된 것을 알 수 있는데 문양 흐름을 보면 아마도 輪輻紋이 더 이른 시기의 것으로 생각된다. 葵紋는 輪輻紋의 발전과 흥성하는 과정에서 나타나는 문양으로 西漢 초기의 문양에서도 자주 찾아볼 수 있는 문양이다. 따라서 운문의 기원은 葵紋과 輪輻紋瓦當의 발전된 변화를 종합하여 완성된 것이다. 西漢 초기 운문와당는 다음과 같다.

西漢초기의 운문와당

1. 『藝術』223[125)]

2. 『陝西』105[126)]

3. 『西北』42

124) 傅嘉儀, 『中國古代瓦當藝術』, 上海書店, 2002.
125) 王世昌, 『陝西古代磚瓦圖典』, 三秦出版社, 2004.

위의 와당 탁본1, 2, 3은 西漢 초기에 유행한 운문으로 葵紋의 변형된 운문와당이다.

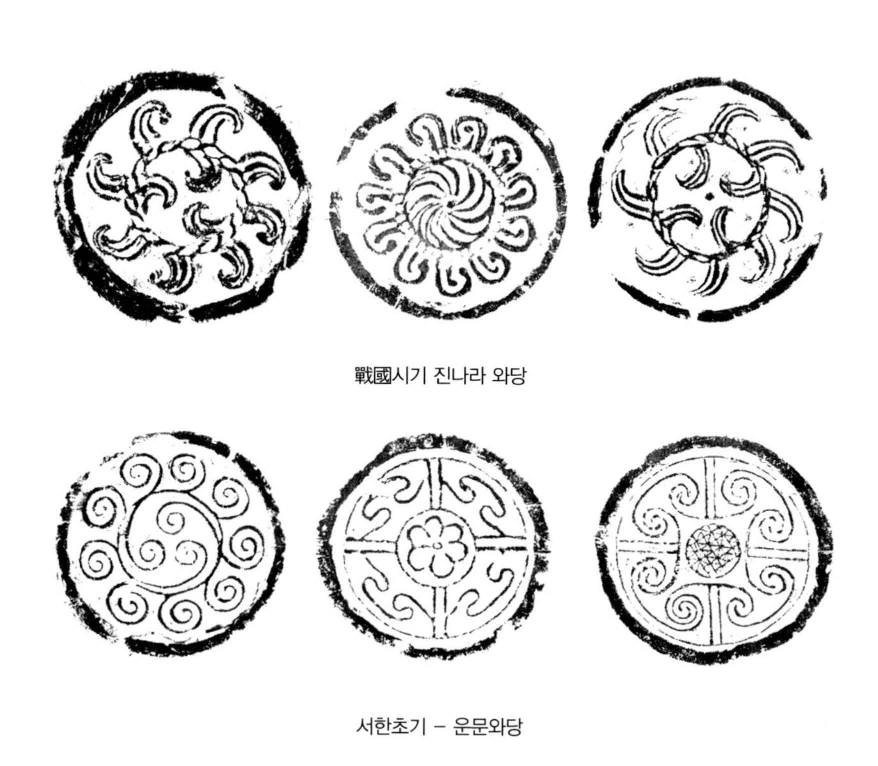

戰國시기 진나라 와당

서한초기 - 운문와당

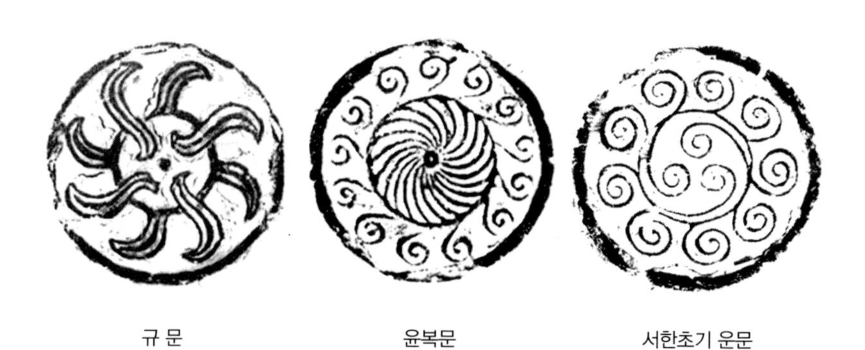

규 문　　　　윤복문　　　　서한초기 운문

위의 탁본을 통해 알 수 있 듯 서한초기에 제작된 운문와당에서도 윤복문의 흔적을 찾을 수 있다. 그러나 이 시기의 윤복문은 이미 권운문의 형태로 변하고 있음을 알 수 있다. 이러한 종류의 와당은 전국시기 진나라와당의 전형적인 형태로 漢代의 운문와당은 秦代의 운문와당의 기초 하에 발전되어져 온 것을 알 수 있다. 한대의 주요 와당문양으로 전국 각지로 퍼져나간다. 특히 한무제 시기 대동강유역에 한사군 설치를 계기로 漢代瓦當이 우리나라에 전래되어 오는데 우리나라 고대 와당사에서 중요한 작용을 하기도 하였다. 漢代 운문와당은 중국 고대와당사 뿐 아니라 동아시아 와당사에 있어서도 매우 중요한 요소가 되고 있다.

60년대부터 중국대륙에서는 대대적으로 陝西省 西安지역을 비롯하여 洛陽과 湖南, 湖西, 山東 등 전국 각지에서 궁궐터 발굴을 시작하였는데 현재까지 출토된 와당의 출토지 가운데 와당의 수량이 가장 많은 곳은 陝西省 西安都城이다. 離宮과 三輔까지 이르는 別館에서 漢代의 운문와당이 출토되었는데 그 출토 수량은 전체와당의 60퍼센트 이상 차지한다. 그 다음은 河南省과 山東省이며 그 외에도 福建, 河北, 遼寧, 山西, 內蒙古에서도 출토되었다.[126]

漢代 雲紋瓦當은 秦代의 雲紋瓦當의 기초 하에 발전된 것으로 西漢

126) 필자의 이러한 통계는 陳根遠·朱思紅, 『屋檐上的藝術』; 趙力光, 『中國古代瓦當圖典』; 陳直, 「秦漢瓦當概述」; 張文彬主編, 『新中國出土瓦當集錄·甘泉宮』; 劉慶柱, 『中國書道全集九·漢代文字瓦當概論』 등을 통해 얻어진 결론이다.

初期의 雲紋은 秦代의 운문과 거의 유사하다. 그러나 景帝·武帝를 지나면서 와당면을 이루는 형태에 서서히 변화를 가져오기 시작한다. 서로 다른 지역에서 서로 다른 형태로 발전과 변화의 규율이 나타나고 있는데, 출토된 와당의 수량이 가장 많은 陝西省 지역의 西漢初期에서 中期사이에 사용된 雲紋와당은 여전히 秦代의 것을 전승한 蘑菇紋, 羊角紋, 卷雲紋이 가장 많이 사용되었다. 한무제시기에 건조된 西漢 京師倉 유적에서 51점의 雲紋와당이 출토되었는데 이 가운데 連雲紋과 羊角形雲紋와당은 모두 각각 한 점씩 출토되었고 卷雲紋瓦當은 13점 蘑菇形雲紋瓦當은 36점이 출토되었다.[127] 이러한 점으로 미루어보아 漢初에서 景帝까지 蘑菇形雲紋이 가장 보편적으로 유행된 문양임을 알 수 있다. 초기 운문와당의 주연부에는 櫛齒紋이 없으며 櫛齒紋이 나타는 시기는 중기 이후의 이라는 것도 확인되었다.

河南省에서 출토된 와당의 경우 雲紋와당은 西漢초기의 와당 중 蘑菇形雲紋이 대부분인데, 이 시기의 와당은 반원형과 원형의 두 종류가 있으며 운문와당의 당심에는 네 잎의 꽃잎문양이 배치되어있다. 西漢시기에 유행된 운문와당의 당심에는 그다지 큰 변화는 없으며 와당면의 문양만 변화를 주는 정도였다.

127) 이 결론은 필자가 西漢 京師倉 출토 보고서를 토대로 분석한 결과이다. 陝西省考古研究所,『西漢京師倉』, 文物出版社, 1990.

(3) 한대 운문와당의 전성기 : 중후기

漢武帝 즉위 후 陝西 關中지역의 와당문양에는 많은 변화가 생기기 시작한다. 宣帝 杜陵陵園에서 출토된 운문와당은 여러 겹으로 말려[多圈]있는 형태가 등장하고 卷雲紋이 유행을 한다. 元帝 渭陵, 成帝 延陵, 哀帝 義陵의 능원 건축물에서 출토된 雲紋瓦當도 대부분 비슷한 형태로 나타나고 있다.

앞서 제시한 것 처럼 출토된 漢代瓦當의 수량이 가장 많은 곳은 陝西省이며 다음은 河南省이다. 이 두지역의 瓦當문양을 살펴보면 다음과 같다.

陝西省에서 출토된 瓦當은 武帝시기 雲紋의 형태와 대부분 일치하며 雲紋의 종류는 蘑菇形雲紋과 羊角形雲紋, 卷雲紋, 連雲紋 등으로 나타난다. 이 가운데 蘑菇形과 羊角形雲紋이 가장 많은 수를 차지한다. 당심에는 多飾의 구획[界格]이 있으며 單線 혹은 雙線으로 배치하고 있다. 와당면의 內區와 外區에도 三角形, 葵形, 網紋, 四葉紋, 乳釘紋 등의 도안이 있으며, 點과 線과 面의 다양한 종류의 기법으로 배치되어 있다. 이러한 와당면의 구조는 와당면의 虛와 實의 상응되는 관계로 靈活과 生動감의 리듬감이 풍부하다고 할 수 있다.[128]

---

128) 傅嘉儀,『秦漢瓦當』, 陝西旅遊出版社, 1999, 4쪽.

卷雲紋『秦漢』288

羊角形雲紋『秦漢』326

卷雲紋外區三角形『秦漢』292

蘑菇雲紋內區三角形『秦漢』308

蘑菇雲紋『秦漢』331

卷雲紋內區網紋『秦漢』336

西漢중기와 후기시기에 유행한 형식을 다음과 같은 결론을 얻을 수 있는데, 西漢중기 이후 와당의 모체가 되는 문양은 卷雲紋 와당이며, 운문의 주연부에는 櫛齒紋이 배치되는데 이러한 형식은 東漢시기까지 계속 유행한다. 모체가 되는 주요문양은 중후기에 오면서 간소화되며 끝부분은 單圈으로 마무리하고 있다. 또 운문 외에도 三角紋이나 網紋, 四葉紋 등의 문양이 추가되고 있음을 알 수 있다.

河南洛陽지역에서 출토된 운문와당의 당심은 四葉紋이 배치되어 있으며, 일부 半圓形와당의 당심에는 雙葉紋이 있는 것도 있다. 현재까지 필자의 조사에 의하면 洛陽지역 출토 운문와당 가운데 蘑菇形雲紋와당이 가장 많으며 單朵式雲紋의 출토는 그다지 많지 않은 것으로 확인되었다.[129] 또 河南省에서 출토된 운문와당과 陝西省에서 출토된 운문와당을 비교해 보면 河南省에서 출토된 운문와당이 섬서성 출토 운문와당과는 확연하게 차이가 있어 주목된다. 蘑菇紋와당은 東漢중후기에도 여전히 유행하며 이시기의 운문와당 당심에는 雙葉紋과 四葉紋이 배치되어 있고, 東漢시기의 운문와당은 西漢시기에 비하여 구획안에서 표현하는 문양의 변화는 많지 않다. 단지 당심 문양이 변화하는 정도이며 당심에 '鈕'를 배치하고 이중 혹은 삼중의 원형을 돌리는 형태가 이 시기의 두드러진 특징이라고 할 수 있다. 이러한 형식은 섬

129) 陳根遠·朱思紅, 『屋檐上的藝術』,四川教育出版社, 1998, 91-92쪽. 『圖典』, 10쪽.; 陳直, 「秦漢瓦當概述」,『文物』, 1963-11.; 盧建華, 「雲紋瓦當與秦漢建築思想」,『文博』, 2001-6.; 錢國祥, 「雲紋瓦當在洛陽地區的發展與演變」,『中原文物』, 2000-5.

서성 일대에서 출토된 東漢후기에도 유행하는 형식이다.

西漢후기와 兩漢사이에 나타나는 문양은 간소화된 蘑菇形連雲紋과 單朵式雲紋이 그다지 많은 양을 차지하지는 않고 있지만, 雲紋의 外圈에는 원형의 선이나 삼각의 문양 혹은 변형된 繩紋이 배치되어 있어 시대적 특징으로 이해하는데 유리하다.[130)]

아래 사진은 하남성 박물관에서 촬영한 것으로 중원 지역의 표준 운문와당과 운문의 형식과 당심의 변화가 주목되고 있다.

[河南省博物館소장]

130) 傳嘉儀, 앞의 책, 4쪽. 陳根遠·朱思紅, 앞의 책, 92-93쪽.

(4) 한대 운문와당의 변화 – 후기

漢代 운문은 卷雲紋을 중심으로 羊角雲紋, 蘑菇形雲紋, 雲朵紋, 反雲紋이 유행하면서 西漢시기에는 이러한 문양들이 전반적으로 유행한다. 그러나 東漢시기 이후에는 蘑菇形雲紋과 卷雲紋을 중심으로 문양이 이루어진다.

西漢초기에 유행되는 蘑菇形雲紋과 중후기에 유행하는 卷雲紋와당이 이 시기에도 지속적으로 유행하지만, 東漢시기 운문의 형태에는 몇 가지 규칙을 가지고 있다. 문양의 모체는 복잡[繁]에서 간단[簡]으로 변하고, 蘑菇形雲紋이 유행한다. 예를 들면 反雲紋과 卷雲紋은 雙線에서 발전하여 單線으로 변하고, 雲紋의 끝부분 역시 복잡[繁]에서 간단[簡]으로 변화한다. 중요한 것은 문양의 마감처리 부분이 多圈에서 單圈으로 변한다는 것이다. 앞에서 이미 제시한 바와 같이 西漢초기와 중기 운문의 外圈에는 櫛齒紋을 사용하지 않았으며 西漢후기부터 나타난다. 또 東漢시기 운문와당의 주연부에는 추가된 일원[一圓圈]과 櫛齒紋도 나타난다. 西漢 후기부터 시작하여 東漢시기까지 유행을 하는 주요 문양의 특징이다. 東漢시기에는 당심의 圓餅외에도 겉 테두리에 하나의 圓線이 추가되기도 한다. 이러한 특징은 東漢후기에 특히 더 많이 사용되었다. 마찬가지로 東漢시기 문자와당에서도 나타나는 현상들이다.

東漢시기 와당은 원와당으로 문양은 운문이다. 瓦當의 주연부[邊輪]는 西漢시기의 와당과 비교하여 보았을 때 그 폭이 모두 비교적 넓다. 당심은 東周와 秦代 그리고 西漢시기에는 비교적 평평하지만 평평한 당심이 점점 隆起된 圓乳釘의 형태이거나 隆起로 된 圓乳釘안에 四葉紋의 문양이 배지되는 것이 특징이다. 와당면도 네 개의 구획으로 나누어져 있으며 주요문양은 四朵蘑菇狀雲紋이다. 四朵雲紋의 구성은 두 가지로 나눌 수 있는데 하나는 四朵雲紋 사이에 隔線隔斷으로 나누어지지 않은 것으로 즉, 와당면은 아직 네 개의 부채모양으로 이루어지지 않은 상태인 것이다.

東漢초기와 중기에 유행한 瓦當문양은 四朵雲紋의 위치가 당심의 정 중앙에 있으며, 당심에는 구획의 선으로 나누어지지 않았다. 그러나 매 朵雲紋의 끝부분에는 각각 彎回와 外圈가 연결 되어있다. 연결된 이 선들이 모두 하나의 선을 이루지만 네 개의 구획선은 결과적으로 여기에서 나누어진 것이다. 또 다른 하나는 四朵雲紋 간의 간격에 선으로 나누어져 있으며 雲紋은 雙線이나 隔線혹은 三隔線에 나누어져 네 개의 부채모양을 이루는 공간에 문양을 장식하게 된다.

따라서 중기 이전에는 蘑菇形雲紋의 유행이었으며 중후기에는 卷雲紋이 주를 이루고 東漢에 이르러서는 또 다시 **蘑菇**紋이 유행한다. 특히 동한시기에는 卷雲紋도 적지 않게 사용되었으며 간소화된 蘑菇紋과 함께 당심에는 四葉紋보다는 圓餅紋이 더 많이 등장한다.

漢代 雲紋와당에 나타나는 문양의 특징을 살펴보면 시대별로 다음과 같다.

[漢代 雲紋瓦當 시기별 分類]

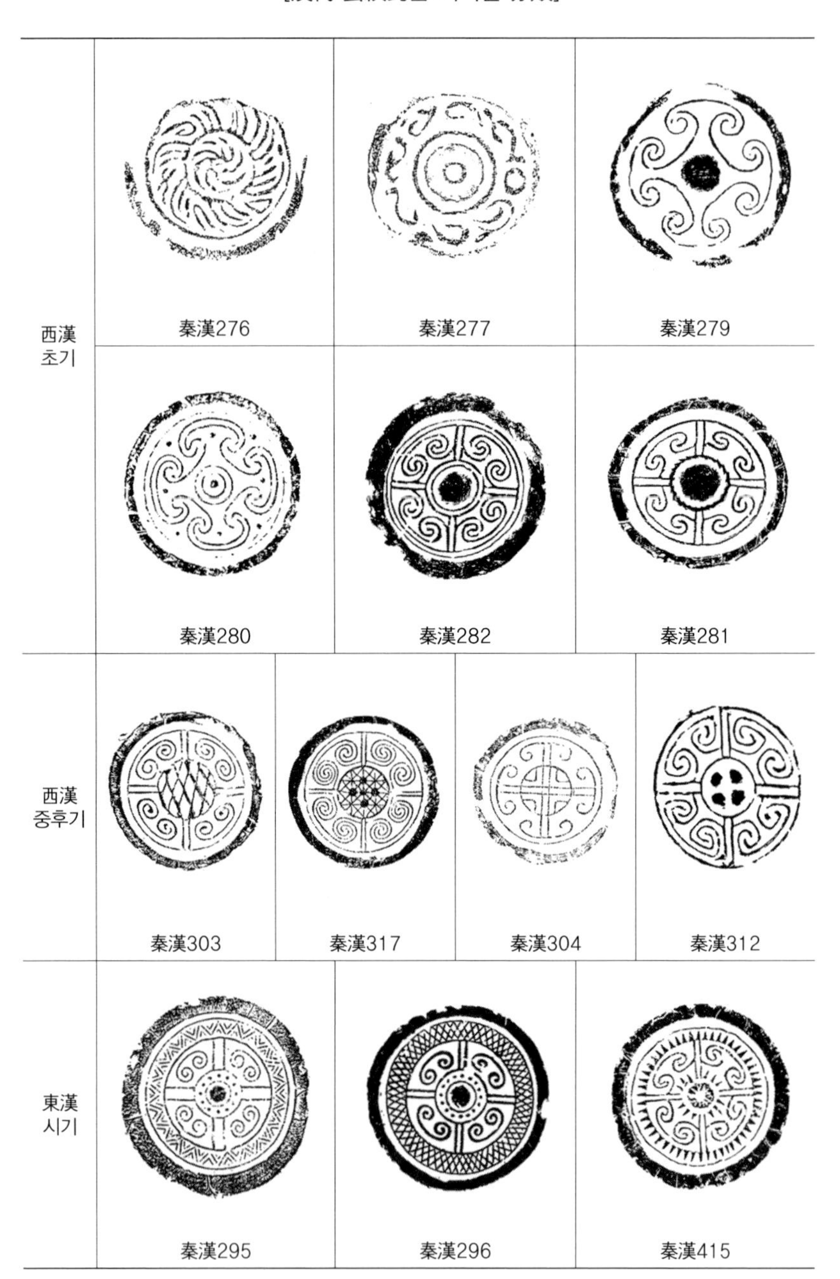

漢代 운문와당에 나타나는 특징은 정리하여 보면 다음과 같다.

漢代 운문와당은 秦漢시기의 도안와당에서 시작하였는데 雲紋의 圖案은 戰國이후에 유행되는 葵紋이나 輪輻紋에서 변화된 것이다. 필자는 현재까지 출토된 문양와당을 조사하였는데 이러한 현상이 전국시기 와당에서 그 변화된 과정을 찾아볼 수 있었다. 西漢 초기의 蘑菇形雲紋과 중후기의 卷雲紋으로 문양의 형식이 바뀌게 되었고 東漢시기에는 蘑菇形雲紋이 다시 유행하게 된다.

60년대 漢代와당의 시대 분류를 처음 시도한 천즈[陳直]선생이후 지금까지 漢代와당에 관하여 전반적으로 연구가 미비한 상태이다. 중국 고대와당의 문양에서 雲紋에 관한 논의는여러 차례 진행되었으나 兩漢을 초중후기로 나누어 편년을 시도한 연구는 진행되지 않았다. 따라서 필자는 漢代 운문와당을 시기별로 나누어 운문의 흐름을 특징별로 분류하였다. 그 결과 漢代 운문은 葵紋과 輪輻紋과 연관성이 있음을 확인할 수 있었다. 漢代 운문와당의 시작은 輪輻紋과 葵紋의 영향으로 운문에 기원을 두었던 輪輻紋 즉, 태양문은 서주 청동기에서 나타나는 重環紋에서 발전되었다. 따라서 漢代의 운문은 서주시기의 重環紋의 영향을 받아 전국시기와 秦代를 거쳐 점점 그 문양의 형식이 와당이라는 작은 공간 안에서 표현되었고, 그 과정에서 여러 가지 문양 형식 출현하게 되었던 것이다.

와당을 구획으로 나누고 매 구획에 문양을 배치하는 것은 공간의 한계와 용도의 특수성을 고려하여 만들어진 만큼 문양의 형식도 매우 풍부한데 한대 운문와당의 형식을 요약해 보면 다음의 네 가지로 정리된다.

첫째: 西漢초기에 유행한 운문은 蘑菇形, 羊角紋, 卷雲紋瓦當이며 이 가운데 蘑菇紋瓦當이 가장 많은 양을 차지한다. 현재까지 발굴조사된 지역으로 많은 양의 와당이 출토된 곳은 西安과 洛陽지역이며 사용된 운문은 蘑菇紋으로 卷雲紋의 사용은 그다지 많지 않다.

둘째: 西漢초기 운문와당의 주연부에는 櫛齒紋이 없으며 후기로 가면서 등장한다. 중후기에는 卷雲紋의 사용인 많이 나타난다.

셋째: 주요 모체가 되는 문양은 비교적 복잡한 문양이며 각각의 운문은 문양의 끝단 부분은 번잡하고 여러 겹으로 말려있다[多圈]. 또 漢代초기의 瓦當은 운문과 구획선이 서로 연결이 되어있다. 이 시기의 운문와당의 당심에는 雙葉紋과 四葉紋이 배치되어 있으며 당심의 주요문양은 四葉紋이 압도적이다. 西漢시기 전반적으로 나타나는 운문와당의 문양 변화에는 그다지 큰 변화는 없으며 단지 당심의 변화정도만 이루어진다.

넷째: 河南省에서 출토된 瓦當은 반원형와당과 원형의 와당의 두 종류가 동시에 나타난다. 이 시기의 반원형 운문와당은 실질적으로 圓形雲紋와당을 만드는 과정에서 원형을 만든 후 上下가 대칭되게 만든 후 반으로 나누어 사용된 것으로 추측된다.

운문와당의 사용은 중국 와당의 초기부터 등장하는데 秦代를 거쳐 漢代에 이르기까지 운문의 형식은 매우 다양하다. 1960년대 이후 섬서성 서안지역을 비롯하여 낙양, 호남, 호서, 산동 등 전국 각지의 궁궐터에서 와당이 출토되었는데, 특히 서안도성의 離宮과 三輔에이르기까지 漢代 운문와당의 사용이 많았음을 확인할 수 있다.

아래의 사진은 필자가 중국내 한대 운문와당을 소장하고 있는 박물관을 중심으로 조사한 자료로 中國杜陵秦塼漢瓦博物館, 城子崖博物館, 遼陽博物館, 遼寧省博物館, 內蒙古赤峰博物館 등 관련 자료가 참고된다. 漢代 운문瓦當은 지역적으로 문양의 배치와 형태가 각각 다르게 나타나고 있는데, 섬서성 일대나 하남성 일대에서 출토된 와당은 북방 내몽고지역에서 출토된 漢代시기 雲紋와당은 중원와당과는 확연히 다름을 확인할 수 있다. 요양박물관 소장 한대 운문와당은 그 형식과 당심의 사엽문도 중원의 문양과 차이가 나타난다. 또한 당면의 큰 유정문과 당심도 섬서성 일대에서 사용된 것과 차이가 있다.

[中國杜陵秦塼漢瓦博物館 소장]

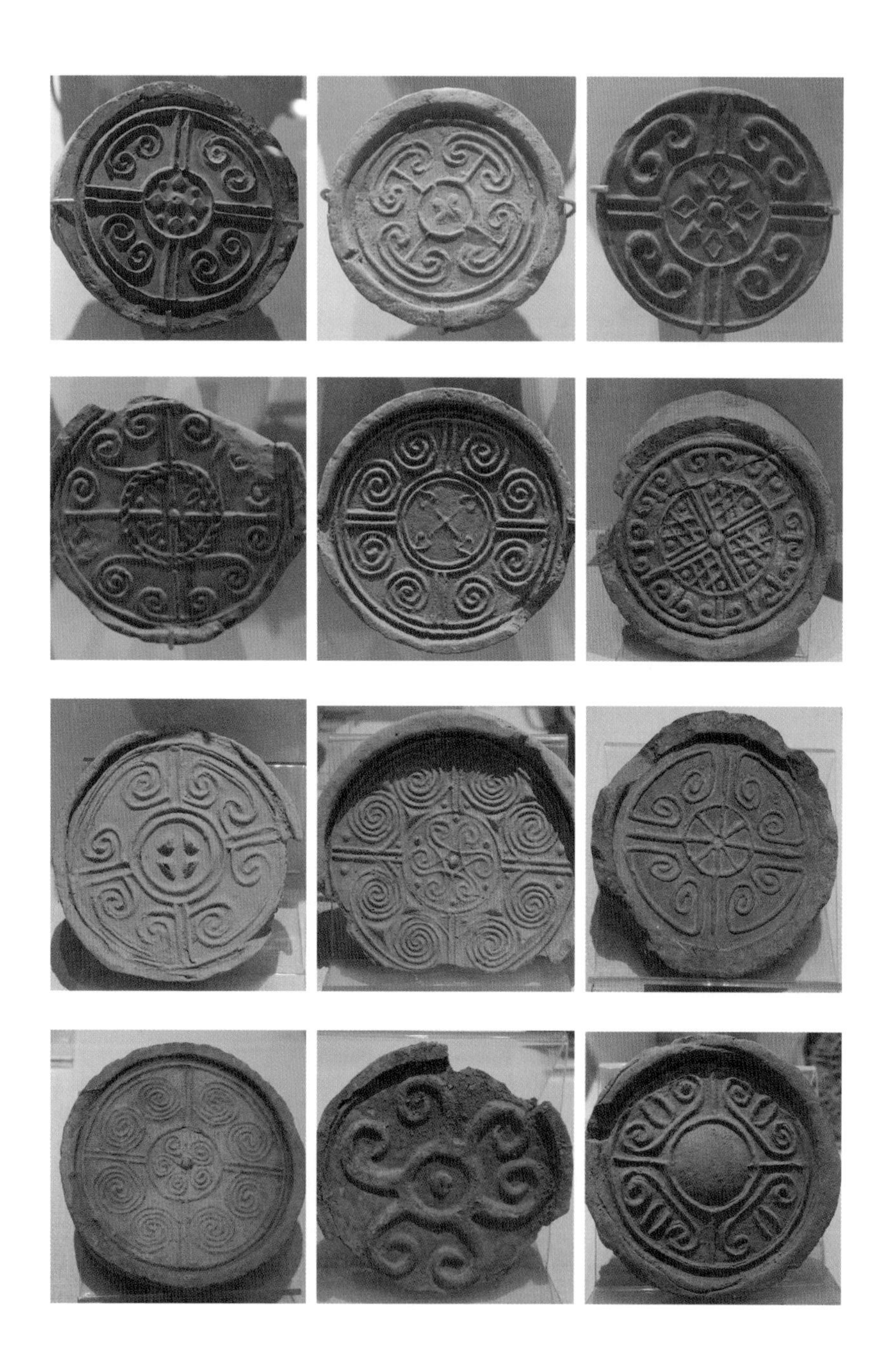

[内蒙古赤峰博物館 소장]

[城子崖博物館 소장]

[洛陽博物館 소장]

[河南省博物館 소장 (梁孝王寢園瓦當 탁본)]

[遼陽博物館 소장]

2) 圖像 瓦當 : 四神

도상와당은 동물이나 짐승의 형상으로 한대 중기에 유행한다. 圖像紋은 당시 현실생활 반영으로 사실적인 동물이나 상상 속에서 존재하는 동물을 중심으로 묘사하여 강조한다. 뿐 만 아니라 圖像紋은 기교가 좀 더 강하게 요구되는 線과 面의 결합으로 사실적 수법의 생활과 자연형상을 담아내도록 표현하였다. 圖像紋의 소재는 춘추전국시기에 등장하는 각 지역의 특징들로 설명을 할 수 있는데 특히 진나라의 동물문양이나 연나라의 도철문 등과 같이 일찍이 와당문양에 출현하였다. 西漢시기에 와서는 더욱 더 사실적이고 리듬감이 강한 圖像紋와당이 등장 하는데,『陝西金石志』에 의하면 물고기[鱗: 비늘이 있는 물고기], 봉(鳳), 토끼[兔], 쌍어(雙魚), 개구리[青蛙], 기러기[飛鴻]등 60여종에 이른다고 한다.

漢代 문양와당은 도안와당과 도상와당으로 나누는데 한대의 도상와당이란 '四神'을 의미하며 '青龍', '白虎', '朱雀', '玄武'의 四方神을 의미한다. 와당에서 표현되는 사신의 기세는 활발하고 강인한 힘이 있으며, 길상을 의미하는 '四神'은 四神崇拜의 '四象'으로 사방에 神靈이 있는 고대 전설에 등장하는 '四方神'으로 한대와당의 걸작 품 중 하나로 꼽힌다. 사신와당의 직경은 운문와당이나 문자와당의 직경은 15-17㎝인 반면 사신와당은 직경이 평균적으로 19-21㎝ 정도 된다.

(1)청룡

'青龍'(혹은 蒼龍), 四神와당 중 하나로, 자연계의 風雨를 불러낼 수 있으며, 東方, 左方, 봄을 상징한다. 그러므로 四神의 가장 첫 번째에 등장한다. '青龍'은 전설 속에서 神異한 동물의 상징으로 青銅器, 玉器 그리고 秦漢시기의 畫像石, 磚, 帛畫, 壁畫 등에서 龍의 형상이 자주 등장한다. 현재 青龍와당은 두 가지로 형태로 등장하는데 그 특징을 살펴보면 다음과 같다. 첫째, 瓦柱를 가지고 있는 것으로 龍의 측면에는 머리와 꼬리가 연결되어있고, 四足이 두드러지게 표현되었고 달리는 듯 한 기세를 하고 있다. 둘째, 瓦柱가 없는 것으로 龍의 정면은 나르는 듯하며, 입을 벌리고 혀는 말고 있다. 필자의 통계에 의하면 漢 長安城에서 출토된 '青龍'瓦當은 현재 5점으로 추정된다.

[陝博西物省館歷史 소장]

中國杜陵秦塼漢瓦博物館에 소장된 청룡와당을 살펴보면 다음과 같다.

2) 주작

‘朱雀’는 ‘鳳’을 으로『說文·鳥部』에 ‘鳳’에 관한 기록이 있는데;

> “鳳은 신조(神鳥)이다. .....風과 같은 것으로, 앞에는 기러기 뒤에는 사슴이다. 뱀의 목덜미에 물고기의 꼬리를 지녔다. 龍의 몸과 등은 거북 모양이며 제비 주둥이에 닭의 부리를 가졌으며, 오색을 띄고 있다. 東方의 나라에서 나타났으며 四海를 날아다니며 곤륜(崑崙)을 넘어 지주(砥柱)를 먹는다. 약수(弱水)에서 몸을 씻고, 바람을 잠재우면 즉 天下가 편안하다.”

위의 설명에서 鳳은 오채의 희귀한 새로 바람을 잠재우는 습성을 가졌다는 것을 알 수 있다. 그리하여 ‘風’과 관계가 있는 것이다.『설문』에서 ‘天下가 편안하다.’라는 말을 사용하였는데 이러한 점을 통하여 주작은 吉祥의 神鳥임이 분명하다. 또 龍, 虎, 蛇, 燕, 雞 등의 야수와 비수의 혼합체라고 설명한다.[131]

‘鳳’과 ‘風’은 통가차로 사용한다. ‘鳳’은 상고음에서 並母,의 冬部이며, ‘風’은 상고음에서 幫母의 冬部로 通假를 이루고 있다. ‘鳳鳥’는 즉, ‘風鳥’로 실질적으로는 바람에 대한 자연적인 숭배사상이다. 吉鳥는 南方, 下方, 여름을 상징한다. ‘朱雀’와당은 漢長安城에서 출토 되었는데

131) 『商周青銅器紋飾』, 10쪽.

모두 8점이 나타나고 있다. 長楊宮에서 한 점이 출토되기도 하였다.

[中國杜陵秦塼漢瓦博物館 소장]

[陝博西物省館歷史 소장]

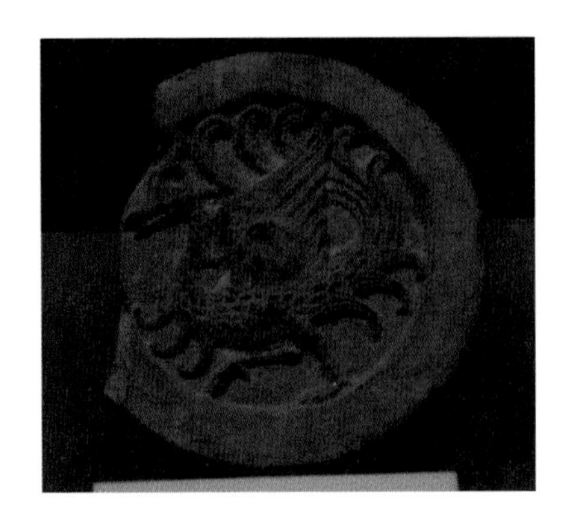

(3)백호

'白虎'는 28星의 별자리가 형성된 후 西方의 일곱 개의 별자리가 모여 호랑이 형상을 하고 는 것을 의미한다. 호랑이 형상을 하고 있는 전형적인 와당 종류는 두 가지로 와당의 중앙에 瓦柱가 있으며 뛰는 듯한 형상으로 비교적 사실적으로 표현되고 있다.

기존 연구에서는 瓦柱가 없는 것도 백호로 분류하지만 瓦柱가 없는 것은 백호가 아니라 호문으로 분류해야 옳을 듯하다. 瓦柱가 없는 것 虎紋 등에는 새의 날개를 꽂았으며, 눈을 부리하게 뜨고 있으며 혀를 말고 있다. '白虎'는 西方, 右方, 가을을 상징한다. '白虎'와당은 漢長安城에서 출토되었으며 현재 5점이 있으며, 長楊宮에서도 1점이 출토되었다.(『秦漢623참고』) 京師倉 유적에서는 사신과 연관성이 깊은 '虎紋'이 출토되었는데 서한 중기의 유적군으로 사신와당의 출현이 서한 중기의 것으로 판단할 방증 자료를 제공하고 있다.(『秦漢612』)

[陝博西物省館歷史 소장]

中國杜陵秦塼漢瓦博物館

『秦漢』612 虎紋 京師倉출토

4) 현무

‘玄武’는 북방의 太陰의 신으로 거북과 뱀의 조합으로 변형된 형태를 하고 있는데, 北方, 上方, 冬天을 상징한다. 玄武瓦當은 두 종류로 형태로 나누어 볼 수 있는데, 첫째는 거북의 측면을 나타내고 있으며 뱀이 거북의 몸을 에워싸고 있다. 뱀에는 四足이 있으며, 瓦柱는 거북 등의 정 중앙에 위치하고 있다. 둘째는 거북모양이 정면을 향해있다. 두 마리의 뱀이 몸을 감싸고 있는데, 뱀의 머리는 아래로 향해 있고 거북의 머리는 위를 향하고 있다. 玄武瓦當은 漢長安城유적에서 8점이 출토되었다. 四神은 또 색을 상징하기도 하는데 남색(青), 홍색(朱), 백색, 흑색(玄)이다.[132]

[陝博西物省館歷史 소장]

132) 李振球, 「文猶質也, 吉祥止止-論中國民族建築中的吉祥紋樣的特徵」, 『美術研究』, 1994, 第1期. 陳根遠, 朱思紅 『屋檐上的藝術』, 99쪽.

[中國杜陵秦塼漢瓦博物館 소장]

漢代의 四神瓦當은 宮殿의 禮儀 建築瓦當에서 사용되었으며 대부분 漢長安城에서 출토되었다. 이러한 四神瓦當은 方位를 상징하는 네 마리 영한 동물로 자연계의 동물원형에서 상상을 가미하여 만들어진 것이다. 천즈선생은 '四神' 와당의 사용시기를 西漢후기로 보았으며 또 '四神' 와당은 '王莽九廟'에서 출토되었고 '四神' 와당은 대다수 漢長安城의 義陵 南郊 西漢후기의 종묘유적에서 발굴되었다고 제시하였다.

[133] 천껀위엔과 쥬쓰홍은 천즈선생의 견해에 대하여 지금까지 建章宮과 上林苑의 두 곳에서는 '四神'와당이 발굴된 적이 없다. '四神'의 도안은 空心磚에서 사용하였으며 와당에서 사용된 것은 西漢 후기이다. 사신와당의 사용시점은 단지 四神의 空心磚에서 추측하여 西漢 중기로 보아야 할 것으로 문제점을 제시하고 있다.[134] 최근 발굴성과에 따르면 西漢 京師倉에서 '虎紋'이 출토됨에 따라 '四神'瓦當의 출현 시기는 한무제 시기로 보아야 할 것이라는 점에 초점을 모으고 있다.[135]

133) 陳直,「秦漢瓦當概述」,『文物』1963年, 第11期.
134) 陳根遠,朱思紅,『屋檐上的藝術』, 99-100쪽.
135) 陝西省考古研究所,『西漢京師倉』, 39쪽.

Ⅵ. 결론

西周시기에 板瓦、筒瓦가 출현하지만, 그 형태와 사용범위는 한정적이었다. 瓦當 출현 당시 문양은 素面으로 단지 실용적 문제를 보완하는 용도였으며, 후에 형식의 미를 추구하게 되면서 와당면에 배치되는 문양의 형태도 다양하게 등장하면서 와당은 실용성과 예술성의 승화되어갔다.

서주 중후기에 소면반와당이 출현하기 시작하여 춘추전국시기 제후국의 다양한 와당의 문양과 수량의 대대적인 증가를 통하여 와당문양의 다양성이 시작이 된다. 연나라, 제나라를 중심으로 제후국의 다양한 문양와당이 보편적으로 나타나고 있는데, 특히 진나라의 경우 동물의 야수적인 형상을 표현하는 유목민족의 특징을 나타내고 있었지만, 진시황 통일 이후 와당에서는 정착문화의 흔적이 엿보이는 도안문으로 바뀌게 된다. 특히 진대의 이러한 도안문은 중국고대와당의 전성기를 이루는 한대 문양와당에 매우 중요한 단서를 제공하게 된다.

한대의 와당은 문양과 문자로 나누는데, 문양의 경우 도안문과 도상문으로 나누고 있다. 도안문이란 운문을 중심으로 망문, 사엽문, 연주문 등이 해당되며, 도상문은 한대중기에 출현하는 사신와당을 의미한다. 문자와당은 길상어를 중심으로 관청, 관직, 기사 등 한대 사회를 엿볼 수 있는 정치, 문화, 사상, 제도 등의 방증연구 자료에 매우 귀중한 자료로 활용되고 있다.

동아시아 와당연구에 있어 가장 중요한 시점은 역시 한대와당이다. 그 이유는 문자와당의 출현이기 때문이다. 문자와당 이전에는 문양와당이 와당형식의 중심 역할 하였지만 문자와당의 등장으로 와당면을 채우는 형식은 문자가 그 문양의 위치를 대신하게 되었다. 상징적 의미를 부여한다고 하였을 때 문양이 간접적 표현 방식이었다면 문자는 당시의 관념과 사상을 직접적으로 표현하고 있다. 와당문화는 한대 왕실의 문화를 그대로 표현해 주고, 당시의 신분을 구별 짓는 하나의 표지였다고 해도 과언이 아니다. 따라서 와당문화란 전국시기를 포함하여 진한시기 제후국과 왕족의 문화, 정치, 제도, 관습과도 연관이 있다.

섬서성을 중심으로 진한와당이 다량으로 발굴 소개되어왔다. 하남성을 비롯하여 내몽고에 이르기까지 각 박물관 소장 진한와당을 살펴보면 중원의 진한와당과는 확연히 다른 색채를 보인다. 특히 북방 내몽고지역에서 조사된 진한와당은 도색 뿐 아니라 문양의 형식까지 다르다는 것이 본 연구에서 나타나고 있다. 도색의 경우는 흙의 재질과 가마의 소성 온도에서 차이를 보이겠지만, 문양의 형태는 기본적인 모티브를 중심으로 지역적 문화의 특징이 그대로 녹아져 있다는 결론을 얻을 수 있다.

특히 한무제 시기에 문자와당이 출현하고 또 이시기 길상명문을 보면 漢代시기 유행하던 사상, 문화의 흐름과 동일 선상에서 연관성을 이루고 있다. 길상와당에 등장하는 용어는 분명 漢代에는 그 의미와 사용에 따라 차이가 있었다.

와당연구는 문자로 기록된 역사학적 가치와 문자학적 가치 그리고 와당의 예술적 가치 외에도 한국 고와당 연구의 자료적 가치가 무엇보다 중요할 것이다. 한무제시기 평양일대에 사군을 설치하는 것이 계기로 한반도에 중국와당이 전래되어 왔고, 평양일대의 낙랑와당과 고구려와당을 중심으로 살펴보면 중국 한대와당과 전국시기와당에서 그 흔적을 찾을 수 있다. 그러나 엄밀하게 분석하여 보면 중국와당과 평양일대의 와당은 그 문양적인 면에서 많은 차이가 있다. 낙랑와당에는 한대와당의 요소가 보이지만 기본적으로 와당면의 구성에서는 유사하다. 그러나 와당의 주요 문양에서는 차이가 난다. 낙랑와당은 와당면의 문양에 변화가 거의 없거나 연주문을 배치하는 정도이며, 혹은 운문의 말단부분이 매듭처리되는 정도라 할 수 있다. 또한 당심이 한대의 것보다 전반적으로 큰 지름을 하고 있다.

본 저서를 완성하는 과정에서 필자는 수 차례 중국 북방지역과 중원지역 와당조사를 진행하였고, 자료를 수집하는 과정에서 그동안 저서에서 확인할 수 없었던 명문의 내용들도 확인할 수 있었다. 새로 확보된 문자와당의 경우 필자가 판독에 과정에서 의심스러운 와당은 제외시켰다. 본 저서는 선진시기부터 한대에 이르기까지의 분산된 와당 자료를 모으는 것만으로도 방대한 자료가 될 것이며, 선진시기에서 한대에 이르기까지 중국 고대 와당에 관한 연구의 성과와 확산도 기대해 볼 수 있을 것이다. 글 중 오류나 해결되지 못한 문제점이 아직 많이 남아 있다. 지속적인 연구를 통하여 보완 수정 할 것이다.

■ 참고문헌

※참고문헌은 모두 여섯 분류로 나누었다.

제1류. 原典史料(集解와 註解도 포함, 四庫全書의 순서)

제2류. 一般論著

제3류. 學位論文

제4류. 短篇論文과 叢書, 報告書와 期間論文 등

제5류. 古文字 字典類

제6류. 圖錄

제1류. 原典史料

〈經部〉

(唐)孔穎達 等, 民國82年(1993), 『十三經注述』(附校勘記), 台北 : 藝文印書館.

金景芳 · 呂紹綱, 1996, 『尙書虞夏書新解』, 瀋陽 : 遼寧古籍出版社.

(淸)孫詒讓, 1987, 『周禮正義』, 北京 : 中華書局.

(晉)杜預, 1988, 『春秋經傳集解』, 上海 : 上海古籍出版社.

楊伯峻, 1995, 『春秋左傳注』(修訂本), 北京 : 中華書局.

(日)竹添光鴻, 民國85年(1996), 『左傳會箋』, 台北 : 天工書局.

程樹德, 1996, 『論語集解』, 北京 : 中華書局.

(淸)郝懿行, 1982, 『爾雅義疏』, 北京 : 中國書店.

(漢)許愼撰 · (淸)段玉裁注, 民國81年(1992), 『說文解字』, 台北 : 天工書局.

蔣人傑, 1996, 『說文解字集注』, 上海 : 上海古籍出版社.

湯可敬, 1997, 『說文解字今釋』, 長沙 : 岳麓書社.

(梁)顧野王, 民國71年(1982), 『玉篇』, 台北 : 中華書局.

(宋)婁機 纂, 『漢隷字源』, 北京 : 北京大學圖書館藏善本.

(淸)陳介祺 · 吳式芬, 1990, 『封泥考略』, 北京 : 中國書店.

〈史部〉

(吳)韋昭注, 1992, 『國語』, 上海 : 上海古籍出版社.

繆文遠, 1984, 『戰國策考辨』, 北京 : 中華書局.

繆文遠, 1998,『戰國策新校注』(修定本), 成都 : 巴蜀書社.

(漢)司馬遷, 1996,『史記』, 北京 : 中華書局.

(漢)班 固撰 · (唐)顔師古注, 1995,『漢書』, 北京 : 中華書局.

(唐)杜佑, 1998,『通典』, 北京 : 中華書局.

(淸)畢 沅 重校, 民國59年(1970),『三輔黃圖』, 台北 : 成文出版社 中國方志叢書.

宋元地方誌叢書, 民國69年(1980),『長安志』, 台北 : 文化書局 乾隆甲辰校刊.

〈子部〉

(淸)王先愼, 1998,『韓非子集解』, 北京 : 中華書局.

楊明照, 1992,『抱朴子外篇校箋』, 北京 : 中華書局.

王利器, 民國77年(1988),『風俗通義校注』, 台北 : 明文書局.

奚侗, 民國59年(1970),『老子集解』, 台北 : 藝文印書館.

郭象(晉) · 陸德明釋文(唐), 1969,『莊子集解』, 臺灣: 中華書局.

제2류. 一般論著

王平, 1996,『漢字散論』, 天津 : 天津古籍出版社.

中國社會科學院考古研究所編, 1984,『新中國的考古發現和研究』, 北京 : 文物出版社.

中國社會科學院考古研究所編, 1993,『漢杜陵陵園遺址』, 北京 : 科學出版社.

中國社會科學院考古研究所編, 1996,『漢長安城未央宮 - 1980年至1989年考古報告』, 北京 : 中國大百科全書出版社.

中國社會科學院考古研究所編, 2003,『西漢禮制建築遺址』, 北京 : 文物出版社.

中國社會科學院考古研究所編, 2005,『漢長安城武庫』, 北京 : 文物出版社.

中國古都學會, 1994,『中國古都研究』, 太原 : 山西人民出版社.

史念海, 1998,『中國古都和文化』, 北京 : 中華書局.

朱鳳瀚, 1995,『古代中國青銅器』, 北京 : 南開大學出版社.

安作璋 · 熊鐵基, 1984,『秦漢官制史稿』, 濟南 : 齊魯書社.

李新泰, 1992,『齊文化大觀』, 北京 : 中共中央黨校.

李澤厚, 民國89年(1990),『美的歷程』第二版 , 台北 : 三民書局.

허선영, 2007,『중국 한대 와당의 명문연구』,민속원.

李發林, 1990,『齊故城瓦當』, 北京 : 文物出版社.

沈福煦, 2001,『中國古代建築文化史』, 上海 : 上海古籍出版社.

谷谿, 1993,『中國書法藝術 - 先秦』, 北京 : 文物出版社.

杜建民, 1995,『中國歷代帝王世系年表』, 濟南 : 齊魯書社.

宋立華, 1998,『齊國瓦當藝術』, 北京 : 人民美術出版社.

宗鳴安, 2004,『漢代文字考釋與欣賞』, 西安 : 陝西人民美術出版社.

周曉陸, 1997,『漢字藝術 - 結構體系與歷史演進』, 貴陽 : 貴州人民出版社.

周俊傑 · 唐讓之, 民國82年(1993),『書法知識千題』, 台北 : 博遠出版社.

孫機, 1991,『漢代物質文化資料圖說』, 北京 : 文物出版社.

陝西省考古研究所, 2004,『秦都咸陽考古報告』, 北京 : 科學出版社.

陝西省考古研究所, 1990,『西漢京師倉』, 北京 : 文物出版社.

陝西省考古研究所 · 寶鷄市考古研究所,風翔縣博物館, 2013,『秦雍城豆腐村-戰國制陶作坊遺址』, 北京 : 科學出版社.

唐蘭, 1979,『中國文字學』, 上海 : 上海古籍出版社.

容庚 · 張維持, 1958,『殷周青銅器通論』, 北京 : 科學出版社.

師勉之, 1994,『中國歷代書法談要』, 北京 : 中國大百科全書.

陳根遠 · 朱思紅, 1998,『屋檐上的藝術』, 成都 : 四川教育出版社.

陳根遠, 2002,『瓦當留真』, 瀋陽 : 遼寧畫報出版社.

陳玉龍 · 楊通方 · 夏應元 · 范毓周, 1993,『漢文化論綱 - 兼述中朝日中越文化交流』, 北京 : 北京大學出版社.

陳橋驛, 1999,『中國都城辭典』, 南昌 : 江西教育出版社.

陳邦懷, 1989,『一德集』, 濟南 : 齊魯書社.

啟功, 1999,『古文字體論稿』, 北京 : 文物出版社.

許進雄, 1995,『中國古代社會』, 台北 : 台灣商務印書館.

葛承雍, 1992,『中國書法與傳統文化』, 北京 : 中國廣播電視出版社.

黃然偉, 1995,『殷周史料論集』, 香港 : 三聯書店.

黃盛璋, 1982,『歷史地理與考古論叢』, 濟南 : 齊魯書社.

裘錫圭, 民國84年(1995)『文字學概要』, 台北 : 萬卷樓.

楊琮, 1998,『閩越國文化』, 福州 : 福建人民出版社.

雷鳴, 1992,『中國青銅器銘文紋飾藝術』, 武漢 : 湖北美術出版社.

趙國華, 1990,『生殖崇拜文化論』, 北京 : 中國社會科學出版社.

趙叢蒼, 1997,『古代瓦當』, 北京 : 中國書店.

趙明, 民國68年(1979),『中國書法藝術』(修訂本), 台北 : 新文豐出版社.

熊傳薪, 民國88年(1999),『漢朝, 漢族, 漢文化』, 台北 : 藝術家.

蔡永華主編, 1993,『文物考古研究』, 成都 : 成都出版社.

劉慶柱, 2000,『古代都城與帝陵考古學研究』, 北京 : 科學出版社.

劉慶柱 · 李毓芳, 2003,『漢長安城』, 北京 : 文物出版社.

魏全瑞主編 · 劉慶柱輯注, 2006,『三秦記輯注 · 關中記輯注』,西安 : 三秦出版社.

漢代考古與漢文化國際學術研討會論文集 編委會 編, 2006,『漢代考古與漢文化國際學術研討會論文集』, 山東 : 齊魯書社.

韓養民, 民國75年(1986),『秦漢文化史』台北 : 里仁書局.

(日)村上和夫, 1996,『中國古代瓦當紋樣研究』, 西安 : 三秦出版社.

金建輝, 2009,『中國古代瓦當紋飾圖典』, 杭州 : 浙江古籍出版社.

張光明, 2004,『齊文化的考古發現與研究』, 山東 : 齊魯書社.

楊樹增, 2008,『漢代文化特色及形成』, 北京 : 人民出版社.

吳磬軍, 2008,『燕下都瓦當文化考論』,河北 : 河北大學出版社.

沈利華 · 錢玉蓮, 2005,『中國吉祥文化』, 呼和浩特 : 內蒙古人民出版社.

商子莊, 2009,『吉祥圖案識別圖鑑』, 新世界出版社.

肖宏發, 2009,『中國傳統文化藝術』, 廣西 : 廣西民族出版社.

王振覆, 2001,『宮室之魂』, 上海 : 復旦大學出版社.

葛兆光, 2001,『中國思想史』, 上海 : 復旦大學出版社.

顧頡剛, 1996,『漢代學術史略』, 東方出版社.

王行建 · 孫于久, 2005,『細說漢代二十八朝』, 北京 : 京華出版社.

江泛, 2008,『道與藝術』, 北京 : 團結出版社.

李學勤, 1990,『新出青銅器研究』, 北京:文物出版社.

전호태, 2010,『고분벽화로 본 고구려 이야기』, 풀빛.

제3류. 學位論文

許仙瑛, 民國88年(1999),『先秦鳥蟲書研究』, 台北 : 國立台灣師範大學國文研究所碩士論文.

許仙瑛, 民國94年(2005),『漢代瓦當研究』, 台北 : 國立台灣大學中國文學研究所博士論文.

黃靜吟, 民國86年(1997),『楚金文研究』, 高雄 : 國立中山大學中國文學研究所博士論文.

陳昭容, 民國85年(1996),『秦系文字研究』, 台中 : 私立東海大學中文研究所 博士學位論文.

제4류. 短篇論文과 叢書, 報告書와 期間論文 등

中國社會科學院考古研究所漢城工作隊, 「漢長安城1號窯址發掘簡報」,1989, 『考古』, 第1期.

中國社會科學院考古研究所漢城工作隊, 「漢長安城1號窯址發掘簡報」, 1994, 『考古』, 第11期.

中國社會科學院考古研究所漢城工作隊, 1995, 「1992年漢長安城也鑄遺址發掘簡報」, 『考古』, 第7期.

中國社會科學院考古研究所漢城工作隊, 1997, 「1992年漢長安城也鑄遺址發掘簡報」, 『考古』, 第7期.

中國社會科學院考古研究所漢城工作隊, 1992, 「漢長安城未央宮第二號遺址發掘簡報」, 『考古』, 第8期.

中國社會科學院考古研究所漢城工作隊,1989,「漢長安城未央宮第三號遺址發掘簡報」, 『考古』, 第1期.

中國社會科學院考古研究所漢城工作隊, 1993, 「漢長安城未央宮第五號遺址發掘簡報」, 『考古』, 第11期.

中國社會科學院考古研究所漢城工作隊, 2002, 「漢長安城新發現六座窯址」, 『考古』, 第11期.

中國社會科學院考古研究所漢城工作隊, 1989, 「漢長安城未央宮第三號建築遺址發掘簡報」, 『考古』, 第1期.

中國社會科學院考古研究所漢城工作隊, 1992, 「漢長安城未央宮第二號建築遺址發掘簡報」, 『考古』, 第8期.

中國社會科學院考古研究所漢城工作隊, 1993,「漢長安城未央宮第四號建築遺址發掘簡報」,『考古』, 第11期.

中國社會科學院考古研究所漢城工作隊, 2011,「西安市漢長安城長樂宮六號建築遺址」,『考古』, 第6期.

中國社會科學院考古研究所 · 日本奈良國立文化財研究所, 1999,「漢長安城桂宮二號建築遺址發掘簡報」,『考古』, 第1期.

中國社會科學院考古研究所 · 日本奈良國立文化財研究所, 2001,「漢長安城桂宮二號建築遺址發掘簡報」,『考古』, 第1期.

中國社會科學院考古研究所 · 日本奈良國立文化財研究所, 2002,「漢長安城桂宮二號建築遺址發掘簡報」,『考古』, 第1期.

中國社會科學院考古研究所洛陽漢魏故城隊, 1999,「漢魏洛陽故城金墉城址發掘簡報」,『考古』, 第3期.

山西省考古研究所 · 暨南大學歷史系考古專業, 2011,「山西右玉縣中陵古城的調查與試掘」,『考古』, 第10期.

王家廣, 1984,「由秦磚漢瓦論及秦漢陶瓷」,『文博』, 第2期.

王志傑 · 朱捷元, 1976,「漢茂陵及其陪葬冢附近新發現的重要文物」,『文物』, 第7期.

內蒙古冶區昭烏達盟文物工作站, 1985,「昭烏達盟漢代長城遺址調查報告」,『文物』, 第4期.

田亞岐, 2000,「秦漢瓦當淺說」,『西安教育學院學報』, 第1期.

石興邦 · 馬建熙 · 孫德潤, 1984,「長陵建制及其有關問題」,『考古與文物』, 第2期.

宋山梅 · 趙丙煥, 2002, 「介紹一件‘新鄭’文字瓦當」, 『中原文物』, 第6期.

宋兆麟, 「河姆渡遺址出土蝶形器的研究」, 『中國原始文化論文集』 紀念尹達八十誕辰.

吳公勤, 2002, 「文字瓦當源流考」, 『徐州教育學院學報』, 第17卷 第4期.

李宏濤 · 王丕忠, 1980, 「漢元帝渭陵調查記」, 『考古與文物』, 第1期.

李振球, 1994, 「文猶質也,吉祥止止 - 論中國民族建築中的吉祥紋樣的特徵」, 『美術研究』, 第1期.

李振球, 1994, 「文猶質也,吉祥止止 - 論中國民族建築中的吉祥紋樣的特徵」, 『美術研究』, 第1期

李宇峰, 1987, 「遼寧建平縣兩座西漢古城址調查」, 『考古』, 第2期.

李啟良, 1985, 「陝西安康地區出土秦漢瓦當」, 『考古與文物』, 第4期.

林泊, 1993, 「陝西臨潼漢新豐遺址調查」, 『考古』, 第10期.

林素清, 「春秋戰國美術字體的研究」, 『中央研究院歷史語言研究所集刊』 第61本, 第1分.

武青, 1994, 「瓦當研究的一部新作 - 介紹『中國古代瓦當紋樣研究』」, 『考古與文物』 ,第6期.

東北博物館, 1947, 「遼陽三道壕西漢村落遺址」, 『考古學報』, 第1期.

姚生民, 1980, 「漢甘泉宮遺址勘查記」, 『考古與文物』, 第2期.

張弘, 1996, 「漢代‘郊祀歌十九章’的遊仙長生主題」, 『北京大學學報』, 第4期.

姚生民, 1982, 「漢雲陵, 雲陵邑勘查記」, 『考古與文物』, 第4期.

馬國權, 「鳥蟲書論搞」, 『古文字研究』 第10輯.

咸陽博物館, 1982,「漢平陵調查簡報」,『考古與文物』, 第4期.

洛陽市第二文物工作隊, 2000,「黃河小浪底監東村漢函谷關倉庫建築遺址發掘簡報」,『文物』, 第10期.

陝西省考古研究所華倉考古隊, 1982,「漢華倉遺址發掘簡報」,『考古與文物』, 第6期.

陝西省文物管理委員會, 1961,「陝西韓城芝川扶荔宮遺址的發現」,『考古』, 第3期.

陝西周原考古隊, 1981,「扶風召陳西周建築群基址發掘簡報」,『文物』, 第3期.

陝西周原考古隊, 1978,「陝西鳳翔春秋秦國凌陰遺址發掘簡報」,『文物』, 第3期.

陝西省雍城考古隊陝西省雍城考古隊陝西省雍城考古隊, 1984,「一九八二年鳳翔雍城秦漢遺址調查簡報」,『考古與文物』, 第2期.

陝西省雍城考古隊, 1985,「鳳翔馬家莊一號建築群遺址發掘簡報」,『文物』, 第2期.

陝西省考古研究院 · 咸陽市文物考古研究所 · 周陵文物管理所, 2011,「咸陽 '周王陵' 考古調查, 勘探簡報」,『考古與文物』, 第1期.

秦中行, 1972,「漢陽陵附近箝徒墓的發現」,『文物』, 第7期.

潘明娟 · 楊文宗, 2008,「從'道法自然'看長安文化的天人和諧觀」,『唐都學刊』, 第24卷第5期.

唐金裕, 1959,「西安西郊漢代建築遺址發掘報告」,『考古學報』, 第2期.

郭恒, 1990,「隸書的審美價值」,『漢碑研究』, 齊魯書社.

聊城市文物管理委員會, 1999,「山東陽谷縣無樓一號漢墓的發掘」,『考古』, 第11期.

涂書田 · 任經榮, 1993,「安徽壽縣壽春城址出土瓦當」,『考古』, 第3期.

陳昭容,「隸書起源問題重談」,『南大語言文化學報』第二卷, 第二期.

崔璇, 1977,「秦漢廣衍故城及其附近的墓葬」,『文物』, 第5期.

曹發展,「秦甘泉宮地望考」,『陝西歷史博物館館刊』, 第四輯.

張天恩, 2001,「「禁圃」瓦當及禁圃有關的問題」,『考古與文物』, 第5期.

張俊輝, 2000,「論秦咸陽與漢長陵遺址出土的素面瓦當」,『中國歷史地理論叢』, 第2期.

張文芳 · 黃雪寅, 1991,「內蒙古博物館藏瓦當淺論」,『內蒙古文物考古』, 第1期.

黃偉雄, 1988,「澄海發現大型漢代建築遺址」,『中國文物報』10.7.

黃展民, 1956,「一九五五年春洛陽漢河南縣城東區發掘報告」,『考古學報』, 第4期.

貴州省博物館考古隊, 1990,「貴州沿河洪渡漢代窯址試掘」,『考古』, 第9期.

開封市文物管理處, 2000,「河南杞縣許村崗一號漢墓發掘簡報」,『考古』, 第1期.

鄒衡, 1964,「試論殷虛文化分期」,『北京大學學報』, 第5期.

許曉麗, 2004,「河南博物館藏瓦當試析」,『中原文物』, 第1期.

楊琮, 1992,「崇安漢城出土瓦當的研究」,『文物』, 第8期.

鄭州市博物館, 1978,「鄭州古滎鎮漢代冶鐵遺址發掘簡報」,『文物』, 第2期.

鄭州市博物館, 1974,「河南偃師二里頭早商宮殿遺址發掘簡報」,『考古』,

第4期.
鄭州市博物館, 1977,「鄭州商代城址試掘簡報」,『文物』, 第1期.
福建省文物管理委員會, 1960,「福建崇安城漢城村漢城遺址試掘」,『考古』, 第10期.
裘錫圭, 1974,「從馬王堆一號漢墓「遺册」談關於古隸的一些問題」,『考古』, 第1期.
廣州市文物管理處, 1977,「廣州秦漢造船工場遺址試掘」,『文物』, 第4期.
廣州市文物考古研究所南越王宮博物館籌建辦公室, 2000,「廣州南越國宮署遺址1995~1997年發掘簡報」,『文物』, 第9期.
瘦髯, 2000,「瓦當古老的文化」,『檔案與建設』, 第二期.
錢國祥, 2000,「雲紋瓦當在洛陽地區的發展與演變」,『中原文物』, 第5期.
盧建華, 2001,「雲紋瓦當與秦漢建築思想」,『文博』, 第6期.
譚前學,「從瓦當文字看秦漢習俗及演變 - 讀陳直'摹廬叢著七種 · 秦漢瓦當概述'札記」,『陝西歷史博物館館刊』第一刊.
遼寧省文物考古研究所, 1986,「遼寧綏中縣'姜文墳'秦漢建築遺址發掘簡報」,『文物』, 第8期.
遼寧省文物考古研究所, 1997,「遼寧綏中縣石碑地秦漢宮城遺址1993~1995年發掘簡報」,『考古』, 第10期.
叢文俊, 1988,「論繆篆名實並及字體的考察標準」,『書法研究』, 第4期.
羅西章, 1987,「周原出土的陶質建築材料」,『考古與文物』, 第2期.
허선영, 2006,「한대 문자와당의 종류에 관한 연구」,『중국학연구』 제38집.
허선영, 2006,「한대 운문와당의 편년연구」,『중국사연구』 제42집.

허선영, 2011, 「漢代 吉祥銘文瓦當과 吉祥紋樣과의 상관성 연구-雲紋,瑞鳥, 樹木을 중심으로-」, 『동아시아고대학』, 제22호.
허선영, 2009, 「중국 한대 명문와당과 사용자와의 관계」, 『2009춘계 한국건축역사학회 학술대회 발표논문』.
허선영, 2008, 「고대 한중 인동당초문양의 명칭과 형태의 재고」, 『동아시아고대학』, 제18집.
허선영, 2009, 「고구려 연화문와당 원류 재고」, 『동북아역사재단』.
허선영, 2005, 「중국 고대 와당의 출현과 종류」, 『중국사학회』, 제38집.
허선영, 2006, 「漢代 문자와당에 나타나는 藝術體 현상」, 『중국언어연구』, 제23집.
허선영, 2011, 「'維天降靈延元萬年天下康寧'瓦當의 編年 再考察」, 『중국언어연구』, 제35집.
羅宏才, 1994, 「漢富貴毋央瓦當考略」, 『考古與文物』, 第6期.
曺汛, 1980, 「靉河尖古城和漢安平瓦當」, 『考古』, 第6期.
群力, 1972, 「臨淄齊故城勘探紀要」, 『文物』, 第5期.
賈麥明, 「秦塼漢瓦」, 『故宮文物月刊』, 第116期.
鄭傑文, 1989, 「圖騰 · 八祀 · 封禪」, 『文史知識』, 第3期.
王樹明, 1986, 「談陵陽河與大朱村出土的陶尊'文字'」, 『山東史前文化論文集』, 齊魯書社出版發行.
陝西城考古研究所 · 寶鷄市考古研究所 · 鳳翔縣博物館, 2011, 「秦雍城豆腐村制陶作坊遺址發掘簡報」, 『考古與文物』, 第4期.
盧 丁, 1998, 「蓮花紋瓦當考」, 『四川大學考古專業創建三十五周年紀念文集』, 四川大學出版社.

謝曉燕, 2009, 「漢代'千秋萬歲'瓦當文字源流考」, 『湖北第二師範學院學報』, 第26卷 第10期.

楊平, 1996, 「淺談秦漢十二字瓦當」, 『文物春秋』, 第4期.

李發林, 1981, 「臨淄齊故城瓦當的幾個問題」, 『山東大學文科論文集刊』, 第2期.

張 旭, 1976, 「秦瓦當藝術」, 『文物』, 第11期.

銅川市考古研究所, 1997, 「耀縣出土北朝蓮花紋瓦當范」, 『文博』, 第6期.

林巳奈夫, 1993, 「中國古代蓮花的象徵(一)」, 『文物季刊』.

김화영, 1967, 「삼국시대연화문연구」, 『역사학보』 34, 역사학회.

제5류. 古文字 字典類

王輝, 民國82年(1993),『古文字通假釋例』, 台北 : 藝文印書館.

王弘力編, 1997,『古篆釋源』, 遼寧 : 遼寧美術出版社.

王效青, 1996,『中國古代建築術語辭典』, 山西 : 山西人民出版社.

方述鑫, 1993,『甲骨金文字典』, 成都 : 巴蜀書社.

先秦史卷編纂委員會編, 1996,『中國歷史大辭典』, 上海 : 上海辭書出版社.

呂宗力主編, 1994,『中國歷代官制大辭典』, 北京 : 北京出版社.

李圃, 1997,『異體字字典』, 上海 : 學林出版社.

林劍鳴 · 吳永琪, 2002,『秦漢文化史大辭典』, 上海 : 漢語大辭典出版社.

陳建貢, 2002,『中國磚瓦陶文大字典』, 西安 : 世界圖書出版社.

陳建貢 · 徐敏 編, 1991,『簡牘帛書字典』, 上海 : 上海書畵出版社.

孫慰祖 · 徐谷富, 1997,『秦漢金文匯編』, 上海 : 上海書店出版社.

容庚編著 · 張振林 · 馬國權摹補, 1985,『金文編』, 北京 : 中華書局.

袁仲一 · 劉鈺, 1993,『秦文字類編』, 西安 : 陝西人民教育出版社.

張珩 · 許夢麟, 1993,『通假大字典』, 哈爾濱 : 黑龍江人民出版社.

唐嘉弘主編, 1998,『中國古代典章制度大辭典』, 鄭州 : 中州古籍出版社.

滕壬生, 1995,『楚系簡帛文字編』, 武漢 : 湖北教育出版社.

上海博物館青銅器研究組編, 1984,『商周青銅器紋飾』, 北京 : 文物出版社.

下中彌三郎編, 1932,『書道全集』, 東京 : 平凡社.

王昶, 1985,『金石萃編』, 北京 : 中國書店.

劉體智, 民國61年(1972),『小校經閣金石文字拓片』, 台北 : 藝文印書館.

郭廉夫 · 丁濤,『中國紋樣辭典』, 天津, 天津教育出版社.

陳橋驛, 1999,『中國都城詞典』, 南昌 : 江書教育出版社.

제6류. 圖錄

傅嘉儀, 2002,『新出土秦代封泥印集』, 杭州 : 西泠印社.

凡一, 1993,『阿英舊藏金石拓片』, 蘇州 : 古吳軒出版社.

王世昌, 2004,『陝西古代磚瓦圖典』, 西安 : 三秦出版社.

伊藤 滋, 1995,『秦漢瓦當文』, 東京 : 金羊社.

陳明達, 1972,『秦漢瓦當圖』, 台北 : 文海出版社.

張文彬, 1998,『新中國出土瓦當集錄』齊臨淄卷, 陝西 : 西北大學出版社.

張文彬, 1998,『新中國出土瓦當集錄』甘泉宮巻, 陝西 : 西北大學出版社.

程敦, 民國61年(1972),『秦漢瓦當文』, 台北 : 文海出版社.

傅嘉儀, 1999,『秦漢瓦當』, 陝西 : 陝西旅遊出版社.

傅嘉儀, 2002,『中國古代瓦當藝術』, 上海 : 上海書店.

陝西省考古研究所秦漢研究室, 1986,『新編秦漢瓦當圖錄』, 西安 : 三秦出版社.

陳永志, 2003,『內蒙古出土瓦當』, 北京 : 文物出版社.

楊力民, 1986,『中國古代瓦當藝術』, 上海 : 上海人民出版社.

趙力光, 1998,『中國古代瓦當圖典』, 北京 : 文物出版社.

劉士莪,『西北大學藏瓦選集』, 陝西 : 西北大學出版社.

劉懷君 · 王力軍, 2002,『秦漢珍遺 – 眉縣秦漢瓦當圖錄』, 西安 : 三秦出版社.

劉正成, 1992,『中國書法全集 · 秦漢金文陶文卷』, 北京 : 北京市通縣濱河印刷廠.

韓天衡, 1996,『古瓦當文編』, 上海 : 世界圖書出版社.

羅振玉, 民國3年(1914),『秦漢瓦當文字』, 羅振玉影印本.

路東之編著, 2008,『問陶之旅 - 古陶文明博物館藏品掇英』, 北京 : 紫禁城出版社.

䇔廬叢, 2006,『關中秦漢圖錄』, 北京 : 中華書局.

【인용 도록 약칭 대조표】

全稱	簡稱
《秦漢瓦當》	《秦漢》
《書道全集》	《全集》
《金石萃編》	《金萃》
《秦漢瓦當概述》	《概述》
《中國瓦當藝術》	《藝術》
《秦漢瓦當文字》	《羅秦漢》
《秦漢瓦當文字》	《程秦漢》
《內蒙古出土瓦當》	《內蒙》
《中國古代瓦當藝術》	《古瓦》
《中國古代瓦當圖典》	《圖典》
《陝西古代磚瓦圖典》	《陝瓦》
《新編秦漢瓦當圖錄》	《新編》
《西北大學藏瓦選集》	《西北》
《韓國國立中央博物館》	《韓博》
《西安市文物管理委員會》	《西秦漢》
《陝西省歷史博物館藏瓦集》	《陝秦漢》

【색인】

4엽 | 115, 146
5엽 | 115, 146
7엽 | 115
8엽 | 146
9엽 | 115
11字 瓦當 | 276
12자 문자 와당 | 19, 158, 172

ㄱ

簡帛文字 | 160, 162
簡省 | 161
簡筆 | 222
簡化 | 160
邯鄲 | 55
甘泉宮 | 216, 217
甘泉衛尉 | 173
갑골문 | 32, 160
姜女坟 | 126
建章宮 | 163, 278, 362
建章衛尉 | 173
競騎者 | 61
京師庾 | 229
京師倉 | 362
景帝 | 166
고구려 | 142
古文字 | 222
「古史考」 | 21
高王寺 | 88
昆明池 | 216
空心磚 | 362
『管子 · 牧民』 | 76
關中 | 88, 321
官職 | 168
鉤弋夫人 | 217
國泰民安 | 229
궁궐건축 | 305
宮苑 | 168
卷龍紋 | 43
권운문 | 55, 129, 328
龜紋 | 298, 316
貴富 | 223
貴富毋央 | 169, 223
葵紋 | 88, 128, 129, 145
葵鳳紋 | 88
葵形 | 330
極 | 269
亟 | 269
金德 | 310
金文 | 162
金烏 | 61, 75
禁止 | 168
夔紋大半瓦當 | 126
祈福致祥 | 172
紀事 | 168
岐山鳳雛村 | 33
岐山縣 | 22
祈生降幅 | 62
騎獸者 | 61
騎者 | 61
芰荷 | 138
吉祥圖案 | 138, 139, 168
吉鳥 | 356
金文 | 160

ㄴ

낙랑부귀 | 143, 159
낙랑예관 | 143
樂浪禮官 | 159
蘭池宮當 | 27
藍田縣 | 260
鹿紋 | 307
鹿蛇紋 | 101
鹿蟾狗雁紋 | 105

ㄷ

單騎 | 61
單馬 | 61
單線 | 330
단오소리문 | 97
段玉裁 | 21
單于和親 | 222
單體動物紋 | 88
單朶式雲紋 | 332
단판연화문 | 134
單虎紋 | 91, 98
單獾紋 | 91, 97
當 | 24
擋 | 25
大吉富貴 | 169, 223
大梁 | 55
大汶口文化 | 141
大富 | 169, 223
대전 | 288
道家神仙術 | 307
도교건축 | 305, 314
道德順序 | 163
圖騰藝術 | 322
都司空瓦 | 27
圖像紋 | 43
圖像瓦當 | 166
盜瓦者死 | 169, 222
饕餮紋 | 55, 56, 78, 80, 86
讀法 | 161, 210
獨獸卷雲紋 | 78, 86
독존유술 | 147
東宮 | 168
動物紋 | 43, 55, 298, 316
同心圓 | 298, 316
東周王城 | 55
杜陵 | 330
豆腐村 | 20, 52, 88
竇태후 | 309

ㄹ

櫟陽 | 321
老姆台 | 78
鹿紋 | 91
鹿蛇紋 | 91
鹿蟾狗雁紋 | 91
鹿魚紋 | 88
龍紋 | 43
輪輻紋 | 89
離宮 | 190
鱗紋 | 43
臨淄 | 55

ㅁ

馬家莊 | 88
磨菇紋 | 127, 274
蘑菇雲紋 | 212
蘑菇形雲紋 | 300, 329
馬紋 | 88
麻點紋 | 94
萬歲 | 182
萬歲萬歲 | 19
蔓葉紋 | 284, 298, 316
萬有憙 | 201
만초 | 149
蔓草三葉紋 | 150
網 | 61
網格雲紋 | 131
網紋 | 39, 298, 316
孟家堡 | 88
盟于瓦屋 | 22
木德 | 310
牧馬者 | 61
無疆 | 184
武庫 | 206, 291
無極 | 169, 182, 217
무라까미 가즈오(村上和夫) | 45
無紋 | 39, 46, 79
無紋瓦當 | 37
武陽台 | 78
無爲 | 169, 308
繆篆 | 220
武帝 | 166
無終 | 182
文景之始 | 308
文物文化 | 161
『文選』| 25

紋様兼文字瓦當 | 166
紋様瓦當 | 166
文字瓦當 | 166
文帝 | 166
물방울 | 127
勿相忘 | 259
未央 | 169, 217
미앙궁 | 294
未央衛尉 | 173
민간건축 | 305

ㅂ

反書 | 160
反雲紋 | 300
方位 | 168
方筆 | 222
坏 | 24
伯嬰父罐 | 44
白虎 | 353
帛畵 | 208
法門社召陳村 | 22
邊輪 | 42
變形雲紋 | 300
芮大子鼎 | 44
寶鷄市 | 90
保國佑民 | 62
보상화 | 134
복사문 | 109
輻射紋(태양문) | 109
복판연화문 | 134
複合動物紋 | 88
복합예술 | 317
封泥 | 223
鳳紋 | 88
鳳翔縣 | 90
鳳鳥 | 61
鳳鳥紋 | 91
鳳雛村 | 22
봉황 | 71
芙渠 | 136, 138
富貴 | 169, 223
富貴萬歲 | 162, 223
扶風召陳村 | 33
扶風縣 | 22
符號 | 45
北京古陶博物館 | 35
北魏 蓮花紋 | 149
북조 | 151
不其簋 | 288
飛蝶紋 | 107
飛鳥 | 61
飛鴻延年 | 224

ㅅ

四季平安 | 139
『史記』 | 25
『史記 · 齊太公世家』 | 56
『史記 · 孝武本紀』 | 260
四狼饕餮紋 | 78, 80, 86
四靈 | 311
司馬相如 | 25
四方神 | 353
사선문 | 101
四獸紋 | 88
四獸四葉紋 | 107
四神 | 316, 353
社神 | 62
四神圖 | 209
사신와당 | 311
祠室堂當 | 27
四葉紋 | 124, 149, 151, 298, 316, 330
四蛙紋 | 107
四足 | 360
社稷 | 62
社稷長存 | 62
四鶴 | 61
四鶴紋 | 72
山東省博物館 | 67
山紋 | 79
山雲紋 | 63, 78
山字形 | 79
山形饕餮紋 | 78, 80, 86
三角山形饕餮紋 | 78, 80, 86
三角雙螭饕餮紋 | 78, 80, 86
三角劃紋 | 33
『三輔黃圖 · 關輔記』 | 217

『三輔黃圖 · 漢宮』| 185
三獸紋 | 55
삼엽문 | 149, 151
三重 | 43
삼치창 문양 | 115
常居安 | 269
商代後期 | 32
桑林 | 76
上林苑 | 187
새긴반와당 | 120
璽印文字 | 162
『西都賦』| 25
栖鳥 | 61
瑞鳥 | 298, 316
石刻 | 162
旋雲紋 | 321
宣帝 | 166
仙鶴 | 305
蟾蜍紋 | 106
陜西省 | 17, 22, 166
陜西省博物館 | 34
星 | 61
成山 | 190
成山宮 | 190
姓氏 | 168
細繩紋 | 33
세키노 다다시 | 143
素面 | 146
素面紋 | 31
素面瓦當 | 37
小府 | 188
소수림왕 | 143
소용돌이 문양 | 129
小篆 | 160
昭帝 | 166
召陳村 | 31
小學 | 21
水德 | 311
수렵생활 | 89
獸面紋 | 78
樹木 | 60, 70,298, 307, 316
樹木卷雲紋 | 78
樹木幾何雲紋 | 65
樹木單騎單獸紋 | 68, 69
樹木單人單騎獸紋 | 70
樹木饕餮紋 | 66
樹木饕餮雲紋 | 67
樹木動物紋 | 64
樹木動物太陽紋 | 64
樹木紋 | 55, 56, 63
樹木蜥蜴紋 | 73
樹木獸鳥紋 | 69
樹木雙騎紋 | 63
樹木雙騎雙馬紋 | 64
樹木雙騎雙獸紋 | 70
樹木雙鹿紋 | 63
樹木雙馬饕餮紋 | 67
樹木雙馬紋 | 63
樹木雙鳳鳥紋 | 72
樹木雙獸紋 | 65, 68
樹木雙樹雲紋 | 66
樹木雙雲紋 | 66
樹木雙鳥紋 | 63, 72
樹木雙鳥雙獸紋 | 63
樹木雙鳥雲紋 | 74
樹木雙鶴紋 | 74
樹木野獸 | 74
樹木雲紋 | 64, 65, 67, 74
樹木乳丁紋 | 74
樹木人獸鳥紋 | 72
樹木太陽紋 | 64
水紋 | 55, 321
獸紋 | 55
壽成室 | 206
綏中縣 | 126
首筆 | 212
水衡都尉 | 189
『荀子 · 堯問』| 201
繩紋 | 33, 51, 94
『詩經 · 陳風 · 澤陂』| 136
『詩經 · 鄭風 · 山有扶蘇』| 136
『書經 · 洪範』| 286
始造貴富 | 169, 223
柿蒂紋 | 307
植物紋 | 115
식물 문양 | 151
신망시기 | 187
新莽篆書 | 187

神仙方士 | 312
神仙方術 | 77, 223, 309
神仙聖水 | 313
神鳥 | 356
雙狗 | 61
雙騎馬紋 | 66
雙鹿 | 61
雙鹿紋 | 78, 84
雙狼饕餮紋 | 78, 80, 86
雙馬 | 61
雙目 | 61, 71
雙鳳鳥紋 | 72
雙象 | 61
雙線 | 330
雙線半菱形 | 33
雙獸紋 | 73
雙獸食虎猪紋 | 107
雙羊 | 61
雙葉紋 | 332
쌍오소리문 | 96
雙龍 | 61, 78, 84
雙龍饕餮紋 | 78, 80, 86
雙龍雙螭紋 | 78, 86
雙牛 | 61
雙鳥 | 61
雙鳥卷雲饕餮紋 | 78, 80, 84, 86
雙鶴 | 61
雙獾紋 | 91, 96

ㅇ

아몬드형 | 146
아방궁 | 124, 158, 278
鄂侯簋 | 44
安樂厠當 | 27
安陽小屯 | 32
安平樂未央 | 259
泱茫無垠 | 169
仰紹文化 | 139, 311
野獸紋 | 79, 84
羊角紋 | 127, 129, 329
羊角雲紋 | 210
羊角形雲紋 | 300
梁氏殿當 | 167
魚匜盤 | 44
嚴氏富貴 | 167
與天 | 169, 182, 217
與天無極 | 170, 221
與天無極宮 | 259
與華 | 169, 217
與華無極 | 221
燕國瓦當 | 78
연나라 | 55
延年 | 184, 224
延年萬歲 | 224
延年萬歲常與天久長 | 224, 273
延年益壽 | 169
延年長相思 | 224
延陵 | 330
延壽長相思 | 259
連雲紋 | 329
年益壽昌 | 224
蓮子 | 136
聯珠紋 | 298
連珠紋 | 134, 213
燕下都 | 78
蓮鶴方壺 | 139
연화 | 135
蓮花紋 | 115, 134, 142
연회색 | 102
郢 | 55
靈寶縣 | 261
永平十五年 | 264
『禮記 · 表記』 | 46
隸辨 | 160
隸書 | 159
예서 | 291
예서체 | 210
예술체 | 291
藝術體 | 160
五德始終設 | 77
五福 | 169
오소리문 | 96
五行思想 | 310
雍城 | 55, 88, 321
瓦 | 21
와당면 | 17
와당 문자 | 162

瓦當王 | 126
臥鹿紋 | 91
瓦范 | 66
瓦屋 | 23
瓦柱 | 354
王道 | 309
王莽九廟 | 361
王莽時期 | 166
姚家崗 | 88
遼寧丹東 | 259
遼寧省 | 126
용 | 71
右空 | 163
우주만물 | 145
雲 | 61
雲氣紋 | 129, 299
雲陵 | 217
雲夢 | 76
雲紋 | 55, 298
雲紋網(田字形)紋 | 64
운문와당 | 328
雲山紋 | 55, 64
雲雙目紋 | 65
雲陽宮 | 216
元大富貴 | 169, 223
원시토템 | 75
圓瓦當 | 47
圓乳釘 | 335
圓筆 | 222
위나라 | 55
渭陵 | 330
衛尉 | 173
庾 | 229
儒敎思想 | 19
有萬憙 | 169
유목 | 89
유목민족 | 109
乳釘紋 | 124, 213, 316
乳釘雲紋 | 130
維天降靈延元萬年天下康寧 | 277
儒學 | 77
윤복문 | 124, 145
隆起 | 335
隱公 8년 | 22
殷氏冢當 | 167
殷王 | 45
殷人 | 45
殷人尊神 | 46
殷墟 | 32
음양설 | 77
음양오행 | 77
음양오행설 | 309
陰陽學 | 310
義陵 | 330
義鳴堡 | 88
李斯 | 288
『爾雅 · 釋草』| 136
二重證據法 | 21
人牽牛 | 61
人面 | 61
一重 | 43
一秋 | 213
林光宮 | 217

ㅈ

紫宮 | 206
子母鹿紋 | 91, 102
字體 | 159
『子虛賦』| 25
字形 | 160
犳鹿紋 | 91
長陵東當 | 27
長樂 | 169, 217
長樂宮 | 206
長樂毋極常安居 | 269
長樂未央 | 19, 163
長樂富貴 | 169
張府園 | 163
長沙馬王堆1호 | 208
長相思 | 259
長生 | 169, 217
長生吉利 | 216
長生無極 | 19
長生未央 | 163, 216
長生未央冢 | 259
長生不老 | 162
長生樂哉 | 216

張氏冢當 | 167
長樂康哉 | 216
長樂萬歲 | 216
長樂無極 | 216
長樂無極常安居 | 216
長樂未央 | 216
長樂未央延年永壽昌 | 216
長樂未央延年益壽昌 | 216
長樂富貴 | 223
長樂衛尉 | 173
長安城 | 222
長楊宮 | 357
『장자 · 제물론』 | 182
재래문화 | 144
箭頭 | 61
篆書 | 159
錢樹樹木紋 | 73
田形格 | 61
切當 | 89, 162
切當法 | 162
점토판 | 104
鄭義伯盨 | 44
鄭州 京城 | 21
鄭州大河村 | 141
鼎胡宮 | 260
鼎胡延壽保 | 259
齊國歷史博物館 | 66
齊國瓦當 | 56
제나라 | 55
齊園 | 58
齊園宜當 | 58, 59
齊一宜當 | 58, 59
제후국 | 51
鳥 | 61
조나라 | 55
鳥紋 | 88
鳥獸 | 60, 61
鳥食蛇紋 | 107
鳥食魚紋 | 107
朝神石室宮 | 259
鳥蟲書 | 159, 291
祖澤 | 76
周武王 | 57
朱雀 | 353
周秦漢王朝 | 88
中國杜陵秦塼漢瓦博物館 | 35
重環紋 | 31, 37, 129, 145
櫛齒紋 | 222, 329
增筆 | 160
지두문 | 93
芝陽城 | 88
秦系文字 | 287
秦國瓦當 | 88
秦宮室 | 293
진나라 | 55
陳生崔鼎 | 44
진시황 | 58
진시황 능북2호 건축군 | 126
秦阿房宮 | 293
秦雍城 | 20, 52, 88
秦瓦當 | 88
秦人水德 | 127
秦篆 | 187
陳倉縣 | 190
秦漢瓦當 | 18
『秦漢瓦當圖』 | 25

ㅊ

借筆 | 161
讖緯 | 309
倉 | 229
蒼龍 | 354
倉庾 | 229
天降單于 | 222
天象 | 45
千歲 | 305
天神 | 45
天人感應 | 170
天人相應 | 311
天子千秋萬歲常樂未央 | 276
天帝 | 144
天齊 | 19, 58
天體 | 45
千秋 | 182, 213
千秋利君 | 213
千秋利君常延年 | 213
천추만세 | 143, 210

千秋萬世 | 213
千秋萬歲 | 19, 209, 213
千秋萬歲富貴宜子孫 | 274
千秋萬歲常樂未央 | 213
千秋萬歲樂無極 | 213
千秋萬歲與地毋極 | 271
千秋萬歲與地無極 | 213
千秋萬歲與天毋極 | 213
千秋萬歲與天無極 | 271
千秋萬歲為大年 | 213
千秋萬世長樂未央昌 | 273
鐵溝村 | 88
青銅器 | 31, 42
靑銅禮器 | 32, 45
青龍 | 353
靑衣瓦當 | 27
蜻蜓紋 | 88
청회색 | 93, 96
梯形 | 298, 316
초나라 | 55
『楚辭』| 136
雛衍 | 77
축대 | 75

ㅋ

큰기러기[鴻] | 184

ㅌ

朵雲紋 | 335
『태극도설』| 184
太陽 | 61
太陽紋 | 70, 109
太陽星紋 | 63
태양숭배 | 135, 145, 148
駘蕩宮當 | 284
宅舍 | 168
土器 | 24
土德 | 310
土木水火金 | 77
筒 | 24
筒瓦 | 22, 31, 155

ㅍ

板瓦 | 22, 31, 155
八風壽存當 | 259
『抱朴子 · 廣譬』| 25
標紙 | 168
畢沅 | 25

ㅎ

河南省博物館 | 141
夏代 | 21
下都 | 55
하모도 유적 | 139
荷花 | 136
鶴紋 | 307
漢高祖 | 308
漢代瓦當 | 18
漢代 黃老 | 147
漢武帝 | 19, 143, 162, 216
漢並天下 | 163
漢賦 | 214
『韓非子』| 76
『韓非子 · 外儲說右上』| 25
한사군 | 328
『漢書 · 百官公卿表』| 173, 188
『漢書 · 郊祀志』| 260
『漢書 · 王嘉傳』| 189
漢城 | 294
漢承秦制 | 278
漢式기와 | 143
漢長安城 | 271, 273
咸陽 | 55, 321
咸阳宫 | 293
咸陽城 | 88
合文 | 160
项羽 | 293
楷書 | 159, 291
行人 | 61, 70
玄武 | 353
弦紋 | 31, 52
湖 | 260
胡 | 260
虎 | 61
虎鹿獸紋 | 91

虎紋 | 88, 91, 362
湖城縣 | 261, 263
虎食鳥紋 | 104
虎雁紋 | 91
鴻飛 | 185
火德 | 310
花紋瓦當 | 42, 134
華陰縣 | 229
花體字 | 211
花草 | 61
花瓣紋彩陶鉢 | 140
貨幣 | 223
獾紋 | 96
獾鹿魚紋 | 102
활궁모양 | 52
黃老 | 19, 308
황로사상 | 169
黃山 | 190
黃山宮 | 191
회색 | 126
회홍색 | 93, 101
회흑색 | 93
厚葬제도 | 312